國學概論　國學略說

小識

　　任在何時何地的學者，對於青年們有兩種恩賜：第一，他運用精利的工具，闢出新境界給人們享受。第二，他站在前面，指引途徑，使人們隨著在軌道上走。因此可以說：學者是青年們的慈母──慈母是兼任飼育和扶持兩種責任的。太炎先生是當代的學者，我們讀他所著的《文始》、《國故論衡》、《齊物論釋》、《新方言》、《小學問答》等書，就可以明白他闢出多少燦爛的境地！先生以前在東京、北京，這次在上海，把國學為系統的講明，更可見他對於青年們扶掖的熱忱。我在聽了講演以後，心裡自然有無限的感激，所以不計工拙，把先生的話記出。並且看到青年們有求知的熱狂，而因時地關係，沒能親聆這次講演的很多，所以又把記錄的稿印出，希望傳播得比較的普遍些。

　　在下文還引述些淺薄的見解。學術界近年來頗有研究國學的傾向，確是好的現狀。但是大部分對於為什麼要研究國學這個先決問題，還是持迷離混沌的態度，或者竟是盲從的。在講演會中，第一次，就聽到兩種可怪的論調，在他們原以為是妥適的理由。

　　這兩種論調是：

　　A　西洋人研究中國國學的很多；我們對於自己的國學，哪可不

研究？

　　B　當代有太炎先生這麼淹博的國學學者，我們哪可不趕快去研究？

　　持這般論調去研究國學，是很危險的。因為他們根本上沒有明白國學是個什麼，也沒想到要去研究國學的原因；只不過因循的盲從，胡亂提倡些國學，做冒牌的聖人之徒，替青年造成進化的障壁！中國數千年來，不是沒有講論國學的人，卻很少真正研究國學的人；所以國學愈講愈失其真，荊棘蔽途，苦煞後生小子！在現在不研究國學也罷，否則非徹底瞭解研究國學的主因，便不能得著效果。

　　那麼，我們究竟為什麼要研究國學呢？可把它分作四層講明：

　　國學在中國有數千年的歷史。我們過去的智識，和它發生密切的因果關係；因此我們急要明白：國學的精華何在？它以後還有存在的價值沒有？如果國學是腐敗的骸骨，不該容它存留著，我們可趕快蕩除淨盡；如其中尚包藏著精金，也應從速發掘；決不可徬徨歧路，靡所適從。在取捨問題急待解決當中，非研究國學，別無解決的途徑。這是第一層原因。

　　在我們以前，既沒人曾把國學整理一下，到現在還彷彿一大堆亂書：政治、哲學、倫理、宗教以及其他各種科學都包含著。我們既要明白其中究竟是怎樣的，非坐待可以得到；及今用精力把它系統的整理起來，或者能夠觀察明白，使後人也得著好處。所以謀學術界的共同便利，也非將國學研究一下不可。這是第二層原因。

　　大部分青年感受著無限的苦痛；因為心裡極明白適合人生真義的「新」，要想接受它；但社會上「舊」的勢力膨脹到極點，稍一反動，靈肉兩方面都得著痛苦。那舊的也不過借國學做護符——軍閥和老頑

固都把孔老夫子來撐門面——國學經過他們手裡，已變成「糟粕形式呆板教條」了。我們如不把國學的真面目抬出，他們決不斂形息聲的；要找出國學的真面目，自然需下一番研究工夫。這是第三層原因。

我們對於西方文化固當合理的迎納，但自己背後還有國學站著，這兩種文化究竟如何使它溝通，也是目前要解決的問題。我們對於國學所含的原子不明白分析出來，如何能叫彼和別種化合？所以要先研究國學，才找得出溝通方法。這是第四原因。

可見我們研究國學，決不是盲目的，原含著以上四種急迫的需求。太炎先生講國學，的確是使我們滿足求知欲望，並且是適應這四種需求的；且細看他講的話，自然明白了。

但是，我們一方面完全承受先生的講演，一方面卻須用批評的眼光去觀察，要記牢「我愛先生，我更愛真理」一語。

最後，我更對邵仲輝先生表謝忱，因為稿中許多地方都承先生指正。

一九二二年六月一日聚仁識於上海。

小識

目 錄
CONTENTS

國學概論

第一章

概論

我在東京曾講演過一次國學，在北京也講演過一次，今天是第三次了。國學很不容易講，有的也實在不能講，必須自己用心去讀去看。即如歷史，本是不能講的；古人已說「一部十七史從何處說起」，現在更有二十四史，不止十七史了。即《通鑑》等書似乎稍簡要一點，但還是不能講；如果只像說大書那般鋪排些事實，或講些事實夾些論斷，也沒甚意義。所以這些書都靠自己用心去看。我講國學，只能指示些門徑和矯正些近人易犯的毛病。今天先把「國學概論」分做兩部研究：

甲、國學的本體
　　A　經史非神話
　　B　經典諸子非宗教
　　C　歷史非小說傳奇
乙、治國學的方法
　　A　辨書籍的真偽
　　B　通小學
　　C　明地理
　　D　知古今人情的變遷
　　E　辨文學應用

甲 國學的本體

A　經史非神話

　　在古代書籍中，原有些記載是神話，若《山海經》、《淮南子》中所載，我們看了，覺得是怪誕極了。但此類神話，在王充《論衡》

裡已有不少被他看破，沒有存在的餘地了。而且正經正史中本沒有那些話。如盤古開天闢地，天皇、地皇、人皇等，正史都不載。又如「女媧煉石補天」、「后羿射日」那種神話，正史裡也都沒有。經史所載，雖在極小部分中還含神祕的意味，大體並沒神奇怪離的論調。並且，這極小部分的神祕記載，也許使我們得有理的解釋：

《詩經》記后稷的誕生，頗似可怪。因據《爾雅》所釋「履帝武敏」，說是他的母親，足蹈了上帝的拇指得孕的。但經毛公註釋，訓帝為皇帝，就等於平常的事實了。

《史記‧高帝本紀》說高祖之父太公，雷雨中至大澤，見神龍附其母之身，遂生高祖。這不知是太公捏造這話來騙人，還是高祖自造。即使太公真正看見如此，我想其中也可假托。記得湖北曾有一件姦殺案：「一個姦夫和姦婦密議，得一巧法，在雷雨當中，姦夫裝成雷公怪形，從屋脊而下，活活地把本夫打殺。」高祖的事，也許是如此。他母親和人私通，姦夫飾做龍怪的樣兒，太公自然不敢進去了。

從前有人常疑古代聖帝賢王都屬假托；即如《堯典》所說「欽明文思安安，克明俊德……」等等的話，有人很懷疑，以為那個時候的社會，哪得有像這樣的完人。我想：古代史家敘太古的事，不能詳敘事實，往往只用幾句極混統的話做「考語」，這種考語原最容易言過其實。譬如今人作行述，遇著沒有事蹟可記的人，每只用幾句極好的考語；《堯典》中所載，也不過是一種「考語」，事實雖不全如此，也未必全不如此。

《禹貢》記大禹治水，八年告成。日本有一博士，他說：「後世

鑿小小的運河，尚須數十年或數百年才告成功，他治這麼大的水，哪得如此快？」因此，也疑禹貢只是一種奇蹟。我卻以為大禹治水，他不過督其成，自有各部分工去做；如果要親身去，就遊歷一週，也不能，何況鑿成！在那時人民同受水患，都有切身的苦痛，免不得合力去做，所以「經之營之，不日成之」了。《禹貢》記各地土地腴瘠情形，也不過依報告錄出，並不必由大禹親自調查的。

太史公作《五帝本紀》，擇其言尤雅馴者，可見他述的確實。我們再翻看經史中，卻也沒載盤古、三皇的事，所以經史並非神話。

其他經史以外的書，若《竹書紀年》、《穆天子傳》，確有可疑者在。但《竹書紀年》今存者為明代偽托本，可存而不論。《穆天子傳》也不在正經正史之例，不能以此混彼。後世人往往以古書稍有疑點，遂全目以為偽，這是錯了！

B　經典諸子非宗教

經典諸子中有說及道德的，有說及哲學的，卻沒曾說及宗教。近代人因為佛經及耶教的聖經都是宗教，就把國學裡的經，也混為一解，實是大誤。「佛經」、「聖經」的那個「經」字，是後人翻譯時隨意引用，並不和「經」字原意相符。「經」字原意只是一經一緯的經，即是一根線，所謂經書只是一種線裝書罷了。明代有線裝書的名目，即別於那種一頁一頁散著的八股文墨卷，因為墨卷沒有保存的價值，別的就稱做線裝書了。古代記事書於簡。不及百名者書於方，事多一簡不能盡，遂連數簡以記之。這連各簡的線，就是「經」。可見「經」不過是當代記述較多而常要翻閱的幾部書罷了。非但沒含宗教

的意味，就是漢時訓「經」為「常道」，也非本意。後世疑經是經天緯地之經，其實只言經而不言天，便已不是經天的意義了。

中國自古即薄於宗教思想，此因中國人都重視政治。周時諸學者已好談政治，差不多在任何書上都見他們政治的主張。這也是環境的關係：中國土地遼廣，統治的方法，急待研究，比不得歐西地小國多，沒感著困難。印度土地也大，但內部實分著許多小邦，所以他們的宗教易於發達。中國人多以全力著眼政治，所以對宗教很冷淡。

老子很反對宗教，他說：「以道莅天下，其鬼不神。」孔子對於宗教，也反對；他雖於祭祀等事很注意，但我們味「祭神如神在」的「如」字的意思，他已明白告訴我們是沒有神的。《禮記》一書很考究祭祀，這書卻又出自漢代，未必是可靠。

祀天地社稷，古代人君確是遵行，然自天子以下，就沒有與祭的身分。須知宗教是須普及於一般人的，耶穌教的上帝，是給一般人膜拜的；中國古時所謂天，所謂上帝，非人君不能拜，根本上已非宗教了。

九流十家中，墨家講天、鬼，陰陽家說陰陽生剋，確含宗教的臭味；但墨子所謂天，陰陽家所謂「龍」、「虎」，卻也和宗教相去很遠。

就上討論，我們可以斷定經典諸子非宗教。

C 歷史非小說傳奇

後世的歷史，因為辭采不豐美，描寫不入神，大家以為是紀實的；對於古史，若《史記》、《漢書》，以其敘述和描寫的關係，引起許多人的懷疑：

《刺客列傳》記荊軻刺秦王事，《項羽本紀》記項羽垓下之敗，真是活龍活現。大家看了，以為事實上未必如此，太史公並未眼見，也不過如《水滸傳》裡說武松、宋江，信手寫去罷了。實則太史公作史擇雅去疑，慎之又慎。像伯夷、叔齊的事，曾經孔子講及，所以他替二人作傳；那許由、務光之流，就缺而不錄了。項羽、荊軻的事蹟，昭昭在人耳目，太史公雖沒親見，但傳說很多，他就可憑著那傳說寫出了。《史記》中詳記武事，原不止項羽一人；但若夏侯嬰、周勃、灌嬰等傳，對於他們的戰功，只書得某城，斬首若干級，升什麼官，竟像記一筆賬似的，這也因沒有特別的傳說，只將報告記了一番就算了。如果太史公有意偽述，那麼《刺客列傳》除荊軻外，行刺的情形，只曹沫、專諸還有些敘述，豫讓、聶政等竟完全略過，這是什麼道理呢？《水滸傳》有百零八個好漢，所以施耐庵不能個個描摹，《刺客列傳》只五個人，難道太史公不能逐人描寫嗎？這都因荊軻行刺的情形有傳說可憑，別人沒有，所以如此的。

「商山四皓」一事，有人以為四個老人哪裡能夠使高祖這樣聽從，《史記》所載未必是實。但須知一件事情的成功，往往為多數人所合力做成，而史家常在甲傳中歸功於甲，在乙傳中又歸功於乙。漢惠免廢，商山四皓也是有功之一，所以在《留侯世家》中如此說，並無可疑。

史書原多可疑的地方，但並非像小說那樣的虛構。如劉知幾《史通》曾疑更始刮席事為不確，因為更始起自草澤時，已有英雄氣概，何至為眾所擁立時，竟羞懼不敢仰視而以指刮席呢？這大概是光武一方面誣衊更始的話。又如史書寫王莽竟寫得同呆子一般，這樣愚呆的人怎能篡漢？這也是漢室中興對於王莽當然特別貶斥。這種以成敗論人的習氣，史家在所不免，但並非像小說的虛構。

考《漢書‧藝文志》已列小說於各家之一，但那只是縣志之類，如所謂《周考》、《周紀》者。最早是見於《莊子》，有「飾小說以干縣令」一語；這所謂小說，卻又指那時的小政客不能遊說六國侯王，只能在地方官前說幾句本地方的話。這都和後世小說不同。劉宋時有《世說新語》一書，所記多為有風趣的魏晉人的言行，但和正史不同的地方，只時日多顛倒處，事實並非虛構。唐人始多筆記小說，且有因愛憎而特加揄揚或貶抑者，去事實稍遠。《新唐書》因引《舊唐書》所記事實不詳備，多採取此等筆記。但司馬溫公作《通鑑》對於此等事實必由各方面蒐羅證據，見有可疑者即刪去，可見作史是極慎重將事的。最和現在小說相近的是宋代的《宣和遺事》，彼記宋徽宗游李師師家，寫得非常生動，又有宋江等三十六人，大約《水滸傳》即脫胎於此書。古書中全屬虛構者也非沒有，但多專記神仙鬼怪，如唐人所輯《太平廣記》之類，這與《聊齋誌異》相當，非《水滸傳》可比，而且正史中也向不採取。所以正史中雖有些敘事很生動的地方，但決與小說傳奇不同。

乙 治國學的方法

A 辨書籍的真偽

對於古書沒有明白哪一部是真，哪一部是偽，容易使我們走入迷途，所以研究國學第一步要辨書籍的真偽。

四部的中間，除了集部很少假的，其餘經、史、子三部都包含著很多的偽書，而以子部為尤多。清代姚際恆《古今偽書考》，很指示我們一些途徑。

先就經部講：《尚書》現代通行本共有五十八篇，其中只有三十三篇是漢代時的今文所有，另二十五篇都是晉代梅賾所假造。這假造的《尚書》，宋代朱熹已經懷疑他，但沒曾尋出確證，直到清代，才明白地考出，卻已霧迷了一千多年。經中尚有為明代人所偽託，如《漢魏叢書》中的《子貢詩傳》係出自明豐坊手。詮釋經典之書，也有後人偽託，如孔安國《尚書傳》、《鄭氏孝經注》、《孟子孫奭疏》之類，都是晉代的產品。不過「偽古文尚書」和「偽孔傳」，比較的有些價值，所以還引起一部分人一時間的信仰。

以史而論：正史沒人敢假造，別史中就有偽書。《越絕書》，漢代袁康所造，而託名子貢；宋人假造《飛燕外傳》、《漢武內傳》，而列入《漢魏叢書》；《竹書紀年》本是晉人所得，原已難辨真偽，而近代通行本，更非晉人原本，乃是明人偽造的了。

子部中偽書很多，現在舉其最著者六種，前三種尚有價值，後三種則全不足信。

（一）《吳子》。此書中所載器具，多非當時所有，想是六朝產品。但從前科舉時代把它當作「武經」，可見受騙已久。

（二）《文子》。《淮南子》為西漢時作品，而《文子》裡面大部分抄自《淮南子》，可見本書係屬偽托，已有人證明它是兩晉六朝人做的。

（三）《列子》。信列子的人很多，這也因本書做得不壞，很可動人的原故。須知列子這個人雖見於《史記·老莊列傳》中，但書中所講，多取材於佛經，佛教在東漢時始入中國，哪能在前說到？我們用時代證它，已可水落石出。並且《列子》這書，漢人從未有引用一句，這也是一個明證。造《列子》的也是晉人。

（四）《關尹子》。這書無足論。

（五）《孔叢子》。這部書是三國時王肅所造。《孔子家語》一書也是他所造。

（六）《黃石公三略》。唐人所造。又《太公陰符經》一書，出現在《黃石公三略》之後，係唐人李筌所造。

經、史、子三部中的偽書很多，以上不過舉個大略。此外，更有原書是真而後人摻加一部分進去的，這卻不能疑它是假。《四子書》中有已被摻入的；《史記》中也有，如《史記》中曾說及揚雄，揚——雄在太史公以後，顯係後人加入，但不能因此便疑《史記》是偽書。

總之，以假為真，我們就要陷入迷途，所以不可不辨別清楚。但

反過來看，因為極少部分的假，就懷疑全部分，也是要使我們徬徨無所歸宿的。如康有為以為漢以前的書都是偽的，都被王莽、劉歆改竄過，這話也只有他一個人這樣說。我們如果相信他，便沒有可讀的古書了。

B 通小學

韓昌黎說：「凡作文章宜略識字。」所謂「識字」，就是通小學的意思。作文章尚須略通小學，可見在現在研究古書，非通小學是無從下手的了。小學在古時，原不過是小學生識字的書，但到了現代，雖研究到六七十歲，還有不能盡通的。何以古易今難至於如此呢？這全是因古今語言變遷的緣故。現在的小學，是可以專門研究的，但我所說的「通小學」，卻和專門研究不同，因為一方面要研究國學，所以只能略通大概了。

《尚書》中《盤庚》、《洛誥》，在當時不過一種告示，現在我們讀了，覺得詰屈聱牙，這也是因我們沒懂當時的白話，所以如此。《漢書・藝文志》說：「《尚書》直言也。」直言就是白話。古書原都用當時的白話，但我們讀《尚書》，覺得格外難懂，這或因《盤庚》、《洛誥》等都是一方的土話，如殷朝建都在黃河以北，周朝建都在陝西，用的都是河北的土話，所以比較的不能明白。《漢書・藝文志》又說，「讀《尚書》應用《爾雅》」，這因《爾雅》是詮釋當時土話的書，所以《尚書》中有難解的地方，看了《爾雅》就可明白。

總之，讀唐以前的書，都非研究些小學，不能完全明白。宋以後的文章和現在差不多，我們就能完全瞭解了。

研究小學有三法：

一、通音韻。古人用字，常同音相通，這大概和現在的人寫別字一樣。凡寫別字都是同音的，不過古人寫慣了的別字，現在不叫他寫別字罷了。但古時同音的字，現在多不相同，所以更難明白。我們研究古書，要知道某字即某字之轉訛，先要明白古時代的音韻。

二、明訓詁。古時訓某字為某義，後人更引申某義轉為他義。可見古義較狹而少，後義較廣而繁。我們如不明白古時的訓詁，誤以後義附會古義，就要弄錯了。

三、辨形體。近體字中相像的，在篆文未必相像，所以我們要明古書某字的本形，以求古書某字的某義。

歷來講形體的書，是《說文》；講訓詁的是《爾雅》；講音韻的書，是《音韻學》。如能把《說文》、《爾雅》、《音韻學》都有明確的觀念，那麼，研究國學就不至犯那「意誤」、「音誤」、「形誤」等弊病了。

宋朱熹一生研究《五經》、《四子》諸書，連寢食都不離，可是糾纏一世，仍弄不明白。實在，他在小學沒有工夫，所以如此。清代毛西河事事和朱子反對，但他也不從小學下手，所以反對的論調，也都錯了。可見通小學對於研究國學是極重要的一件事了。清代小學一門，大放異彩，他們所發現的新境域，著實不少！

三國以下的文章，十之八九我們能明了，其不能明了的部分，就須藉助於小學。唐代文家如韓昌黎、柳子厚的文章，雖是明白曉暢，

卻也有不能瞭解的地方。所以我說：看唐以前的文章，都要先研究一些小學。

桐城派也懂得小學，但比較的少用工夫，所以他們對於古書中不能明白的字，便不引用。這是消極的免除笑柄的辦法，事實上總行不去的。

哲學一科，似乎可以不通小學，但必專憑自我的觀察，由觀察而發表自我的意思，和古人完全絕緣，那才可以不必研究小學。倘仍要憑藉古人，或引用古書，那麼，不明白小學就要鬧笑話了。比如朱文公研究理學（宋之理學即哲學），釋「格物」為「窮至事物之理」，便招非議。在朱文公原以「格」可訓為「來」，「來」可訓為「至」，「至」可訓為「極」，「極」可訓為「窮」，就把「格物」訓為「窮物」。可是訓「格」為「來」是有理，輾轉訓「格」為「窮」，就是笑話了。又釋「敬」為「主一無適」之謂（這原是程子說的），他的意思是把「適」訓作「至」，不知古時「適」與「敵」通，《淮南子》中的主「無適」，所謂「無適」實是「無敵」之謂，「無適」乃「無敵對」的意義，所以說是「主一」。所以研究國學，無論讀古書或治文學、哲學，通小學都是一件緊要的事。

C 明地理

近頃所謂地理，包含地質、地文、地志三項，原須專門研究的。中國本來的地理，算不得獨立的科學，只不過做別幾種 —— 史、經——的助手，也沒曾研究到地質、地文的。我們現在要研究國學，所需要的也只是地志，且把地志講一講。

地志可分兩項：天然的和人為的。天然的就是山川脈絡之類。山自古至今，沒曾變更。大川若黃河，雖有多次變更，我們在歷史上可以明白考出，所以，關於天然的，比較地容易研究。人為的就是郡縣建置之類。古來封建制度至秦改為郡縣制度，已是變遷極大，數千年來，一變再變，也不知經過多少更張。那秦漢時代所置的郡，現在還能大略考出，所置的縣，就有些模糊了；戰國時各國的地界，也還可以大致考出，而各國戰爭的地點和後來楚漢戰爭的地點，卻也很不明白了。所以人為的比較地難以研究。

歷來研究天然的，在乾隆時有《水道提綱》一書。書中講山的地方甚少，關於水道，到現在也變更了許多，不過大致是對的。在《水道提綱》以前，原有《水經注》一書，這書是北魏人所著，事實上已用不著，只文采豐富，可當古董看罷了。研究人為的，有《讀史方輿紀要》和《乾隆府廳州縣志》；民國代興，廢府留縣，新置的縣也不少，因此更大有出入。在《方輿紀要》和《府廳州縣志》以前，唐人有《元和郡縣志》，也是研究人為的，只是欠分明；另外還有《大清一統志》、《李申耆五種》，其中卻有直截明了的記載，我們應該看的。

我們研究國學，所以要研究地理者，原是因為對於地理沒有明白的觀念，看古書就有許多不能懂。譬如看到春秋戰國的戰爭和楚漢戰爭，史書上已載明誰勝誰敗，但所以勝所以敗的原因，關於形勢的很多，就和地理有關了。

二十四史中，古史倒還可以明白，最難研究的，要推《南北史》

和《元史》。東晉以後，五胡闖入內地，北方的人士，多數南遷。他們數千人所住的地，就僑置一州；僑置的地方，大都在現在鎮江左近，因此有南通州、南青州、南冀州的地名產生。我們研究《南史》，對於僑置的地名，實在容易混錯。元人滅宋，統一中國，在二十四史就有《元史》的位置。元帝成吉思汗拓展地域很廣，關於西比利亞和歐洲東部的地志，《元史》也有闌入，因此使我們讀者發生困難。關於《元史地志》有《元史譯文證補》一書，因著者博證海外，故大致不錯。

不明白地理而研究國學，普通要發生三種謬誤。南北朝時南北很隔絕。北魏人著《水經注》，對於北方地勢，還能正確，記述南方的地志，就錯誤很多。南宋時對於北方大都模糊，所以福建人鄭樵所著《通志》，也錯得很多。——這是臆測的謬誤。中國土地寥闊，地名相同的很多，有人就因此糾纏不清。——這是糾纏的錯誤。古書中稱某地和某地相近，往往考諸實際，相距卻是甚遠。例如：諸葛亮五月渡瀘一事，是大家普通知道的，瀘水就是現今金沙江，諸葛亮所渡的地，就是現在四川寧遠。後人因為唐代曾在四川置瀘州，大家就以為諸葛亮五月渡瀘是在此地，其實相去千里，豈非大錯嗎？——這是意會的錯誤。至於河陰、河陽當在黃河南北，但水道已改，地名還是仍舊，也容易舛錯的。

我在上節曾講過「通小學」，現在又講到「明地理」，本來還有「典章制度」也是應該提出的，所以不提出者，是因各朝的典章制度，史書上多已載明，無以今證古的必要。我們看哪一朝史知道哪一朝的典章制度就夠了。

D　知古今人情的變遷

社會更迭地變換，物質方面繼續地進步，那人情風俗也隨著變遷，不能拘泥在一種情形的。如若不明白這變遷的理，要產生兩種謬誤的觀念。

一、道學先生看做道德是永久不變，把古人的道德，比做日月經天，江河行地，墨守而不敢違背。

二、近代矯枉過正的青年，以為古代的道德是野蠻道德。

原來道德可分二部分──普通倫理和社會道德──前者是不變的，後者是隨著環境變更的。當政治制度變遷的時候，風俗就因此改易，那社會道德是要適應了這制度這風俗才行。古今人情的變遷，有許多是我們應該注意的！

第一，封建時代的道德，是近於貴族的；郡縣時代的道德，是近於平民的。這是比較而說的。《大學》有「欲治其國者，先齊其家」一語，《傳》第九章裡有「其家不可教而能教人者，無之」一語，這明是封建時代的道德。我們且看唐太宗的歷史，他的治國，成績卻不壞──世稱貞觀之治，但他的家庭，卻糟極了，殺兄，納弟媳。這豈不是把《大學》的話根本打破嗎？要知古代的家和後世的家大不相同。古代的家，並不只包含父子夫妻兄弟這等人，差不多和小國一樣，所以孟子說：「千乘之家百乘之家。」在那種制度縣之下，《大學》裡的話自然不錯，那不能治理一縣的人，自然不能治理一省了。

第二，古代對於保家的人，不管他是否尸位素餐，都很恭維。史

家論事，對於那人因為犯事而滅家，不問他所做的是否正當，都沒有一句褒獎。《左傳》裡已是如此，後來《史》、《漢》也是如此。晁錯昌議滅七國，對於漢確是盡忠，但因此夷三族，就使史家對他生怪了。大概古代愛家和現代愛國的概念一樣，那亡家也和亡國一樣，所以保家是大家同情的。這種觀念，到漢末已稍稍衰落，六朝又復盛了。

第三，貴族制度和現在土司差不多，只比較的文明一些。凡在王家的人，和王的本身一樣看待。他的兄弟在王去位的時代都有承襲的權利。我們看《尚書》到周公代成王攝政，覺得很可怪。他在攝政時代，也儼然稱王。在《康誥》裡有「王若曰孟侯朕其弟小子封」的話，這王明是指周公。後來成王年長親政，他又可以把王號取消。《春秋》記隱公、桓公的事，也是如此。這種攝政可稱王，退位可取消的情形，到後世便不行。後世原也有兄代弟位的，如明英宗被擄、景泰帝代行政事等。但代權幾年，卻不許稱王；既稱王卻不許取消的。宋人解釋《尚書》，對於這些，沒有注意到，所以強為解釋，反而愈釋愈使人不能解了。

第四，古代大夫的家臣，和天子的諸侯一樣，凡是家臣對於主人有絕對服從的義務。這種制度，西漢已是衰落一些，東漢又復興盛起來。功曹、別駕都是州郡的屬官。這種屬官，既要奔喪，還要服喪三年，儼有君臣之分。三國時代的曹操、劉備、孫權，他們雖未稱王，但他屬下的官對於他都是皇帝一般看待的。

第五，丁憂去官一件事在漢末很通行，非但是父母三年之喪要丁

憂，就是兄弟姊妹期功服之喪也要丁憂。陶淵明詩有說及奔妹喪的，潘安仁《悼亡詩》也有說及奔喪的，可見丁憂的風在那時很盛。唐時此風漸息，到明代把它定在律令，除了父母喪不必去官。

總之，道德本無所謂是非，在那種環境裡產生適應的道德，在那時如此便夠了。我們既不可以古論今，也不可以今論古。

E　辨文學應用

文學的派別很多，梁劉勰著《文心雕龍》一書，已明白羅列，關於這項，將來再仔細討論，現在只把不能更改的文體講一講。

文學可分二項：有韻的謂之詩，無韻的謂之文。文有駢體、散體的區別，歷來兩派的爭執很激烈：自從韓退之崛起，推翻駢體，後來散體的聲勢很大，宋人就把古代經典都是散體、何必用駢體做宣揚的旗幟；清代阮芸台起而推倒散體，抬出孔老夫子來，說孔子在《易經》裡所著的文言繫辭，都是駢體的。實在這種爭執，都是無謂的。

依我看來，凡簡單敘一事不能不用散文，如兼敘多人多事，就非駢體不能提綱。以《禮記》而論，同是周公所著，但《周禮》用駢體，《儀禮》卻用散體，這因事實上非如此不可的。《儀禮》中說的是起居跪拜之節，要想用駢也無從下手。更如孔子著《易經》用駢，著《春秋》就用散，也是一理。實在散、駢各有專用，可並存而不能偏廢。凡列舉綱目的以用駢為醒目，譬如我講演「國學」列舉各項子目，也便是駢體。秦漢以後，若司馬相如、鄒陽、枚乘等的駢文，了然可明白。他們用以序敘繁雜的事，的確是不錯。後來詔誥都用四

六，判案亦有用四六的──唐宋之間，有《龍筋鳳髓判》──這真是太無謂了。

凡稱之為詩，都要有韻，有韻方能傳達情感。現在白話詩不用韻，即使也有美感，只應歸入散文，不必算詩。日本和尚娶妻食肉，我曾說他們可稱居士等等，何必稱做和尚呢？詩何以要有韻呢？這是自然的趨勢。詩歌本來脫口而出，自有天然的風韻。這種韻，可達那神妙的意思。你看，動物中不能言語，他們專以幽美的聲調傳達彼等的感情，可見詩是必要有韻的。「詩言志，歌永言，聲依詠，律和聲」，這幾句話，是大家知道的。我們仔細講起來，也證明詩是必要韻的。我們更看現今戲子所唱的二黃、西皮，文理上很不通，但彼等也因有韻的原故。

白話記述，古時素來有的，《尚書》的詔誥全是當時的白話；漢代的手詔，差不多亦是當時的白話；經史所載更多照實寫出的。《尚書‧顧命》篇有「奠麗陳教則肄肄不違」一語，從前都沒能解這兩個「肄」字的用意，到清代江艮庭始說明多一「肄」字，乃直寫當時病人垂危舌本強大的口吻。《漢書》記周昌「臣期期不奉詔」、「臣期期知其不可」等語，兩「期期」字也是直寫周昌口吃。但現在的白話文只是使人易解，能曲傳真相卻也未必。「語錄」皆白話體，原始自佛家，宋代名儒如二程、朱、陸亦皆有語錄，但二程為河南人，朱子福建人，陸象山江西人，如果各傳真相，應所紀各異，何以語錄皆同一體例呢？我嘗說，假如李石曾、蔡子民、吳稚暉三先生會談，而令人筆錄，則李講官話，蔡講紹興話，吳講無錫話，便應大不相同，但記成白話文卻又一樣。所以說白話文能盡傳口語的真相，亦未必是確實的。

第二章

國學的派別（一）
——經學的派別

講「國學」而不明派別，將有望洋興嘆、無所適從之感。但「國學」中也有無須講派別的，如歷史學之類；也有不夠講派別的，則為零碎的學問。現在只把古今學者呶呶爭辯不已的，分三類討論：一，經學之派別；二，哲學之派別；三，文學之派別。依順序先研究經學之派別。

「六經皆史也」，這句話詳細考察起來，實在很不錯。在《六經》裡面，《尚書》、《春秋》都是記事的典籍，我們當然可以說它是史。《詩經》大半部是為國事而作——《國風》是歌詠各國的事，《雅》、《頌》是諷詠王室的——像歌謠一般的，夾入很少，也可以說是史。《禮經》是記載古代典章制度的——《周禮》載宮制，《儀禮》載儀注——在後世本是史的一部分。《樂經》雖是失去，想是記載樂譜和制度的典籍，也含史的性狀。只有《易經》一書，看起來像是和史沒關，但實際上卻也是史。太史公說：「《易》本隱以之顯，《春秋》推見以至隱。」引申它的意思，可以說《春秋》是臚列事實，中寓褒貶之意；《易經》卻和近代「社會學」一般，一方面考察古來的事蹟，得著些原則，拿這些原則，可以推測現在和將來。簡單說起來，《春秋》是顯明的史，《易經》是蘊著史的精華的。因此可見「六經」無一非史，後人於史以外，別立為經，推尊過甚，更有些近於宗教。實在周末還不如此，此風乃起於漢時。

秦始皇焚書坑儒，《六經》也遭一炬，其後治經者遂有今文家、古文家之分。今文家乃據漢初傳經之士所記述的。

現在要講今文家，先把今文家的派別，立一簡單的表：

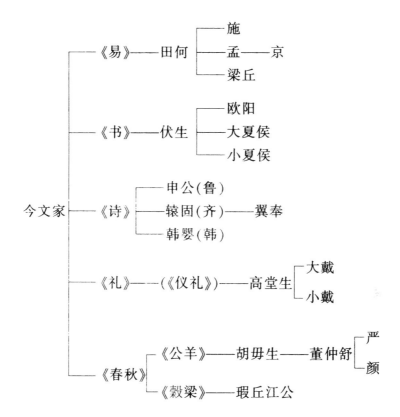

　　漢初，田何傳《易經》，伏生口授《尚書》，齊、魯、韓三家治《詩經》，高堂生傳《禮經》，胡毋生治《公羊》，瑕丘江公治《穀梁》，那時除了《樂經》以外，五經都已完備。後來《易》分四家，《詩》、《書》各分三家，《禮》分二家，《公羊》分二家。漢室設宮，立十四博士——《穀梁》不在內——即以上十四家。十四博士在漢初還沒十分確定，在西漢末年才確定下來。

　　今文家講的，雖非完全類乎宗教，但大部分是傾向在這一面的。《易》四家中，施和梁丘二家，我們已不能見，且莫論它。京氏治

《易》，專重卜筮，傳至漢末虞翻，則更多陰陽卜筮之說。《尚書》三家中歐陽也不可考，大、小夏侯則歡喜講《洪範》五行之說，近於宗教。漢人治《尚書》，似乎最歡喜《洪範篇》。《詩經》三家中，申公所說，沒甚可怪。《韓詩外傳》——《內傳》已失——也沒甚可怪的地方，唯翼奉治詩，卻拿十干十二支比附《詩經》了。高堂生的《儀禮》，已不可知，大、小戴中——現在所謂二戴，非漢時的大、小戴——也不少離奇的話。《公羊》的記載，雖和事實相差很遠，還沒甚麼可怪，但治《公羊》的今文家，卻奇怪極了。胡毋生的學說，我們已不能見，即顏、嚴二家的主張也無從考出，但董仲舒的《春秋繁露》，卻多怪話。漢末何休注《公羊》，不從顏、嚴二家之說，自以為是胡毋生嫡派，他的怪話最多，照他說來，直是孔子預知漢室將興而作《春秋》，簡直是為漢預制憲法，所以那時有「《春秋》為漢制法」的話。孔子無論是否為預言家，孔子何至和漢家有這麼深厚的感情呢？

漢代學者以為古代既有「經」必有「緯」，於是託古作制，造出許多「緯」來，同時更造「讖」。當時緯書種類繁多，現在可查考的只有《易緯》八種。明孫毂《古微書》中輯有緯書很多。《易緯》所講的是時令節氣，僅如月令之類；《春秋緯》載孔子著《春秋》、《孝經》告成，跪告天，天生彩雲，下賜一玉等話，便和耶穌《創世紀》相類了。「讖」是「河圖」一類的書，專講神怪，說能先知未來，更近於宗教了。緯書西漢末年才出現，大概今文學家弟子迎合當時嗜好推衍出來的。

經有兼今古文的，也有無今文而有古文的，也有無古文而有今文

的。漢代古文學家，可以列如左表：

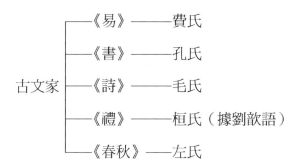

古文家
- 《易》——費氏
- 《書》——孔氏
- 《詩》——毛氏
- 《禮》——桓氏（據劉歆語）
- 《春秋》——左氏

《儀禮》——當時稱為《士禮》——在古文今文，只為文字上的差別。《周禮》在漢初不以為經典，東漢始有杜子春和二鄭替彼註釋。此外今古文便各自為別了。

今古文的區別，本來只在文字版本上。因為《六經》遭秦火，秦代遺老就所能記憶的，用當代語言記出，稱為今文；後來從山崖屋壁發見古時原本，稱為古文，也不過像近代今版古版的分別罷了。但今文所記憶，和古文所發現的篇幅的多少，已有不同；今文家所主張和古文家所說，根本上又有不同，因此分道揚鑣。古文家異於今文家之點，在下文細說：

一、《易》以費氏為古文家，是劉向定的。因為劉向校書時，就各家《易經》文字上看，只有費氏相同，所以推為古文家。以《易》而論，今古文也還只文字上的不同。

二、魯恭王發孔壁得《尚書》，《尚書》的篇數就發生問題。據

《書傳》——太史公曰：「《書傳》、《禮記》自孔氏。」可見孔安國家藏《書傳》，確自孔壁得來——稱《書序》有百篇，而據伏生所傳只有二十九篇（可分為三十四篇），壁中所得卻有四十六篇（可分為五十八篇），相差已十七篇。並且《書傳》所載和今文更有許多不同的地方。孟子是當時善治《詩》、《書》的學者，他所引的「葛伯求餉」、「象日以殺舜為事」等等，在今文確是沒有的，可見事實上又不同了。

三、《詩》因叶韻易於記憶，當時並未失傳，本無今古文之分。毛氏所傳詩三百十一篇，比三家所傳多笙詩六篇，而所謂笙詩也只有名沒有內容的。《毛詩》所以列於古文，是立說不同。它的立說，關於事實和《左傳》相同；關於典章制度和《周禮》相同；關於訓詁，又和《爾雅》同的。

四、鄭康成注《儀禮》，並存古今文。大概高堂生傳十七篇和古文無大出入。孔壁得《禮》五十六篇，比高堂生多三十九篇。這三十九篇和今文中有大不同之點：今文治《禮》，是「推士禮至於天子」，全屬臆測的；此三十九篇卻載士以上的禮很多。二戴的主張，原不可考，但晉人賀循引《禮》，是我們可據以為張本的。

五、「左氏多古文古言」，《漢書‧藝文志》說：《左氏傳》是張蒼所獻。賈誼事張蒼，習《左氏傳》，所以《賈誼新書》引《左氏傳》的地方很多。《左氏傳》的事實，和《公羊》多不相同。《穀梁》中事實較《公羊》確實一些，也和《左氏》有出入。至經文本無不同，但《公羊》、《穀梁》是十一篇，《左氏》有十二篇，因《公》、《穀》

是附閔於莊的。閔公只有三年，附於莊公，原無大異，但何休解《公羊》，卻說出一番理由來，以為「孝子三年無改於父道」，故此附閔於莊了。

六、《周禮》，漢時河間獻王向民間抄來，馬融說是「出自山崖屋壁」的。這書在戰國時已和諸侯王的政策不對，差不多被毀棄掉，所以孟子說：「其詳不可得聞也；諸侯惡其害己也，而皆去其籍。」《荀子》中和《周禮》相合的地方很多，或者他曾見過。孟子實未見過《周禮》，西漢人亦未見過。《禮記‧王制》篇也和《周禮》不同。孟子答北宮錡說：「公侯皆方百里，伯七十里，子男五十里」，《周禮》卻說是「公五百里，侯四百里，伯三百里，子二百里，男一百里」。《王制》講官制是「三公，九卿，二十七大夫，八十一元士」。但古代王畿千里，幾和現在江蘇一般大小，這一百二十個官員，恐怕不夠吧！《周禮》稱有三百六十官，此三百六十官亦為官名而非官缺，一官實不止一人，如就府吏胥徒合計，當時固有五萬餘員。

又有在漢時稱為傳記的，就是《論語》和《孝經》二書。《論語》有《古論》、《齊論》、《魯論》之分，《古論》是出自孔氏壁中的。何晏治《論語》參取三家，不能分為古今文。不過王充《論衡》稱《論語古論》有百多篇，文字也難解，刪繁節要也有三十篇，而何晏說：「《魯論語》二十篇；《齊論語》別有《問王》、《知道》等，凡二十二篇；《古論》出孔氏壁中，分《堯曰》下章《子張問》以為一篇，凡二十一篇。」篇數上又有出入。《漢書‧藝文志‧論語家》，有《孔子家語》及《孔子徒人圖法》二書，太史公述仲尼弟子，曾提及《弟子籍》一書，三十篇中或者有以上三書在內。《孝經》，在《漢

書・藝文志》也說出自孔壁，漢代治《孝經》的已無可考，我們所見的是唐玄宗的註釋。又有《論語讖》、《孝經讖》二書，怪語很多，可存而不論。

宋代所稱「十三經」，是合《易》、《尚書》、《周禮》、《儀禮》、《禮記》、《詩》、《左傳》、《公羊》、《穀梁》、《論語》、《孝經》、《孟子》、《爾雅》而說的。這只是將諸書匯刻，本無甚麼深義，後人遂稱為「十三經」了。《漢書・藝文志》擴充六藝為九種，除《易》、《詩》、《書》、《禮》、《樂》、《春秋》為六藝外，是並《論語》、《孝經》、《小學》在內的。

漢代治經學，崇尚今文家的風氣，到了漢末三國之間，漸趨銷熄。漢末鄭康成治經，已兼重古文和今文。王肅出，極端的相信古文。在漢代沒曾立學官的，三國也都列入學官，因此今文家衰，古文家代興。

三國時古文家的色彩很鮮明，和漢代有不可混的鴻溝：

《詩》——漢用三家，三國時尚毛氏；
《春秋》——漢用《公羊》，三國時尚《左氏》；
《易》——漢有施、孟、梁丘、京四家，三國只崇尚鄭康成和王弼的學說；
《儀禮》——沒有大變更；
《周禮》——漢不列學官，三國列入學官。

學者習尚既變，在三國魏晉之間，所有古文家學說，都有人研

究；就是從前用今文家的，到此時也改用古文家了。

古文家盛行以後，自己又分派別：以《易》而論，王弼主費氏，鄭康成也主費氏。各以己意註釋，主張大有不同，因為費氏只是文字古體，並無他的學說的。治《毛詩》的，有鄭康成、王肅，意見有許多相反。治《左傳》的，漢末有服虔——只解傳不解經的，晉有杜預，兩家雖非大不同，其中卻也有牴觸之處。原來漢人治《左氏》，多引《公羊》，並由《公羊》以釋經，自己違背的地方很多。杜預《春秋釋例》將漢人學說一一駁倒，在立論當中，又有和服虔的主張相反的。《尚書》鄭康成有注，鄭本稱為古文的，但孔安國古本已失，鄭本也未必是可靠。我們就和馬融、鄭康成師生間的立說不同，文字不同，也可明白了。東晉時梅賾的偽《古文尚書》出，託名孔安國，將《漢書・藝文志》所稱正十八篇推衍出來，凡今文有的，文字稍有變更；今文所無的，就自己臆造，這書當時很有人信他。

南北朝時南北學者的傾向頗有不同：

《易》——北尊王弼，南尊鄭康成；
《毛詩》——南北無十分異同；
《左傳》——北尊服虔，南尊杜預；
《尚書》——北尊鄭康成，南用偽《古文尚書》。

唐初，孔穎達、賈公彥出而作注疏，產生「五經」、「七經」的名稱。「五經」是孔穎達所主張的，賈公彥益以《周禮》、《儀禮》就稱「七經」，後更附以《公羊》、《穀梁》——《公羊》用何休，《穀梁》用范寧——就是唐人通稱的「九經」。孔穎達曲阜人，當時北方人多

以為北不如南，所以他作注疏多採用南方，因此《易》不用王而用鄭，《左》不用服而用杜了。唐人本有「南學」、「北學」之分，後來北並於南，所有王弼、服虔的學說，因此散失無遺。

唐代輕學校而重科舉，取士用「明經」、「進士」二科——明經科討論經典，進士科策論應試——學者對於孔氏的學說不許違背，因此拘束的弊病，和漢代立十四博士不相上下，並且思想不能自由，成就很少，孔、賈而外，竟沒有卓異的經學家了。

《儀禮・喪服》是當時所實用的，從漢末至唐，研究的人很多並且很精，立說也非賈《疏》所能包。這是特例。

宋代典章制度，多仍唐時之舊。宋人拘守唐人的注疏，更甚於唐人，就是詩賦以經命名的，也不許牴觸孔、賈的主張。當時有人作「當仁不讓於師賦」，將「師」訓作「眾」，就落第了。邢昺作《論語》、《孝經》疏，拘守孔、賈所已引用的，已是簡陋，那些追隨他們的後塵的，更是陋極。宋代改「明經科」為「學究科」，這「學究」兩字是他們無上的諢號。

在思想不能自由發展環境之下，時勢所趨，不能不有大變動，因此宋代學者的主張就和以前趨於相反的方向了。揭反向旗幟的人，首推孫復。他山居讀書，治《春秋》以為三傳都不可靠。這種主張，在唐人已有趙匡、啖助創議於先，孫不過推衍成之。繼孫復而起，是歐陽脩，他改竄《詩經》的地方很多，並疑《易》的《繫辭》非出自孔氏，立說之中很多荒謬，因為他本是文人，非能說經的。同時有劉敞——字原甫——說經頗多，著有《七經小記》，原本今雖不存，但

從別書考見他的主張，雖和注疏背馳，卻不是妄想臆測。神宗時王安石治經，著有《三經新義》，當時以為狂妄。原書已難考見，但從集中所引用的看來，也不見得比歐陽脩更荒謬；想是宋人對於王安石行為上生怨惡，因此嫌棄他的學說。王的學說，傳至弟子呂惠卿輩，真是荒謬絕倫，後來黃氏有《緗素雜記》，把《詩經》看作男女引誘的談論，和《詩經》的本旨就相去千里了。

宋儒治經以意推測的很多。南宋朱文公憑他的臆測釀成很多謬誤。朱氏治經，有些地方原有功於經，但是功不能掩過。現且分別指明。

一、《易經》本為十二篇，鄭、王合彖辭於經，已非本來面目，朱氏分而出之，是他的功。他取陳摶的《河圖》、《洛書》併入《易經》——《河圖》、《洛書》由陳摶傳至邵康節，再傳至朱文公，他就列入《易經》。有清王懋竑為朱文公強辯，謂《河圖》、《洛書》非朱文公所列，那就太無謂了。因為朱文公對於道士煉丹之術，很有些相信。他曾替《參同契》（漢時道家書）作註釋，在書上署名「空同道士鄒忻」，「鄒」、「朱」雙聲，「忻」、「熹」通訓，他的本名已隱在裡面了。這是他的過。分《易》是還原，為功很小；增《河圖》、《洛書》是益迷信，過很大。可以說是功不掩過。

二、朱文公從文章上，懷疑偽《古文尚書》開後人考據的端續，是他的功；他懷疑《書序》——今文所無古文所有——也是偽托，他的弟子蔡沈作集傳，就不信《書序》，是他的過。這可說是功過相當。

三、古人作詩托男女以寓君臣，《離騷》以美人香草比擬，也同

此意。朱文公對於《詩序》——唐時《本事詩》相類——解詩指為國事而作，很不滿意，他徑以為是男女酬答之詩，這是不可掩的過。當時陳傅良反對朱文公，有「城闕為偷期之所，彤管為行淫之具」等語——不見於今《詩傳》，想已刪去。清人亦有指斥朱文公釋《丘中有麻》詩為女人含妒意為不通者。

與朱文公同時有呂東萊，治毛詩很精當，卻不為時人所重。元代，朱子學說大行，明代更甚。在這二代中，經學無足觀，士子受拘束也達極點，就激成清代的大反動。

清初，毛奇齡西河首出反對朱子的主張。毛為文人，於經沒徹底的研究，學說頗近王陽明。他駁斥朱子的地方固精當，他自己的主張，和朱子一般荒謬。朱子注《四子書》，也有援引原注的，毛也一併指斥無餘了。繼起為胡渭（朏明），他精研地理，講《禹貢》甚精當，對於《河圖》、《洛書》有重大的抨擊。在那時雙方各無所根據，憑主觀立論，都不能立在不敗之地，漢學便應運而起。

閻若璩力攻古代書籍已和漢學接近，不過對於朱子，不十分叛離，有許多地方仍援用朱說的。後江慎修出，對於音韻有研究，也傾向到漢學，但未揭明漢學的旗幟。

揭漢學旗幟的首推惠棟（定宇）——蘇州學派——他的父親惠士奇著《禮說》、《春秋說》已開其端，定宇更推揚之，漢學以定。他所謂漢學，是擯斥漢以下諸說而言。惠偏取北學，著有《九經古義》、《周易述》、《明堂大道錄》等書，以《周易述》得名。後惠而起有戴震（東原），他本是江永的弟子，和惠氏的學說不十分相同。

他著有《詩經小傳》等書，不甚卓異。

就惠、戴本身學問論，戴不如惠，但惠氏不再傳而奄息，戴的弟子在清代放極大異彩，這也有二種原因：

甲，惠氏墨守漢人學說，不能讓學者自由探求，留發展餘地。戴氏從音韻上闢出新途徑，發明「以聲音合文字，以文字考訓詁」的法則。手段已有高下。

乙，惠氏揭漢學的旗幟，所探求的只是漢學。戴氏並非自命為漢學，叫人從漢學上去求新的發見，態度上也大有不同。

戴氏的四弟子，成就都很多。戴氏不過形似漢學，實際尚含朱子的臭味，他的弟子已是擯除淨盡了。今將其四弟子分別說明如下：

一、孔廣森講音韻極精，著有《詩聲類》一書。

二、任大椿著有《弁服釋例》一書，很確實的。

三、段玉裁以《六書音韻表》、《說文解字注》聞名。

四、王念孫本非戴的傳經學生，戴在王家教授時，只不過教授些時文八股。王后來自有研究，所發明的比上列三家較多，《廣雅疏證》一書，很為學者所重。

上列四家，孔、任尚近漢學，段已和漢學不同，王才高學精，用漢學以推翻漢學，誠如孟子所謂「逢蒙學射於羿，盡羿之道，於是殺羿」了。

王念孫及其子引之著《經義述聞》，引用漢代訓詁，善於調換，於諸說中採其可通者，於是詰屈聱牙的古書，一變而為普通人所能懂得了。歷來研究經學的，對於名詞、動詞有人研究；關於助詞，都不知討論。王氏父子著《經傳釋詞》，於古書助詞之用法，列舉無遺，實於我們研究上有莫大的便利，如《孟子》中「然而無有乎爾，則亦無有乎爾」二句，本不易解，王氏訓「乎爾」為「於此」、「於彼」，便豁然可悟了。我以我們不看《經傳釋詞》，也算是虛詞不通。

上列二派，在清代稱為「漢學」，和「宋學」對立，厥後崛起的為常州派，是今文學家。

「常州派」自莊存與崛起，他的外甥劉逢祿、宋翔風承繼他的學說。莊氏治《公羊》，卻信東晉《古文尚書》，並習《周禮》。劉氏亦講《公羊》，卻有意弄奇；康有為的離奇主張，是從他的主張演繹出來的，但他一方面又信《書序》——這兩人不能說純粹的今文學家。朱氏以《公羊》治《論語》，極為離奇，「孔教」的促成，是由他們這一班人的。今文學家的後起，王闓運、廖平、康有為輩一無足取，今文學家因此大衰了。

今文學家既衰，古文學家又起。孫詒讓是一代大宗，《周禮正義》一書，頗為學者所重。在他以外，考典章制度原有江永、惠士奇（作《禮說》）、金榜（著《禮箋》）、金鶚（作《求古錄》）、黃以周（著《禮書通古》）等人，但和他終有上下之別。自孫詒讓以後，經典大衰。像他這樣大有成就的古文學家，因為沒有卓異的今文學家和他對抗，竟因此經典一落千丈，這是可嘆的。我們更可知學術的進步，是靠著

爭辯，雙方反對愈激烈，收效方愈增大。我在日本主《民報》筆政，梁啟超主《新民叢報》筆政，雙方為國體問題辯論得很激烈，很有色彩，後來《新民叢報》停版，我們也就擱筆，這是事同一例的。

自漢分古今文，一變而為南北學之分，再變而為漢宋學之分，最後復為今古文，差不多已是反原，經典的派別，也不過如此罷。

第三章

國學的派別（二）
——哲學的派別

「哲學」一名詞，已為一般人所通用，其實不甚精當。「哲」訓作「知」，「哲學」是求知的學問，未免太淺狹了。不過習慣相承，也難一時改換，並且也很難得一比此更精當的。南北朝號「哲學」為「玄學」，但當時「玄」、「儒」、「史」、「文」四者並稱，「玄學」別「儒」而獨立，也未可用以代「哲學」。至宋人所謂「道學」和「理學」是當時專門名辭，也不十分適用，今姑且用「哲學」二字罷。

討論哲學的，在國學以子部為最多，經部中雖有極少部分與哲學有關，但大部分是為別種目的而作的。以《易》而論，看起來像是討論哲學的書，其實是古代社會學，只《繫辭》中談些哲理罷了。《論語》，後人稱之為「經」，在當時也只算是子書。此書半是「倫理道德學」，半是論哲理的。「九流」的成立，也不過適應當時需求，其中若縱橫家是政客的技術，陰陽家是荒謬的迷信，農家是種植的技藝，雜家是雜亂的主張，都和哲學無關。至和哲學最有關係的，要算儒、道家，其他要算法家、墨家、名家了。道家出於史官，和《易》相同。老、莊二子的主張，都和哲學有牽涉的。管子也是道家，也有小部分是和哲學有關的。儒家除《論語》一書外，還有《孟子》、《荀子》都曾談談哲理。名家是治「正名定分之學」，就是現代的「論理學」，可算是哲學的一部分。尹文子、公孫龍子和莊子所稱述的惠子，都是治這種學問的。惠子和公孫龍子主用奇怪的論調，務使人為我所駁倒，就是希臘所謂「詭辯學派」。《荀子‧正名》篇研究名學也很精當。墨子本為宗教家，但《經上》、《經下》二篇，是極好的名學。法家本為應用的，而韓非子治法家之學，自謂出於老子，他有《解老》、《喻老》二篇，太史公也把他和老、莊合傳，其中有一部分

也有關哲理的。儒家、道家和法家的不同，就在出發點上。儒道二家是以哲理為基本而推衍到政治和道德的，法家是旁及哲理罷了。他如宋牼，《漢書・藝文志》把他歸在小說家，其實卻有哲理的見解。莊子推宋牼為一家，《荀子・解蔽》篇駁宋牼的話很多，想宋牼的主張在當時很流行，他是主張非兵的。宋牼所以算做小說家，因為他和別家不同；別家是用高深的學理，和門人研究，他是逢人便說，陳義很淺的。

周秦諸子，道、儒兩家所見獨到。這兩家本是同源，後來才分離的。《史記》載孔子受業於徵藏史，已可見孔子學說的淵源。老子道德的根本主張，是「上德不德」，就是無道德可見，才可謂之為真道德。孔子的道德主張，也和這種差不多。就是孟子所謂「由仁義行，非行仁義也」，也和老子主張一樣的。道、儒兩家的政治主張，略有異同：道家範圍大，對於一切破除淨盡；儒家範圍狹小，對於現行制度尚是虛與委蛇；也可以說是「其殊在量，非在質也」。老子為久遠計，並且他沒有一些名利觀念，所以敢放膽說出；孔子急急要想做官，竟是「三月無君，則皇皇如也」，如何敢放膽說話呢！

儒家之學，在《韓非子・顯學》篇說是「儒分為八」，有所謂顏氏之儒。顏回是孔子極得意門生，曾承孔子許多讚美，當然有特別造就。但孟子和荀子是儒家，記載顏子的話很少，並且很淺薄。《莊子》載孔子和顏回的談論卻很多。可見顏氏的學問，儒家沒曾傳，反傳於道家了。莊子有極贊孔子處，也有極誹謗孔子處，對於顏回，只有贊無議，可見莊子對於顏回是極佩服的。莊子所以連孔子要加抨擊，也因戰國時學者托於孔子的很多，不如把孔子也駁斥，免得他們借孔子

作護符。照這樣看來，道家傳於孔子為儒家；孔子傳顏回，再傳至莊子，又入道家了。至韓退之以莊子為子夏門人，因此說莊子也是儒家。這是「率爾之論，未嘗訂入實錄」。他因為莊子曾稱田子方，遂謂子方是莊子的先生。那麼，《讓王》篇也曾舉曾原、則陽、無鬼、庚桑諸子，也都列名在篇目，都可算做莊子的先生嗎？

孟子，《史記》說他是「受業子思之門」。宋人說子思是出於曾子之門，這是臆測之詞，古無此說。《中庸》中雖曾引曾子的話，也不能斷定子思是出於曾子的。至謂《大學》是曾子所作，也是宋人杜撰，不可信的。子思在《中庸》所主張，確含神道設教的意味，頗近宗教；孟子卻一些也沒有。《荀子・非十二子》篇對於子思、孟子均有誹議，說他們是信仰五行的。孟子信五行之說，今已無證據可考，或者外篇已失，內篇原是沒有這種論調的。子思在《禮記》中確已講過五行的話。

荀子的學問，究源出何人，古無定論。他嘗稱仲尼、子弓。子弓是誰，我們無從考出。有人說：子弓就是子張。子張在孔子門人中不算卓異的人才，如何會是他呢？今人考出子弓就是仲弓，這也有理。仲弓的學問，也為孔子所讚許，造就當有可觀。鄭康成《六藝論》，說仲弓是編輯《論語》的。而《荀子》一書，體裁也是傲效《論語》的，《論語》以《學而》始，以《堯曰》終；《荀子》也以《勸學》始，以《堯問》終，其中豈非有蛛絲馬跡可尋嗎？荀子和孟子雖是都稱儒家，而兩人學問的來源大不同。荀子是精於制度典章之學，所以「隆禮儀而殺《詩》、《書》」，他書中的《王制》、《禮論》、《樂論》等篇，可推獨步。孟子通古今，長於《詩》、《書》，而於禮甚疏；他講王

政，講來講去，只有「五畝之宅，樹之以桑；雞豚狗彘之畜，無失其時；百畝之田，勿奪其時」等話，簡陋不堪，哪能及荀子的博大！但孟子講《詩》、《書》，的確好極，他的小學也很精，他所說「庠者養也，洚水者洪水也，畜君者好君也」等等，真可冠絕當代！由他們兩人根本學問的不同，所以產生「性善」、「性惡」兩大反對的主張。在荀子主禮儀，禮儀多由人為的，因此說人性本惡，經了人為，乃走上善的路。在孟子是主《詩》、《書》，《詩》是陶淑性情的，《書》是養成才氣的，感情和才氣都自天然，所以認定人性本善的。兩家的高下，原難以判定。韓退之以大醇小疵定之，可謂鄙陋之見。實在漢代治儒家之學，沒有能及荀、孟兩家了。

告子，莊子說他是兼學儒、墨，孟子和他有辯駁，墨子也排斥他的「仁內義外」的主張。墨、孟去近百年，告子如何能並見？或者當時學問是世代相傳的。告子的「生之為性，無善無不善」的主張，看起來比荀、孟都高一著。荀、孟是以所學定其主張，告子是超乎所學而出主張的。告子口才不及孟子，因此被孟子立刻駁倒。其實，孟子把「犬之性猶牛之性，牛之性猶人之性與」一語難告子，告子也何妨說「生之為性，犬之生猶牛之生，牛之生猶人之生」呢？考「性」亦可訓作「生」，古人所謂「毀不滅性」的「性」字，就是「生」的意義。並且我們也常說「性命」一語呢！

道家的莊子以時代論，比荀子早些，和孟子同時，終沒曾見過一面。莊子是宋人，宋和梁接近，莊子和惠子往來。惠子又為梁相，孟子在梁頗久，本有會面的機會，但孟子本性不歡喜和人家往來，彼此學問又不同，就不會見了。

莊子自以為和老子不同，《天下》篇是偏於孔子的。但莊子的根本學說，和老子相去不遠。不過老子的主張，使人不容易捉摸，莊子的主張比較的容易明白些。

　　莊子的根本主張，就是「自由」、「平等」。「自由平等」的願望，是人類所公同的，無論那一種宗教，也都標出這四個字。自由平等見於佛經。「自由」，在佛經稱為「自在」。莊子發明自由平等之義，在《逍遙游》、《齊物論》二篇。「逍遙游」者自由也，「齊物論」者平等也。但莊子的自由平等，和近人所稱的，又有些不同。近人所謂「自由」，是在人和人的當中發生的，我不應侵犯人的自由，人亦不應侵犯我的自由。《逍遙游》所謂「自由」，是歸根結底到「無待」兩字。他以為人與人之間的自由，不能算數；在飢來想吃、寒來想衣的時候，就不自由了。就是列子御風而行、大鵬自北冥徙南冥，皆有待於風，也不能算「自由」。真自由唯有「無待」才可以做到。近人所謂平等，是指人和人的平等，那人和禽獸草木之間，還是不平等的。佛法中所謂平等，已把人和禽獸平等。莊子卻更進一步，與物都平等了。僅是平等，他還以為未足。他以為「是非之心存焉」，尚是不平等，必要去是非之心，才是平等。莊子臨死有「以不平平，其平也不平」一語，是他平等的註腳。

　　莊子要求平等自由，既如上述。如何而能達到平等自由，他的話很多，差不多和佛法相近。《莊子‧庚桑楚》篇，朱文公說他全是禪——宋人凡關於佛法，皆稱為「禪」——實在《庚桑楚》篇和「禪」尚有別，和「佛法」真很近了。莊子說「靈台者有持」，就是佛法的「阿陀那識」，「阿陀那」意即「持」。我們申而言之，可以說，眼目

口鼻所以能運動自由，都有「持之者」，即謂「持生之本也」。莊子又有《德充符》篇，其中有王駘者，並由仲尼稱述他的主張。是否有此人，原不可知，或是莊子所假托的。我們就常季所稱述「彼為己，以其知得其心；以其心得其常心」等語，是和佛法又相同的。「知」就是「意識」，「心」就是「阿陀那識」，或稱「阿賴耶識」，簡單說起來就是「我」；「常心」就是「庵摩羅識」，或稱「真如心」，就是「不生不滅之心」。佛家主張打破「阿賴耶識」，以求「庵摩那識」。因為「阿賴耶識」存在，人總有妄想苦惱，唯能打破生命之現象，那「不生不滅之心」才出現。莊子求常心，也是此理。他也以為常心是非尋常所能知道的。莊子「無我」的主張，也和佛法相同。莊子的「無我」和孔子的「毋我」、顏子的「克己復禮」也相同，即一己與萬物同化，今人所謂融「小我」於「大我」之中。這種高深主張，孟、荀見不到此，原來孔子也只推許顏回是悟此道的。所以莊子面目上是道家，也可說是儒家。

自孔子至戰國，其間學說紛起，都有精闢的見解，真是可以使我們景仰的。

戰國處士橫議，秦始皇所最憤恨，就下焚書坑儒等凶辣手段。漢初雖有人治經學，對於九流，依舊懷恨，差不多和現在一般人切齒政客一般。漢武帝時，學校只許讀經學，排斥諸子百家了。

漢初經學，一無可取，像董仲舒、公孫弘輩，在當時要算通博之儒，其他更何足論！西漢一代，對於哲理有精深研究的，只有揚雄一人。韓退之把荀、揚並稱，推尊他已達極點。實在揚雄的學說，和

荀、孟相差已多；秦漢以後的儒家，原沒有及荀、孟的。不過揚雄在當時自有相當的地位和價值。西漢學者迷信極重，揚雄能夠不染積習，已是高人一著。他的《法言》，全仿《論語》，連句調都有些模擬，但終究不及荀子。宋人說「荀子才高，揚子才短」，可稱定評。

東漢學者迷信漸除，而哲理方面的發見仍是很少，儒家在此時漸出，王符《潛夫論》、王充《論衡》，可稱為卓異的著述。王符專講政治，和哲理無關。王充——也有歸入雜家的——在《論衡》中幾於無迷不破，《龍虛》、《雷虛》、《福虛》等篇，真是獨具隻眼。他的思想，銳敏已極，但未免過分，《問孔》、《刺孟》等篇，有些過當之處。他又因才高不遇，命運一端，總看不破，也是遺恨。王充破迷信高出揚雄之上，揚雄新見解也出王充之上，這兩人在兩漢是前後輝映的。

漢人通經致用，最為曹操所不歡喜；他用移風易俗的方法，把學者都趕到吟詠一途，因此三國的詩歌，很有聲色。這是曹操手段高出秦始皇處。

魏晉兩朝，變亂很多，大家都感著痛苦，厭世主義因此產生。當時儒家迂腐為人所厭，魏文帝輩又歡喜援引堯、舜，竟要說「舜、禹之事，吾知之矣」。所以，「竹林七賢」便「非堯、舜，薄湯、武」了。七賢中嵇康、阮籍輩的主張和哲學沒有關係，只何晏、王弼的主張含些哲學。何晏說「聖人無情」，王弼說「聖人茂於人者神明，同於人者五情」，這是兩個重要的見解。郭象承何晏之說以解莊子，他說：「子哭之慟，在孔子也不過人哭亦哭，並非有情的。」據他的見

解，聖人竟是木頭一般了。佛法中有「大乘」、「小乘」，習「小乘」成功，人也就麻木；習「大乘」未達到成佛的地位，依舊有七情的。

自魏晉至六朝，其間佛法入中國，當時治經者極少，遠公是治經的大師。他非但有功佛法，並且講《毛詩》講《儀禮》極精，後來治經者蓋不多都是他的弟子。佛法入中國，所以為一般人所信仰，是有極大原因：學者對於儒家覺得太淺薄，因此棄儒習老、莊，而老、莊之學，又太無禮法規則，彼此都感受不安。佛法合乎老、莊，又不猖狂，適合脾胃，大家認為非此無可求了。當時《弘明集》治佛法，多取佛法和老、莊相引證。才高的人，都歸入此道，猖狂之風漸熄。

歷觀中國古代，在太平安寧之時，治哲學的極少，等到亂世，才有人研究。隋唐統一天下，講哲理的只有和尚，並且門戶之見很深，和儒家更不相容。唐代讀書人極不願意研究，才高的都出家做和尚去。我們在這一代中，只能在文人中指出三人，一、韓昌黎，二、柳子厚，三、李翱。韓昌黎見道不明，《原道》一篇，對於釋、老只有武斷的駁斥。柳子厚較韓稍高，他以為天是無知的。李翱（韓昌黎的侄倩）是最有學識的文人，他著《復性篇》說，「齋戒其心，未離乎情；知本無所思，則動靜皆離」，和禪宗很近了。李後來事藥山，韓後來事大顛。李和藥山是意氣相投，韓貶潮州以後，意氣頹唐，不得已而習佛法的。韓習佛法，外面還不肯直認，和朋友通信，還說佛法外形骸是他所同意的。儒家為自己的體面計，往往諱言韓事大顛，豈不可笑！實在韓自貶潮州以後，人格就墮落，上表請封禪，就是獻媚之舉，和揚雄獻《符命》有甚麼區別呢？大顛對於韓請封禪一事，曾說：「瘡痍未起，安請封禪！」韓的內幕又被揭穿，所以韓對於大顛

從而不敢違。韓對於死生利祿之念，刻刻不忘：登華山大哭，作《送窮文》，是真正的證據。韓、柳、李而外，王維、白居易也信佛，但主張難以考見，因為他們不說出的。

七國、六朝之亂，是上流社會的爭奪。五代之亂，是下流社會崛起，所以五代學術衰微極了。宋初，趙普、李沆輩也稱知理之人，趙普並且自誇「半部《論語》治天下」，那時說不到哲理。後來周敦頤出，才闢出哲理的新境域。在周以前有僧契嵩，著有《鐔津文集》，勸人讀《中庸》、《文中子》、《揚子法言》等書，是宋學的淵源。周從僧壽崖，壽崖勸周只要改頭換面，所以周所著《太極圖說》、《周子通書》，只皮相是儒家罷了。周的學說很圓滑，不易捉摸，和《老子》一般，他對二程只說「尋孔、顏樂處」。他終身寡言，自己不曾標榜，也可以說是道學以外的人。

二程都是周的弟子，對於「尋孔、顏樂處」一話，恐怕只有程明道能做到。明道對人和顏悅色，無事如泥木人，他所著《定性篇》、《識仁篇》，和李翱相近。他說「不要方檢窮索」，又說：「與其是外而非內，不如內外兩忘」，見解是很精闢的。伊川陳義雖高，但他自尊自大，很多自以為是之處，恐怕不見得能得孔顏樂處。邵康節以「生薑樹頭生」一語譏伊川，就是說他自信過甚。

邵康節本為陰陽家，不能說是儒家，他的學問自陳搏傳來，有幾分近墨子。張橫渠外守禮儀頗近儒，學問卻同於回教。佛家有「見病」一義，就是說一切所見都是眼病。張對此極力推翻，他是主張一切都是實有的。考回紇自唐代入中國，奉摩尼教，教義和回教相近。

景教在唐也已入中國，如清虛一大為天，也和回教相同。張子或許是從回教求得的。

北宋諸學者，周子渾然元氣，邵子迷於五行，張子偏於執拗，二程以明道為精深，伊川殊欠涵養，這是我的判斷。

南宋，永嘉派承二程之學，專講政治；金華派呂東萊輩，專講掌故，和哲理無關。朱文公師事延平，承「默坐證心，體認天理」八字的師訓。我們在此先把「天理」下一定義。「天」就是「自然」，「天理」就是「自然之理」，朱文公終身對於天理，總沒曾體認出來；生平的主張，晚年又悔悟了。陸象山和朱相反對，朱是揭「道學問」一義，陸是揭「尊德性」一義。比較起來，陸高於朱，陸「先立乎其大者」，謂「六經注我，我不注六經」，是主張一切皆出自心的。朱主張「無極太極」，陸則以為只有「太極」，並無「無極」的。兩人通信辯論很多，雖未至詆毀的地步，但悻悻之氣，已現於詞句間。可見兩人的修養，都沒有功夫。陸象山評二程，謂「明道尚疏通，伊川錮蔽生」，實在朱、陸的錮蔽，比伊川更深咧。朱時守時變，陸是一生不變的。王荊公為宋人所最嫉惡，唯陸以與王同為江西人，所以極力稱頌，也可見他的意氣了。明王陽明之學，本高出陸象山之上，因為不敢自我作古，要攻訐朱文公，不得不攀附於陸象山了。

陸象山的學生楊慈湖（簡），見解也比陸高，他所著的《絕四記》、《己易》二書，原無甚精彩，《己易》中仍是陸氏的主張。但楊氏駁孟子「求放心」和《大學》「正心」的主張說：「心本不邪安用正，心不放安用求。」確是朱、陸所見不到的。黃佐——廣東人——

指楊氏的學說，是剽竊六祖惠能的主張，六祖的「菩提本無樹，明鏡亦非台，本來無一物，何處染塵埃？」一偈，確是和楊氏的主張一樣的。

宋代的哲學，總括說起來：北宋不露鋒芒，南宋鋒芒太露了。這或者和南北地方的性格有關。

南宋朱、陸兩派，可稱是旗鼓相當。陸後傳至楊慈湖，學說是更高一步。在江西，陸的學說很流行，浙西也有信仰他的，朱的學說，在福建很流行，後來金華學派歸附於他，浙東士子對朱很有信仰。

元朝，陸派的名儒要推吳澄（草廬），但其見解不甚高。朱派僅有金華派傳他的學說，金履祥（仁山）、王柏（會之）、許謙（白雲）是這一派的巨擘。金履祥偶亦說經，立論卻也平庸。許謙也不過如此。王柏和朱很接近，荒謬之處也很多，他竟自刪《詩》了。

金華派傳至明初，宋濂承其學，也只能說他是博覽，於「經」於「理」、都沒有什麼表見。宋之弟子方孝孺（正學）對於理學很少說，滅族以後，金華派也就式微。明初，陸派很不流行，已散漫不能成派，這也因明太祖尊朱太過之故。

明自永樂後，學者自有研究，和朱、陸都不相同，學說也各有建樹。且列表以明之：

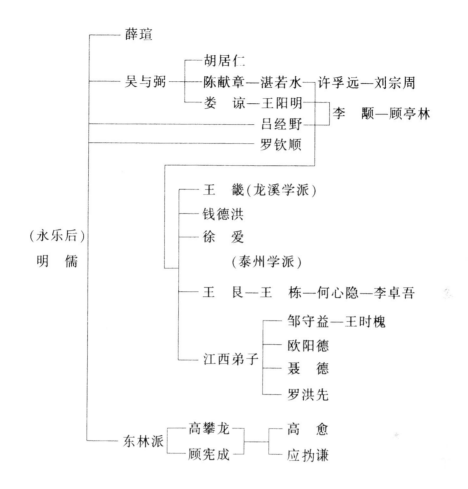

　　永樂時，薛、吳二人，頗有研究，立明代哲學之基。薛瑄（敬
軒），陝西人，立論很平正，和朱文公頗相近。明人因為于謙被殺
時，他居宰輔地位，不能匡救，很有微詞，並且因此輕視他。吳與弼
（康齋），家居躬耕，讀書雖少，能主苦學力行，很為人所推重，後
來他由石亨推薦出仕，對石亨稱門下士，士流又引以為恥。

薛的學問，很少流傳，吳的學問流傳較廣，胡居仁、婁諒和陳獻章三人，是他的學生。胡自己沒有什麼新的發明，明人對他也沒有反對。婁的著作後來燒燬淨盡，已無可考，不過王陽明是他的學生。陳在胡死後才著名，時人稱為白沙先生。

明代學者和宋儒鼇然獨立，自成系統。自陳白沙始，宋人歡喜著書，並且有「語錄」之類。陳白沙認著書為無謂，生平只有詩和序跋之類。他的性質，也和別人不同。初時在陽春壇靜坐三年，後來只是遊山賦詩，弟子從學也只有跟他遊山。陳生平所最佩服的，只是「浴乎沂，風乎舞雩，詠而歸……吾與點也」這些話。對於宋儒都不看重，就是明道也不甚推重。他自以為濂溪嫡派，終日無一時不樂的。白沙弟子湛若水，廣東人，本「體認天理」一語，他以為無論何事，皆自然之規則。王陽明成進士時，和他交遊，那時他學問高出王之上。後來，王別有研究，和他意見不甚相合。他自己講學，流傳頗廣，知名的卻很少。

王守仁（陽明）本是歡喜研究道教的，曾延道士至家，再四拜求。後來從婁諒游，成進士後又和湛往來，見解遂有變更。貶龍場驛丞以後，陽明的學問大進。他看得世間別無可怕，只有死是可怕的，所以造石棺以嘗死的況味，所主張的「致良知」，就在臥石棺時悟出。在貴州時有些苗民很崇拜他，從他講求學問，陽明把知行合一和他們說。陽明的「知行合一」，和明道有些相同。明道以為曾經試行過，才算得「知」；沒全試行過，不能稱為「知」。譬如不知道虎之凶猛的人，見虎不怕；受了虎的損害的，就要談虎色變了。這類主張，漸變而為陽明的主張。陽明以為知即是行，也可說「知的懇切處

即行，行的精粹處即知」。不過陽明的「知行合一」主張，是在貴州時講的。後來到南京，專講靜坐，歸江西后又講「致良知」了。《傳習錄》是他在貴州時的產品，和後來有些不合。

陽明自悟得「致良知」以後，和朱文公不能不處於反對地位，並非專和朱反對，才有這些主張的。有人謂「致良知」的主張，宋胡宏在「胡子知言」已有講起。陽明是否本之於胡，抑自己悟出，這是不能臆斷的。陽明講「良知」，曾攀附到孟子。實在孟子的「良知」，和他的殊不相同。孟子說：「人之所不學而能者其良能也，所不慮而知者，其良知也。孩提之童，無不知愛其親者，及其長也，無不知敬其兄也。」可見他專就感情立論。陽明以為一念之生，是善是惡，自己便能知道，是溢出感情以外，範圍較廣了。孟子和陽明的不同，可用佛法來證明。《唯識論》裡說：一念的發生，便夾著「相分」、「見分」、「自證分」、「證自證分」四項。且把這四個名詞下一解釋：

一、相分　「相分」就是「物色」，就是我們所念的。

二、見分　「見分」就是「物色此物色」，也就是我們所能念的。

三、自證分　一念時有別一念同時起來，便是「自證分」。譬如我講了後一句話，自己決不至忘了前一句話，便是「自證分」在那裡主之。

四、證自證分　「自證分」的結果，便是「證自證分」。

再用例來說明：譬如，想到幾年前的友朋，想到他姓張或姓李，後來忽然斷定他是姓張，當時並不曾證諸記錄或書籍的，這便是「相

分、見分、自證分、證自證分」的聯合了。依此來判良知，孟子所說是指「見分」，陽明是指「自證分、證自證分」的。可見陽明和孟子是不相關聯的，陽明所以要攀附孟子，是儒家的積習：宋人最喜歡的是「喜怒哀樂之未發謂之中」，蘇氏兄弟也常說這話。實在《中庸》所說是專指感情的，宋人以為一切未發都算是中，相去很遠了。還有「鳶飛魚躍，活潑潑地」一語，也為宋人所最愛用，陳白沙更用得多。在《詩經》原意，不過是寫景，《中庸》中「鳶飛戾天，魚躍於淵，言其上下察也」一節也不過引用詩文來表明「明」的意思。「察，明也」，鳶在上見魚，很明白地想要攫取；魚在下見鳶也很明白，立刻潛避了。就是照鄭康成的註解，訓「察」為「至」，也只說道之流行，雖愚夫愚婦都能明白，用鳶魚來表示上下罷了，其中並沒含快活的意思。宋人在「鳶飛魚躍」下面，一定要加「活潑潑地」四字，和原意也不同了。這些和陽明攀附孟子是一樣的。

陽明「致良知」的主張，以為人心中於是非善惡自能明白，不必靠什麼典籍，也不必靠旁的話來證明，但是第二念不應念，有了第二念自己便不明了。人以為陽明的學說，很宜於用兵，如此便不至有什麼疑慮和悔恨。

晚年陽明講「天泉證道」，王畿（龍溪）和錢德洪（緒山）是從游的。錢以為「無善無惡心之體，有善有惡心之動，知善知惡為致知，存善去惡為格物」。王和他不同，以為一切都是無善無惡的。陽明對於這兩種主張，也不加軒輊於其間。

陽明的弟子，徐愛早死，錢德洪的學問，人很少佩服他。繼承陽

明的學問，要推王艮和王畿。王艮，泰州人，本是燒鹽的灶丁，名「銀」，「艮」是陽明替他改的。他見陽明時，學問已博，初見時陽明和他所講論，他尚不滿意，以為陽明不足為之師，後來陽明再講一段，他才佩服。他的學問，和程明道、陳白沙頗相近，有《學樂歌》：「學是樂之學，樂是學之樂。」從他游的頗多尋常人，間有上流人，自己真足自命不凡的。王畿是狂放的舉人，很誹議陽明的，後來忽又師事陽明了。黃梨洲《明儒學案》對於二王都有微詞。他佩服的是陽明的江西弟子。

　　陽明的江西弟子，以鄒守益、歐陽德、聶德、羅洪先為最有造就。羅自有師承，非陽明弟子，心裡很想從陽明游，不能如願，後來陽明也死了。陽明弟子強羅附王，他也就承認。羅的學問比他弟子高深得多，自己靜坐有得，也曾訪了許多僧道。他說：「極靜之時，但覺此心本體如長空雲氣，大海魚龍，天地古今，打成一片。」黃佐對於羅的論調，最不讚同，以為是參野狐禪，否則既謂無物，那有魚龍。實在，心雖無物而心常動。以佛經講，「阿賴耶識」是恆轉如瀑流，就是此意。羅所說「雲氣」和「魚龍」是表示動的意思。羅洪先自己確是證到這個地步，前人沒有及他的了。

　　王時槐的學問自鄒守益傳來，見解頗精深。他說：「純無念時，是為一念，非無念也，時之至微者也。」譬如吾人入睡，一無所夢，這時真可算無念，但和死卻有分別的。就佛法講「意根恆審思量」。意根念念所想的什麼？就是「我」，「我」，就是「阿賴耶識」。我所以不忘這「我」，便因有了「意根」之故。「我」，尋常人多不疑，譬如自己說了一句話，絕不會疑「這是誰說的」，至於其餘對象，我們

總要生一種疑慮的。念念想著，和無念竟是差不多，我們從早晨起來感到熱。繼續熱下去，也就感不到了：所以純無念時，仍有一念。

王艮弟子王棟說主張意與心有分，以為「意非心之所發，意為心之主者」。這種主張，和佛法說有些相同。佛法以「阿賴耶識」自己無作用，有了意根，才能起作用，也就是禪宗所謂「識得主人翁」的意思。劉宗周對於王棟的主張很多採取。棟自己看書不多，這種見解，的是證出的。

陽明、若水兩派以外，有許多士子信仰呂經野的主張。呂，陝西人，篤守禮教，和朱文公最相近，立言很平正，無過人處。當時所以能和湛、王並駕，這也因王的弟子太不守禮法，猖狂使人生厭，那些自檢的子弟就傾向呂經野了。原來何心隱習泰州之學差不多和政客一般，張居正恨而殺之。李卓吾師事何心隱，荒謬益甚，當時人所疾首痛心的。這守禮教和不守禮教，便是宋、明學者的大別。宋儒若陸象山見解之超妙，也仍對於禮教拘守不敢離，既禁止故人子的挾妓，又責備呂東萊的喪中見客。明儒若陳白沙已看輕禮教，只對於名節還重視，他曾說「名節乃士人之藩籬」。王陽明弟子猖狂已甚，二王為更甚，顧亭林痛罵「王學」（即王陽明所創學派）也是為此。

湛、王學問，晚年已不相同，但湛弟子許孚遠，卻合湛、王為一。再傳至劉宗周（戢山），自己又別開生面，和湛、王都有些不同。劉主張「意非心之所發」，頗似王棟，「常惺惺」，也是他的主張，這主張雖是宋人已經講過，但他的功夫是很深的。

陽明附會朱文公《晚年定論》，很引起一般人的攻訐。同時有羅

欽順（整庵）和他是對抗的。羅的學問，有人說他是朱派，實在明代已無所謂純粹朱派。羅的見解，又在朱之上，就說是朱派，也是朱派之傑出者。羅本參禪，後來歸入理學，糾正宋儒之處很多。朱文公所謂「氣質之性，義理之性」，羅表示反對，他說：「義理乃在氣質之中。」宋人於天理人欲，糾纏不清。羅說：「欲當即理。」這種見解，和王不同，較朱又高一著，所以能與陽明相抗衡。清戴東原的主張，是師承羅的學說的。

明末，東林派高攀龍、顧憲成等也講宋人學問，較陽明弟子能守規矩。他們有移風易俗的本意，所以借重禮法。不過黨派的臭味太重，致召魏忠賢殺害的慘劫。清初，東林派還有流傳，高愈、應㧑謙輩也只步武前人罷！

此外尚有李顒（二曲）也是名儒。李，陝西人，出身微賤，原是一個差役。他自己承認是呂派，實際是近王派的，所發見很不少。他每天坐三炷香，「初則以心觀心，久之心亦無所觀」，這是他的工夫。他嘗說「一念萬念」一句話。這話很像佛法，但是究竟的意思，他沒有說出。我們也不知道他還是說「一念可以抵萬念」呢，抑或是「萬念就是一念」呢？在佛法中謂：念念相接則生時間；轉念速，時間長；轉念慢，時間短；一剎那可以經歷劫。李的本意，或許是如此。李取佛法很多，但要保持禮教面目，終不肯說出。「體用」二字，本出於佛法，顧亭林以此問他，他也只可說「寶物出於異國，亦可採取」了。

清代，理學可以不論，治朱之學遠不如朱。陸隴其（稼書）、湯

斌等隸事兩朝，也為士林所不齒，和吳澄事元有什麼分別呢？江藩作《宋學淵源記》，凡能躬自力行的都採入，那在清廷做官的，都在擯棄之列。

顏元（習齋）、戴震（東原），是清代大儒。顏力主「不騖虛聲」，勸學子事禮、樂、射、御、書、數，和小學很相宜。戴別開學派，打倒宋學。他是主張「功利主義」，以為欲人之利於己，必先有利於人，並且反對宋人的遏情欲。

羅有高（台山）、彭紹升（尺木）研究王學的。羅有江湖遊俠之氣，佩服李卓吾；彭信佛法，但好扶乩，兩人都無足取。

哲學的派別，既如上述，我們在此且總括地比較一下：以哲學論，我們可分宋以來之哲學、古代的九流、印度的佛法和歐西的哲學四種。歐西的哲學，都是紙片上的文章，全是思想，並未實驗。他們講唯心論，看著的確很精，卻只有比量，沒是現量，不能如各科學用實地證明出來。這種只能說是精美的文章，並不是學問。禪宗說「獼猴離樹，全無伎倆」，是歐西哲學絕佳比喻，他們離了名相，心便無可用了。宋、明諸儒，口頭講的原有，但能實地體認出來，卻也很多，比歐西哲學專講空論是不同了。

再就宋以來的理學和九流比較看來，卻又相去一間了。黃梨洲說：「自陽明出，儒釋疆界，邈若山河。」實在儒釋之界，宋已分明，不過儒釋有疆界，便是宋以後未達一間之遺憾。宋以後的理學，有所執著，專講「生生不滅之機」，只能達到「阿賴耶恆動如瀑流」，和孔子「逝者如斯夫，不捨晝夜」地步，那「真如心」便非理學家所

能見。孔子本身並非未嘗執著，理學強以為道體如此，真太粗心了！

　　至於佛法所有奧妙之處，在九流卻都有說及，可以並駕齊驅。佛法說「前後際斷」，莊子的「無終無始，無幾無時；見獨而後，能無古今」，可說是同具一義的。佛法講「無我」，和孔子的「毋我」、「克己復禮」，莊子的「無己惡乎得有有」，又相同了。佛家的「唯識唯心說」：「心之外無一物，心有境無，山河大地，皆心所造」，九流中也曾說過。戰國儒家公孫尼子說「物皆本乎心」，孟子說「萬物皆備於我」，便是佛家的立意。佛家大乘斷「所知障」，斷「理障」；小乘斷「煩惱障」，斷「事障」。孔子說「我有知乎哉？無知也」，老子說「玄之又玄，眾妙之門」，又說「滌除玄覽」，便是斷「所知」和「理」障的了。佛法說「不生不滅」，莊子說「無古今而後入於不死不生」，「不死不生」就是「不生不滅」。佛法說「無修無證，心不見心，無相可得」，孟子說「望道而未之見」——道原是不可見，見道即非道——莊子說「斯身非吾有也，胡得有乎道」，又相同了。照這麼看來，「九流」實遠出宋、明諸儒之上，和佛法不相出入的。

　　我們研究哲學，從宋人入手，卻也很好，因為晉人空談之病，宋人所無，不過不要拘守宋學，才有高深的希望。至於直接研究佛法，容易流入猖狂。古來專講佛而不講儒學的，多不足取，如王維降安祿山，張商英和蔡京輩往來，都是可恥的。因為研究佛法的居士，只有五戒，在印度社會情形簡單，或可維持，中國社會情形複雜，便不能維持了。歷來研究儒家兼講佛法的，如李習之、趙大州口不諱佛，言行都有可觀。可見研究佛法，非有儒學為之助不可。

第四章

國學的派別（三）
——文學的派別

什麼是文學？據我看來，有文字著於竹帛叫做「文」，論彼的法式叫做「文學」。文學可分有韻、無韻二種：有韻的今人稱為「詩」，無韻的稱為「文」。古人卻和這種不同。《文心雕龍》說：「今之常言，有文有筆，有韻者文也，無韻者筆也。」范曄自述《後漢書》說：「文患其事盡於形，情急於藻，義牽其旨，韻移其意，政可類工巧圖繢，竟無得也；……手筆差易，文不拘韻故也。」可見有韻在古謂之「文」，無韻在古謂之「筆」了。不過做無韻的固是用筆，做有韻的也何嘗不用筆，這種分別，覺得很勉強，還不如後人分為「詩」、「文」二項的好。

　　古時所謂文章，並非專指文學。孔子稱「堯、舜煥乎其有文章」，是把「君臣朝廷尊卑貴賤之序，車輿衣服宮室飲食嫁娶喪祭之分」叫做「文」，「八風從律，百度得數」叫做「章」。換句話說：文章就是「禮」、「樂」。後來範圍縮小，文章專指文學而言。

　　文學中有韻、無韻二項，後者比前者多。我們現在在討論無韻的文。在討論文的派別之先，把文的分類講一講，並列表以清眉目：

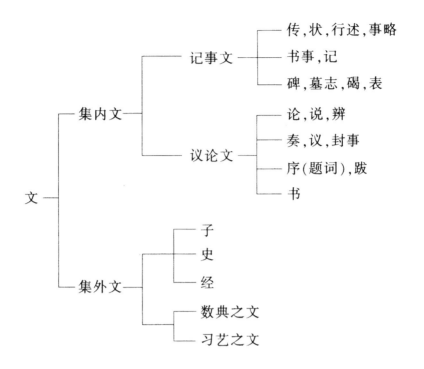

我們普通講文,大概指集部而言,那經、史、子,文非不佳,而不以文稱。但上表所列文的分類中,以「傳」而論,「四史」中列傳已在集部以外,「本紀」、「世家」和「傳」是同性質的,也非集部所有,集部只有「家傳」。以「論」而論,除了文人單篇的論文,也有在集部以外的。譬如:莊子《齊物論》,荀子《禮論》、《樂論》,賈誼《過秦論》,都是子部所有的。以「序」而論,也只單篇的,集中所已備;那聯合的序,若《四庫提要》,就非集部所有。至如「編年史」中《左傳》、《資治通鑑》之類和「名人年譜」,都是記事文,也非集部所能包了。

「傳」是記述某人的一生,或一事,我們所普通見到的。明人以

為沒曾做過史官，不應替人做「傳」，我以為太拘了。史官所做，是卿相名人的「傳」。那普通人的「傳」，文人當然可以做的。「行述」、「狀」和「傳」各不相同。「狀」在古時只有幾句考語，用以呈諸考功之官，憑之以定諡法。自唐李翱以為「狀」僅憑考語不能定諡法，乃定「狀」亦須敘事，就與「傳」相同。「行述」須敘事，形式與「傳」雖相同而用處不同。

「碑」原非為個人而作，若秦「嶧山碑」是紀始皇的功績，漢裴岑「紀功碑」是記破西域的事蹟，差不多都是關於國家大事的。就以「廟碑」而論，雖為紀事，也不是純為紀事的。只有墓上之碑，才是為個人而作。「碑」、「碣」實質是一樣的，只大小長短不同。唐五品以上可用「碑」，六品以下都用「碣」的。「表」和「碑」、「碣」都不同，沒有大小長短的區別，說到彼等的內質，「傳」是紀事的，「狀」是考語兼紀事的，「碑」是考語多，後附有韻的銘，間有紀事，也略而不詳。宋以後「碑」和「傳」只有首尾的不同了。「表」，宋後就沒有「銘」，在漢時有「表記」、「表頌」的不同，「表頌」是有「銘」的。漢以前沒有「墓誌」，西晉也很少，東晉以後才多起來。這也因漢人立碑過多，東晉下令禁碑，「墓誌」藏在墓內，比較便當一些。北朝和唐並不禁碑，而墓誌很流行：一、官品不及的，二、官品雖大曾經犯罪的，三、節省經費的，都以此為便：「墓誌」的文章，大都敷衍交情，沒有什麼精彩。至很小的事，記述大都用「書事」或「記」等。

單篇論文，在西漢很少，就是《過秦論》也見《賈子新書》中的。東漢漸有短論，延篤《仁孝先後論》可算是首創。晉人好談名

理,「論說」乃出。這種論文,須含陸士衡文賦所說「精微流暢」那四字的精神。

「奏」,秦時所無,有之自漢始。漢時奏外尚有「封事」,是奏密事用的。奏,有的為國家大事,有的為個人的事,沒有定規的。「議」,若西漢《石渠議》、《鹽鐵論》、《白虎通》,都是合集許多人而成的。後來,凡議典禮,大都用「議」的。

「書」,在古時已有,差不多用在私人的往還,但古人有「上書」,則和「奏記」差不多,也就是現今的「說帖」和「稟」。至如劉歆《移讓太常博士書》,卻又和「移文」一樣了。

「序」,也是古所已有,如《序卦》、《書序》、《詩序》都是的,劉向《別錄》和《四庫提要》也是這一類。後人大概自著自作,或注釋古書附加一序的。古人的「題詞」和「序」相同,趙岐注《孟子》,一「序」一「題詞」,都用在前面。「跋」,大都在書後,體裁和序無不同之處。

紀事論議而外,尚有集部所無的,如:

A　數典之文:

甲、官制。如《周禮》、《唐六典》、《明清會典》之類。
乙、儀注。《儀禮》、《唐開元禮》等皆是。
丙、刑法。如《漢律》、《唐律》、《明律》、《清律》之類。
丁、樂律。如宋《律呂正義》、清《燕樂考原》等。
戊、書目。如劉向《別錄》,劉歆《七略》,王儉、阮孝緒《七

錄》、《七志》，宋《崇文書目》，清《四庫提要》之類。

B　習藝之文：

甲、算術。如《九章算法》、《圜法》之類。

乙、工程。如《周禮‧考工記》，徐光啟的《龍骨車》、《玉衡車》之類。

丙、農事。如北魏《齊民要術》、元王楨《農書》、明徐光啟《農政全書》之類。

丁、醫書。如《素問》、《靈樞》、《傷寒論》、《千金要方》之類。

戊、地志。如《禹貢》、《周禮‧職方志》、《水經》、《水道提綱》、《乾隆府廳州縣志》、《方輿志略》之類。

以上各種，文都佳絕，也非集部所具的，所以我們目光不可專注在集部。

文學的分類既如上述，我們再進一步討論文學的派別：

經典之作，原非為文，諸子皆不以文稱。《漢書‧賈誼傳》稱賈誼「善屬文」，文乃出。西漢一代，賈誼、董仲舒、太史公、枚乘、鄒陽、司馬相如、揚雄、劉向，稱為「文人」，但考《漢書》所載趙充國的奏疏，都卓絕千古，卻又不以「文人」稱，這是什麼原故呢？想是西漢所稱為「文人」，並非專指行文而言，必其人學問淵博，為人所推重，才可算文人的。東漢班彪著《王命論》，班固著《兩都賦》，以及蔡邕、傅毅之流，是當時著稱的文人。但東漢講政治若崔寔《政論》、仲長統《昌言》，說經若鄭康成之流，行文高出諸文人

上，又不以文名了。在西漢推尊文人，大概注目在淵博有學問一點，東漢推尊的文人，有些不能明白了。東西漢文人在當時並無派別，後人也沒曾有人替他們分成派別的。

三國時曹家父子三人——操、丕、植——文名甚高。操以《詔令》名，丕以《典論》名，植以《求自試表》等稱。人們所以推尊他們，還不以其文，大都是以詩推及其文的。徐幹詩不十分好，《中論》一書也不如仲長統所著而為當時所稱。吳中以張昭文名為最高，我們讀他所著，也無可取，或者以道德而推及其文的。陸家父子——遜、抗、凱、雲、機——都以文名，而以陸機為尤，他是開晉代文學之先的。晉代潘、陸雖並稱，但人之尊潘終不如陸，《抱朴子》中有贊陸語，《文中子》也極力推尊他，唐太宗御筆贊也只有陸機、王羲之二人，可見人們對他的景仰了。自陸出，文體大變：兩漢壯美的風氣，到了他變成優美了；他的文，平易有風致，使人生快感的。晉代文學和漢代文學，有大不同之點。漢代厚重典雅，晉代華妙清妍，差不多可以說一是剛的，一是柔的。東晉好談論而無以文名者，駢文也自此產生了。南北朝時傅季友（宋人）駢體殊佳，但不能如陸機一般舒捲自如，後此任昉、沈約輩每況斯下了。到了徐、庾之流，去前人更遠，對仗也日求精工，典故也堆疊起來，氣象更是不雅淡了。至當時不以文名而文極佳的，如著《崇有論》的裴危頁頠，著《神滅論》的范縝等，更如：孔琳（宋）、蕭子良（齊）、袁翻（北魏）的奏疏，干寶、袁宏、孫盛、習鑿齒、范曄的史論，我們實在景仰得很。在南北朝文家亦無派別，只北朝人好摹仿南朝，因此有推尊任昉的、有推尊沈約的等不同。北朝至周，文化大衰，到了隋代，更是文不成文

了。

　　唐初文也沒有可取，但輕清之氣尚存，若楊炯輩是以駢兼散的。中唐以後，文體大變，變化推張燕公、蘇許公為最先，他們行文不同於庾也不同於陸，大有仿司馬相如的氣象。在他們以前，周時有蘇綽，曾擬《大誥》，也可說是他們的濫觴。韓、柳的文，雖是別開生面，卻也從燕、許出來，這是桐城派不肯說的。中唐蕭穎士、李華的文，已漸趨於奇。德宗以後，獨孤及的行文，和韓文公更相近了。後此韓文公、柳宗元、劉禹錫、呂溫，都以文名。四人中以韓、柳二人最喜造詞，他們是主張詞必己出的。劉、呂也愛造詞，不過不如韓、柳之甚。韓才氣大，我們沒見他的雕琢氣；柳才小，就不能掩飾。韓之學生皇甫湜、張籍，也很歡喜造詞。晚唐李翱別具氣度，孫樵佶屈聱牙，和韓也有不同。駢體文，唐代推李義山，漸變為後代的「四六體」，我們把他和陸機一比，真有天壤之分。唐人常稱孟子、荀卿，也推尊賈誼、太史公，把晉人柔曼氣度掃除淨盡，返於漢代的「剛」了。

　　宋蘇軾稱韓文公「文起八代之衰」，人們很不佩服。他所說八代，也費端詳。有的自隋上推合南朝四代及晉、漢為八代，這當然不合的；有的自隋上推合北朝三代及晉、漢、秦為八代，那是更不合了。因為司馬遷、賈誼是唐人所極尊的，東坡何至如此糊塗？有的自隋上推合南朝四代、北朝三代為八代，這恰是情理上所有的。

　　宋初承五代之亂，已無文可稱；當時大都推重李義山，四六體漸盛，我們正可以說李義山是承前啟後的人，以前是駢體，以後變成四

六了。北宋初年，柳開得《韓昌黎集》讀之，行文自以為學韓，考之實際，和韓全無關係，但宋代文學，他實開其源。以後穆修、尹洙輩也和四六離異，習當時的平文——古文一名，當時所無——尹洙比較前人高一著。北宋文人以歐陽脩、三蘇、曾、王為最著。歐陽本習四六，後來才走入此途，同時和他敵對，首推宋祁。祁習韓文，著有《新唐書》，但才氣不如韓。他和歐陽交情最深，而論文極不合。他的長兄宋郊，習燕、許之文，和他也不同。

明人稱「唐宋八大家」，因此使一般人以為唐宋文體相同。實在唐文主剛，宋文主柔，極不相同。歐陽和韓，更格格不相入。韓喜造詞，所以對於李觀、樊宗師的文很同情。歐陽極反對造詞，所以「天地軋，萬物茁，聖人發」等句，要受他的「紅拉（勒）帛」。並且「黈纊塞耳，前旒蔽明」二語，見於《大戴禮》，歐陽未曾讀過，就不以為然，他無論矣。三蘇以東坡為最博，洵、轍不過爾爾。王介甫才高，讀書多，造就也較多。曾子固讀書亦多，但所作《樂記》，只以大話籠罩，比《原道》還要空泛。有人把他比劉原甫，一浮一實，擬於無倫了。宋人更稱曾有經術氣，更堪一笑！

南宋文調甚俗，開科舉文之端。這項文東坡已有雛形，只未十分顯露，後來相沿而下，為明初宋濂輩的臺閣體。中間在元代雖有姚燧、虞集輩尚有可觀，但較諸北宋已是一落千丈。

宋代不以文名而文佳者，如劉敞、司馬光輩謹嚴厚重，比歐陽高一等，但時人終未加以青目，這也是可惜的。

明有「前七子」、「後七子」之分。「前七子」（李夢陽等）恨臺

閣體;「後七子」（王世貞等）自謂學秦、漢，也很庸俗。他們學問都差於韓、蘇，摹擬不像，後人因此譏他們為偽體。歸有光出，和「後七子」中王世貞相抗敵，王到底不能不拜他的下風。歸所學的是歐、曾二家，確能入其門庭，因此居偽體之上。正如孟子所說，「五穀不熟，不如荑稗」的了！

桐城派，是以歸有光為鼻祖，歸本為崑山人，後來因為方、姚興自桐城，乃自為一派，稱文章正宗。歸講格律、氣度甚精工，傳到顧亭林有《救文》一篇，講公式禁忌甚確，規模已定。清初汪琬學歸氏甚精，可算是歸氏的嫡傳，但桐城派不引而入之，是純為地域上的關係了。

方苞出，步趨歸有光，聲勢甚大，桐城之名以出。方行文甚謹嚴，姚姬傳承他的後，才氣甚高，也可與方並駕。但桐城派所稱劉大櫆，殊無足取，他們竟以他是姚的先生，並且是桐城人，就憑意氣收容了，因此引起「陽湖」和他對抗。陽湖派以惲敬、張惠言為鉅子。惠言本師事王灼，也是桐城派的弟子。他們嫉惡桐城派獨建旗幟，所以分裂的，可惜這派傳流不能如桐城派的遠而多。姚姬傳弟子甚多，以管同、梅曾亮為最。梅精工過於方、姚，體態也好，惜不甚大方，只可當作詞曲看。曾國藩本非桐城人，因為聲名喧赫，桐城派強引而入之。他的著作，比前人都高一著。歸、汪、方、姚都只能學歐、曾。曾才有些和韓相彷彿，所以他自己也不肯說是桐城的。桐城派後裔吳汝綸的文，並非自桐城習來，乃自曾國藩處授得的。清代除桐城而外，汪中的文也卓異出眾，他的敘事文與姚相同，駢體文又直追陸機了。

我們平心論之，文實在不可分派。言其形式，原有不同，以言性情才力，各各都不相同，派別從何分起呢？我們所以推重桐城派，也因為學習他們的氣度格律，明白他們的公式禁忌，或者免除那臺閣派和七子派的習氣罷了。

他們所告訴我們的方式和禁忌，就是：

A　官名地名應用現制。

B　親屬名稱應仍《儀禮・喪服》、《爾雅・釋親》之舊。

C　不俗——忌用科舉濫調。

D　不古。

E　不枝。

我們在此可以討論有韻文了。有韻文是什麼？就是「詩」。有韻文雖不全是詩，卻可以歸在這一類。在古代文學中，詩而外，若「箴」，全是有韻的；若「銘」，雖雜些無韻，大部分是有韻的；若「誄」，若「像贊」，若「史述贊」，若「祭文」，也有有韻的，也有無韻的。那無韻的，我們可歸之於文；那有韻的可歸之於詩了。至於《急就章》、《千字文》、《百家姓》、「醫方歌訣」之類，也是有韻的，我們也不能不稱之為詩。前次曾有人把《百家姓》可否算詩來問我，我可以這麼答道：「詩只可論體裁，不可論工拙。《百家姓》既是有韻，當然是詩。」總之，我們要先確定有韻為詩、無韻為文的界限，才可以判斷什麼是詩。像《百家姓》之流，以工拙論，原不成詩；以形式論，我們不能不承認它是詩。

詩以廣義論，凡有韻是詩；以狹義論，則唯有詩可稱詩：什麼可

稱詩？《周禮・春官》稱六詩，就是風、賦、比、興、雅、頌。但是後來賦與詩離，所謂比、興也不見於《詩經》。究竟當日的賦、比、興是怎樣的，已不可考。後世有人以為賦、比、興就在《風》、《雅》、《頌》之中，《鄭志》張逸問：「何詩近於比、賦、興？」答曰：「比、賦、興，吳札觀詩時，已不歌也。孔子錄詩，已合《風》、《雅》、《頌》中，難復摘別，篇中義多興，此謂比、賦、興，各有篇什。自孔子淆雜第次而毛公獨旌表興，其比、賦俄空焉。聖者顛倒而亂形名，大師偏㧑而失鄰類。」鄭康成《六藝論》也說：《風》、《雅》、《頌》中有賦、比、興。《毛傳》在《詩》的第一節偶有「興也」二字，朱文公也就自我作古，把「比也」、「賦也」均添起來了。我以為《詩》中只有《風》、《雅》、《頌》，沒有賦、比、興。左氏說：「《彤弓》、《角弓》，其實《小雅》也；吉甫作誦，其風肆好，其實《大雅》也。」考毛公所附「興也」本義，也和賦、比、興中的「興」不同，只不過像樂府中的「引」、「豔」一樣。

「六詩」本義何在？我們除比、興不可考而外，其餘都可溯源而得之：

A　風。《詩小序》：「風者上以風化下，下以風刺上。」我以為風的本義，還不是如此。風是空氣的激盪，氣出自口就是風，當時所謂風，只是口中所謳唱罷了。

B　頌。「頌」在《說文》就是「容」字，《說文》中「容」只有納受的意義，這「頌」字才有形容的意義。《詩小序》謂「頌者美盛德之形容」，我們於此可想見古人的頌是要「式歌式舞」的。

C　賦。古代的賦，原不可見，但就戰國以後諸賦看來都是排列鋪張的。古代凡兵事所需，由民間供給的謂之「賦」，在收納民賦時候，必須按件點過。賦體也和按件點過一樣，因此得名了。

D　雅。這項的本義，比較的難以明白：《詩小序》說「雅者正也」，雅何以訓作正？歷來學者都沒有明白說出，不免引起我們的疑惑。據我看來，「雅」在《說文》就是「鴉」，「鴉」和「烏」音本相近，古人讀這兩字也相同的，所以我們也可以說「雅」即「烏」。《史記・李斯傳・諫逐客書》、《漢書・楊惲傳・報孫會宗書》均有「擊缶而歌烏烏」之句，人們又都說「烏烏」秦音也。秦本周地，「烏烏」為秦聲，也可以說「烏烏」為周聲。又商有頌無雅，可見雅始於周。從這兩方面看來，「雅」就是「烏烏」的秦聲，後人為它所歌詠的都是廟堂大事，因此說「雅」者正也。《說文》又訓「雅」為「疋」，這兩字音也相近。「疋」的本義，也無可解，《說文》訓「疋」為「足」，又說：「疋，記也。」大概「疋」就是後人的「疏」，後世的「奏疏」，就是記。《大雅》所以可說是「疋」，也就因為《大雅》是記事之詩。

我們明白這些本義，再去推求《詩經》，可以明白了許多。

太史公在《孔子世家》說：「古者詩三千餘篇，及至孔子，去其重，取可施於禮義，上采契、后稷，中述殷、周之盛，至幽、厲之缺，始於衽席。故曰《關雎》之亂以為《風》始，《鹿鳴》為《小雅》始，《文王》為《大雅》始，《清廟》為《頌》始，三百五篇，孔子皆絃歌之以求合韶、武、雅、頌之音。」可見古詩有三千餘篇。有人

對於三千餘篇，有些懷疑，以為這是虛言。據我看來，這並非是虛言。《風》、《雅》、《頌》已有三百餘篇，考他書所逸詩，可得六百餘篇；若賦、比、興也有此數，就可得千二百篇了。《周禮》稱九德六詩之歌，可見六詩以外，還有所謂九德之歌。在古代盛時，「官箴、占繇皆為詩，所以序《庭燎》稱『箴』，《沔水》稱『規』，《鶴鳴》稱『誨』，《祈文》稱『刺』，詩外更無所謂官箴，辛甲諸篇，也在三千之數」。我們以六詩為例，則九德也可得千八百篇，合之已有三千篇之數，更無庸懷疑。至於這三千篇刪而為三百篇，是孔子所刪，還是孔子以前已有人刪過呢？我們無從查考。不過孔子開口就說誦詩三百，恐怕在他以前，已有人把詩刪過了！大概三千篇詩太複雜，其中也有誦世系以勸誡人君，若《急就章》之流，使學者厭於諷誦。至若比、賦、興雖依情志，又復廣博多華，不宜聲樂，因此十五流中刪取其三，到了孔子不過整齊彼的篇第不使凌亂罷了。

《詩經》只有《風》、《雅》、《頌》，賦不為當時所稱，但是到了戰國，賦就出來了。屈原、孫卿都以賦名：孫卿以《賦》、《成相》分二篇題號已別。屈原《離騷》諸篇，更可稱為卓立千古的賦。《七略》次賦為四家：一曰屈原賦，二曰陸賈賦，三曰孫卿賦，四曰雜賦。屈原的賦是道情的，孫卿的賦是詠物的，陸賈賦不可見，大概是「縱橫」之變。後世言賦者，大都本諸屈原。漢代自從賈生《惜誓》上接《楚辭》，《鵩鳥》彷彿《卜居》，相如自《遠遊》流變而為《大人賦》，枚乘自《大招》、《招魂》散而為《七發》，其後漢武帝《悼李夫人》、班婕妤《自悼》，以及淮南、東方朔、劉向輩大都自屈、宋脫胎來的。至摹擬孫卿的，也有之，如《鸚鵡》、《焦鷯》諸賦都

能時見一端的。

三百篇以後直至秦代，無詩可見。一到漢初，詩便出來了。漢高祖《大風歌》，項羽《虞兮歌》，可說是獨創的詩。此後五言詩的始祖，當然要推《古詩十九首》。這十九首中據《玉臺新詠》指定九首是枚乘作的，可見這詩是西漢的產品。至蘇武、李陵贈答之詩，有人疑是東漢時托擬的。這種五言詩多言情，是繼四言詩而起的，因為四言詩至三百篇而至矣盡矣，以後繼作，都不能媲美。漢時雖有四言詩，若韋、孟之流，才氣都不及，我們總覺得很淡泊。至碑銘之類——《嶧山碑》等——又是和頌一般，非言情之作，其勢非變不可，而五言代出。

漢代雅已不可見，《郊祀歌》之流，和頌實相類似，四言而外，也有三言的，也有七言的。此後頌為用甚濫，碑銘稱「頌」，也是很多的。

漢代文人能為賦未必能以詩名，枚乘以詩長，他的賦卻也不甚著稱。東漢一代，也沒有卓異的詩家，若班固等，我們只能說是平凡的詩家。

繼十九首而振詩風，當然要推曹孟德父子。孟德的四言，上不摹擬《詩經》，獨具氣魄，其他五言七言諸詩，雖不能如十九首的沖淡，但色味深厚，讀之令人生快。魏文帝和陳思王的詩，也各有所長，同時劉楨、王粲輩畢竟不能和他們並駕。鐘嶸《詩品》評古詩十九首說是「一字千金」，我們對於曹氏父子的詩，也可以這樣說他，真所謂「其氣可以抗浮雲，其誠可以比金石」。

語曰：「在心為志，發言為詩。」可見詩是發於性情。三國以前的詩，都從真性情流出，我們不能指出某句某字是佳，它們的好處，是無句不佳無字不佳的。曹氏父子而後，就不能如此了。

曹氏父子而後，阮籍以《詠懷詩》聞於世。他本好清談，但所作的詩，一些也沒有這種氣味。《詩品》稱阮詩出於《離騷》，真是探源之論，不過陳思王的詩，也出自《離騷》，阮的詩還不能如他一般痛快。

晉初左思《詠史詩》、《招隱詩》風格特高，與曹不同，可說是獨開一派。在當時他的詩名不著，反而陸機、潘岳輩以詩稱。我們平心考察：陸詩散漫，潘詩較整飭，畢竟不能及左思，他們也只可以說是作賦的能手罷了。當時所以不看重左思，也因他出身微賤，不能像潘、陸輩身居貴胄的原故。《詩品》評詩，也不免於徇俗，把左思置在陸、潘之下，可為浩嘆！其他若張華的詩，《詩品》中稱他是「兒女情多，風雲氣少」。我們讀他的詩意，只覺得是薄弱無力量，所謂兒女情多，也不知其何所見而云然，或者我們沒曾看見他所著的全豹，那就未可臆斷了！

東晉清談過甚，他們的「清談詩」，和宋時「理學詩」一般可厭。他們所做的詩，有時講講莊、老，有時談談佛理，像孫綽、許詢輩都是如此。孫綽《天台山賦》有「太虛遼廓而無閡，運自然之妙有」等句，是前人所不肯用的。《詩品》說他們的詩，已是「風騷體盡」，的是不錯。在東晉一代中無詩家可稱，但劉琨《扶風歌》等篇，又是詩中佳品，以武人而能此，卻也可喜！

陶淵明出，詩風一振，但他的詩終不能及古人，《詩品》評為「隱逸之詩」。他講「田舍風味」，極自然有風致，也是獨樹一幟。在他以前，描寫風景的詩很少，至他專以描寫風景見長，如「採菊東籬下，悠然見南山」之句，真古人所不能道。淵明以後，謝靈運和顏延之二家繼他而起。謝描摹風景的詩很多，句調精煉，《詩品》說他是「初出芙蓉」。顏詩不僅描風景，作品中也有雕刻氣，所以推為詩家，或以顏學問淹博之故。《詩品》評顏謂為「鏤金錯彩」。陶詩脫口自然而出，並非揉作而成，雖有率爾之詞，我們總覺得可愛。如謝詩就有十分聱牙之處，我們總可以覺得他是矯作的。小謝——謝朓——寫風景很自然，和淵明不相上下，而當時學者終以小謝不及大謝，或者描寫風景之詩，大家都愛工巧，所以這般評論。梁代詩家推沈約——永明體自他出，律詩已有雛形了。古詩所以變為律詩，也因謝、顏詩不可諷誦，他因此故而定句調。沈約的律詩，和唐後律詩又不相同。《隋書·經籍志》載他的《四聲譜》有一卷，可見譜中所載調是很多的，並不像唐後律詩這麼簡單。他的四聲譜，我們雖不能見，但讀他的詩，比謝、顏是調和些，和陶、小謝卻沒有什麼分別呢。

　　宋鮑照、齊江淹，也以詩名。鮑有漢人氣味，以出身微賤，在當時不甚著稱。江善於擬古，自己的創作卻不十分高明。

　　南北朝中，我們只能知道南朝的作品。北朝究竟有無詩家，久已無從考得，但《木蘭詩》傳自北朝，何等高超，恐怕有些被淹沒了呢！

梁末詩又大變，如何遜、陰鏗的作品，只有一二句佳絕了。在此時，古今詩闢下一大界限，全篇好是古詩的特色，一二句好是此後的定評。隋楊素詩絕佳，和劉琨可彷彿。此時文人習於南北朝的詩風，愛用典故，並喜雕琢。楊素武人不愛雕琢，亦不能雕琢，所以詩獨能過人。當時文人專著眼在一二句好處，對於楊素不甚看重。所以隋煬帝為了忌嫉「空梁落燕泥」、「庭草無人隨意綠」二佳句，就殺兩詩人了。

唐初，律詩未出，唐太宗和魏徵的詩，和南北朝相去不遠。自四傑——駱賓王、王勃、楊炯、盧照鄰——出，作品漸含律詩的氣味，不過當時只有五言律，並未有七言律。四傑之文很卑微，他們的詩，卻有氣魄。成就五言的是沈佺期、宋之問，他們的詩，氣魄也大，雖有對仗，但不甚拘束。五言古詩到此時也已窮極，五律七古不能不產生了。唐以前七古雖有，但不完備，至唐始備全。七古初出，若李太白、崔顥的詩，都蒼蒼茫茫，信筆寫去，無所拘忌。李詩更含復古的氣味，和同時陳子昂同一步驟。

盛唐詩家以王維、孟浩然、張九齡為最。張多古詩，和李、陳同有復古的傾向。王、孟詩與陶相近，作品中有古詩有律詩，以描寫風景為最多，都平淡有意趣。

李、陳、張，三家都是復古詩家，三人中自然推李為才最高。他生平目空古人，自以為在古人之上，在我們看來，他的氣自然盛於前人，說他是高於前人恐怕未必。王、孟兩家是在古今之間，到了杜甫，才開今派的詩。

杜甫的詩，元稹說他高於李，因為杜立排律之體為李所不及的。據我看來，李詩是成線的，杜詩是成面的，杜詩可說是和「賦」有些相像，必要說杜勝於李，卻仍不敢贊同。並且自杜詩開今，流於典故的堆疊，自然的氣度也漸漸遺失，為功為罪，未可定論！至於杜的古詩，和古人也相去不遠，只排律一體，是由他首創，「子美別開新世界」，就是這麼一個世界罷！在杜以前諸詩家，除顏延之而外，沒有一個以多用書為貴的，自杜以後，才非用典故，不能誇示於人。或者後人才不如古，以典故文飾，可掩了自己的短處！正如天然體態很美的女子，不要借力於脂粉，那些體態不甚美的，非藉此不可了。昌黎的詩，習杜之遺風，更愛用典故，並愛用難識的字，每況愈下了，但自然之風尚存，所以得列於詩林。

　　韋應物、柳宗元兩家，和昌黎雖同時，而作品大不相同。他們有王、孟氣味，很自然平淡的。我們竟可以說柳的文和詩截不相同。同時有元微之、白居易二家，又和別家不同。他們隨便下筆，說幾句民情，有《小雅》的風趣，他們所以見稱也以此。

　　晚唐溫庭筠、李義山兩家愛講對仗，和杜甫愛典故是一樣的結合，便成宋代的詩風。西崑體染此風甚深，所以宋代詩話，專在這些地方留意。

　　宋初歐陽脩、梅聖俞對於西崑體很反對，但歐陽脩愛奇異的詩句，如「水泥行郭索（這句是詠蟹，「郭索」兩字見揚子《太玄經》），云木叫鉤（這句是詠鳩，「鉤輈」兩字見陸璣《毛詩草木鳥獸蟲魚疏》）二句，已不可解，他卻大加讚賞，和他的論文，大相牴觸的。

梅聖俞的詩，開考古之源，和古人詠古的詩，又大不相同了。總之，宋人的詩，是合「好對仗，引奇字，考據」三點而成，以此病入膏肓。蘇軾的詩，更打破唐詩的規模，有時用些佛典之法理，太隨便了。王荊公愛講詩律，但他的詩律，忽其大者而注重小者，竟說：「上句用漢書，下句也要用漢書的。」自此大方氣象全失；我們讀宋祁「何言漢樸學——見《漢書》，反似楚技官——見《史記·吳起傳》」之句，再看王維「正法調狂象——見佛法，玄言問老龍——見《莊子》」之句，真有天壤之判呢！有宋一代，詩話很多，無一不深中此病。唯《滄浪詩話》和眾不同，他說：「詩有別才，不關學也；詩有別趣，不關理也。」此種卓見，可掃宋人的習氣了。

南宋陸放翁含北宋習氣也很深，唯有范石湖、劉後村自有氣度，與眾不同。黃山谷出，開江西詩派之源。黃上學老杜，開場兩句必對仗，是他們的規律，這一派詩無足取。

元、明、清三代詩甚衰，一無足取。高青邱的詩失之靡靡，七子的詩失之空門面，王漁洋、朱彝尊的詩失之典澤過濃，到了翁方綱以考據入詩，洪亮吉愛對仗，更不成詩。其間稍可人意的，要推查初白的，但也不能望古人之項背。洪亮吉最賞識「足以烏孫塗上繭，頭幾黃祖座中梟」二句，我們讀了只作三日嘔！

詩至清末，窮極矣。窮則變，變則通；我們在此若不向上努力，便要向下墮落。所謂向上努力就是直追漢、晉，所謂向下墮落就是近代的白話詩，諸君將何取何從？提倡白話詩人自以為從西洋傳來，我以為中國古代也曾有過，他們如要訪祖，我可請出來。唐代史思

明──夷狄──的兒子史朝義，稱懷王，有一天他高興起來，也詠一首櫻桃的詩：「櫻桃一籃子，一半青，一半黃；一半與懷王，一半與周贄。」那時有人勸他，把末兩句上下對掉，作為「一半與周贄，一半與懷王」，便與「一半青，一半黃」押韻。他怫然道：「周贄是我的臣，怎能在懷王之上呢？」如在今日，照白話詩的主張，他也何妨說：「何必用韻呢？」這也可算白話詩的始祖罷。一笑！

第五章

結論
——國學之進步

中國學術，除文學不能有絕對的完成外，其餘的到了清代，已漸漸告成，告一結束。清末諸儒，若曾國藩、張之洞輩都以為一切學問，已被前人說盡，到了清代，可說是登峰造極，後人只好追隨其後，決不再能超過了。我以為後人僅欲得國學中的普通學識，則能夠研究前人所已發明的，可算已足，假使要求真正學問，怕還不足罷！即以「考據」而論，清代成就雖多，我們依著他們的成規，引而申之，也還可以求得許多的知識。在他們的成規以外，未始沒有別的途徑可尋，那蘊蓄著未開闢的精金正多呢！總之，我們若不故步自封，欲自成一家言，非但守著古人所發明的於我未足，即依律引申，也非我願，必須別創新律，高出古人才滿足心願。——這便是進步之機。我對於國學求進步之點有三：

一、經學　以比類知原求進步。
二、哲學　以直觀自得求進步。
三、文學　以發情止義求進步。——畢竟講來，文學要求進步，恐怕難能呢？

清代治經學較歷代為尤精，我在講經學之派別時已經講過。我們就舊有成規再加講討，原也是個方法。不過「溫故知新」僅「足以為師」，不足語於進步。我們治經必須比類知原，才有進步。因前人治經，若宋、明的講大體，未免流於臆測妄斷；若清代的訂訓詁，又僅求一字的妥當，一句的講明，一制的考明，「擘績補苴」，不甚得大體。我們生在清後，那經典上的疑難，已由前人剖析明白，可讓我們融會貫通再講大體了。

從根本上講，經史是絕不可以分的。經是古代的歷史，也可以說是斷代史。我們治史，當然要先看通史，再治斷代的史，才有效果，若專治斷代史，效果是很微細的。治經，不先治通史，治經不和通史融通，其弊與專治斷代史等，如何能得利益？前人正犯此病。所以我主張比類求原，以求經史的融會，以謀經學的進步。如何是比類求原？待我說來！經典中的《尚書》、《春秋》，是後代「編年」、「紀傳」兩體之先源。劉知幾曾說「紀傳」是源於《尚書》，「編年」是源於《春秋》。章學誠也曾說後代諸史皆本於《春秋》。這二人主張雖不同，我們考諸事實，諸史也不盡同於《尚書》、《春秋》，而諸史濫觴於彼，是毫無疑義的。所以治經，對於制度，下則求諸《六典》、《會典》諸書，上以歸之於《周禮》、《儀禮》。對於地理，下則考諸史及地輿志，上以歸之於《禹貢》及《周禮・職方志》；即風俗道德，亦從後代記載上求源於經典。總之，把經看作古代的歷史，用以參考後世種種的變遷，於其中看明古今變遷的中心。那麼，經學家最忌的武斷、瑣屑二病，都可免除了。未來所新見的，也非今日所可限量呢！

　　中國哲學在晉代為清談，只有口說，講來講去，總無證據。在宋、明為理學，有道學問、尊德性之分，自己卻漸有所證。在清代專在文字上求，以此無專長者，若戴東原著《孟子字義疏證》，阮芸台講性命，陳蘭甫著《漢儒通義》，也僅在文字上求、訓詁上求，有何可取！要知哲理非但求之訓詁為無用，即一理為人人所共明而未證之於心，也還沒有用處的，必須直觀自得，才是真正的功夫。王陽明輩內證於心，功夫深淺各有不同，所得見解，也彼此歧異，這也是事實上必有的。理，彷彿是目的地，各人所由的路，既不能盡同，所見的

理，也必不能盡同；不盡同和根源上並無不合呢！佛家內證功夫最精深，那些墮落的就專在語言文字上講了。西洋哲學，文字雖精，仍是想像如此，未能證之於心，一無根據，還不能到宋學的地步，所以彼此立論，竟可各走極端的。這有理論無事實的學問，講習而外，一無可用了！近代法國哲學家柏格森漸注重直覺，和直觀自得有些相近了。總之，講哲理決不可像天文家講日與地球的距離一樣，測成某距離為已精確了。因為日的距離，是事實上決不能量，只能用理論推測的，那心像是在吾人的精神界，自己應該覺得的。所以，不能直觀自得，並非真正的哲理，治哲學不能直觀自得便不能進步。

文學如何能求進步？我以為要「發情止義」。何為發情止義？如下述：「發情止義」一語，出於《詩序》。彼所謂「情」是喜怒哀樂的「情」，所謂「義」是禮義的「義」。我引這語是把彼的意義再推廣之：「情」是「心所欲言，不得不言」的意思，「義」就是「作文的法度」。桐城派的文章，並非沒有法度，但我們細讀一過，總覺得無味。這便因他們的文，雖止乎義，卻非發乎情。他們所作遊記論文，也不過試試自己的筆墨罷了。王漁洋的詩，法度非不合，但不能引人興趣，也因他偶到一處，即作一詩，彷彿日記一般，並非有所為而作的。清初侯方域、魏叔子以明代遺民，心有不平，發於文章，非無感情。但又絕無法度。明末大儒黃梨洲、王船山，學問雖博，雖有興亡感慨，但黃文既不類白話，又不類語錄，又不類講章，只可說是像批語；王船山非常生硬，又非故意如此，都可說是不上軌道的。所以文學非但要「止乎義」，還要「發乎情」。那初作文，僅有法度，並無情，用以練習則可，用以傳世則不可，彷彿習字用九宮格臨帖，

是不可以留後的。韓昌黎自以為因文生道，顧亭林對於這話有所批評。實在昌黎之文，並非無情無義，若《書張中丞傳後》，自是千古必傳的，可惜他所作碑誌太多，就多止於義不發於情的了。蘇東坡的史論，有故意翻案的，有不必作的，和場屋文一般，也非發於情之作。古文中非無此流，比較的少一些，詩關於情更深，因為詩專以寫性情為主的。若過一處風景，即寫一詩，詩如何能佳？宋代蘇、黃的詩，就犯此病。蘇境遇不佳，詩中寫抑鬱不平的還多，而隨便應酬的詩也很多，就損失他的價值了。唐代杜工部身遇亂世，又很窮困，詩中有情之作，可居半數，其他也不免到一處寫一首的。杜以前諸詩家，很少無情之作，即王、孟也首首有情的。至古代詩若《大風歌》、《扶風歌》全是真性情流出，一首便可傳了！

詩文兩項中：文有有法無情的，也有無法有情的；詩卻有情無法少，有法無情多；近代詩雖淺鄙，但非出乎軌外。我們學文學詩，初步當然要從法上走，然後從情創出。那初步即欲文學太史公，詩學李太白的，可稱狂妄之人呢！我們還要知文學作品忌多，太多必有無情之作，不足貴了。

二三十年前，講文學，只怕無情，不怕無義。梁任公說我是正統派，這正統派便能不背規則的。在現在有情既少，益以無義，文學衰墮極了。我們若要求進步，在今日非從「發情止義」下手不可。能發情止義，雖不必有超過古人之望，但詩或可超過宋以下諸詩家，文或可超過清以下諸文家！努力！

國學略說

小學略說

小學二字，說解歧異。漢儒指文字之學為小學。《漢書·藝文志》：「古者八歲入小學。」《周官·保氏》：「掌養國子，教之六書、九數。」六書者，象形、象事、象意、象聲、轉注、假借也。而宋人往往以灑掃、應對、進退為小學。段玉裁深通音訓，幼時讀朱子《小學》，其文集中嘗言：「小學宜舉全體，文字僅其一端。灑掃、應對、進退，未嘗不可謂之小學。」按《大戴禮·保傳》篇：「古者八歲出就外舍，學小藝焉，履小節焉；束髮而就大學，學大藝焉，履大節焉。」小藝指文字而言，小節指灑掃、應對、進退而言；大藝即《詩》、《書》、《禮》、《樂》，大節乃大學之道也。由是言之，小學固宜該小藝、小節而稱之。

　　保氏所教六書，即文字之學。九數則《漢書·律歷志》所云：「數者，一十百千萬是也。」學習書數，宜於齠齔；至於射御，非體力稍強不能習。故《內則》言：「十歲學書計，成童學射御。」《漢書·食貨志》言：「八歲入小學，學六甲、五方、書計之事。」《內則》亦言六歲教之數與方名，鄭注以東西釋方名，蓋即地理學與文字學矣。而蘇林之注《漢書》，謂方名者四方之名，此殊不足為訓。童蒙稚呆，豈有不教本國文字，而反先學外國文字哉？故師古以臣瓚之說為是也。

　　漢人所謂六藝，與《周禮·保氏》不同。漢儒以六經為六藝，《保氏》以禮、樂、射、御、書、數為六藝。六經者，大藝也；禮、樂、射、御、書、數者，小藝也。語似分歧，實無二致。古人先識文字，後究大學之道。後代則垂髫而諷六經；篆籀古文，反以當時罕習，致白首而不能通。蓋字體遞變，後人於真楷中認點畫，自不暇再

修舊文也。

是正文字之小學，括形、聲、義三者而其義始全。古代撰次文字之書，於周為《史籀篇》，秦漢為《倉頡篇》，後復有《急就章》出。童蒙所課，弗外乎此。周興嗣之《千字文》，《隋書·經籍志》入小學類。古人對於文字，形、聲、義三者，同一重視。宋人讀音尚正，義亦不敢妄談。明以後則不然。清初講小學者，止知形而不知聲義，偏而不全，不過為篆刻用耳。迨乾嘉諸儒，始究心音讀訓詁，但又誤以《說文》、《爾雅》為一類。段氏玉裁詆《漢志》入《爾雅》於「孝經」類，入《倉頡篇》於小學類，謂分類不當。殊不知字書有字必錄，周秦之《史》、《倉》，後來之《說文》，無一不然。至《爾雅》乃運用文字之學。《爾雅》功用在解釋經典，經典所無之字，《爾雅》自亦不具。是故字書為體，《爾雅》為用。譬之算術，凡可計數，無一不包。測天步歷，特運用之一途耳。清人混稱天算，其誤與混《爾雅》字書為一者相同。《爾雅》之後，有《方言》，有《廣雅》，皆為訓詁之書，文字亦多不具。故求文字之義，乃當參《爾雅》、《方言》；論音讀，更須參韻書，如此，文字之學乃備。

乾嘉以後，人人知習小學，識字勝於明人。或謂講《說文》即講篆文，此實謬誤。王壬秋主講四川尊經書院，學生持《說文》指字叩音，王謂爾曹喻義已足，何必讀音？王氏不明反語，故為是言。依是言之，《說文》一書，止可以教聾啞學生耳。

今人喜據鐘鼎駁《說文》。此風起於同光間，至今約六七十年。夫《說文》所錄，古文三百餘。古文原不止此，今洛陽出土之三體石

經，古文多出《說文》之外。於是詭譎者流，以為求古文於《說文》，不如求之鐘鼎。然鐘鼎刻文，究為何體，始終不能確知。《積古齋鐘鼎款識》釋文，探究來歷，不知所出，於是諉之曰昔人。自清遞推而上，至宋之歐陽脩《集古錄》。歐得銅器，不識其文，詢之楊南仲、章友直（楊工篆書，嘉祐石經為楊之手筆；章則當時書學博士也）。楊、章止識《說文》之古文，其他固不識也，歐強之使識，乃不得不妄稱以應之。《集古錄》成，宋人踵起者多，要皆以意測度，難逭妄斷之譏。須知文字之學，口耳相受，不可間斷。設數百年來，字無人識，後人斷無能識之理。譬如「天地玄黃」，非經先生口授，何能明其音讀？先生受之於師，師又受之於師，如此數千年，口耳相受，故能認識。或有難識之字，字書具在。但明反切，即知其音。若未注反切，如何能識之哉？今之學外國文者，必先認識字母，再求拼音，斷無不教而識之理。宋人妄指某形為某字者，不幾如不識字母而誦外國文乎？

宋人、清人，講釋鐘鼎，病根相同，病態不同。宋人之病，在望氣而知，如觀油畫，但求形似，不問筆畫。清人知其不然，乃皮傅六書，曲為分剖，此則倒果為因，可謂巨謬。夫古人先識字形，繼求字義，後乃據六書以分析之，非先以六書分析，再識字形也。未識字形，先以六書分析，則一字為甲為乙，何所施而不可？不但形聲、會意之字，可以隨意妄然，即象形之字，亦不妨指鹿為馬。蓋象形之字，並不纖悉工似，不過粗具輪廓，或舉其一端而已。如几字略像人形之側，其他固不及也。若本不認識，強指為象別形，何不可哉？倒果為因，則甲以為乙，乙以為丙，聚訟紛紛，所得皆妄。如只摹其筆

意，賞其姿態，而闕其所不知，一如歐人觀華劇然，但賞音調，不問字句，此中亦自有樂地，何必為扣槃、捫燭之舉哉！

宋人持望氣而知之態度以講鐘鼎，清人則強以六書分析之。然則以鐘鼎而駁《說文》，其失不止偏閏奪正而已。嘗謂鐘鼎款識，不得闌入小學；若與法帖、圖像，並列藝苑，斯為得耳。「四庫書」列入藝術一類，甚見精卓。其可勉強歸入小學類者，唯有研究漢碑之書，如洪氏《隸釋》、《隸續》之類而已。文字之學，宜該形、聲、義三者。專講《說文》，尚嫌取形遺聲；又何況邈不可知之鐘鼎款識哉！蓋文字之賴以傳者，全在於形。論其根本，實先有義，後有聲，然後有形，緣吾人先有意想，後有語言，最後乃有筆畫也（文字為語言代表，語言為意想之代表）。故不求聲義而專講字形，以資篆刻則可，謂通小學則不可。三者兼明，庶得謂之通小學耳。《說文》以形為主，《爾雅》、《方言》以義為主，《廣韻》之類以聲為主。今人與唐宋人讀音不同，又不得不分別古今。治小學者，既知今音，又宜明了古音。大徐《說文》，常言某字非聲，此不明五代音與古音不同故也。欲治小學，不可不知聲音通轉之理。段注《說文》，每字下有古音在第幾部字樣，此即示人以古今音讀之不同。音理通，而義之轉變乃明。大徐《說文》，每字下註明孫愐反切，此唐宋音，而非漢人聲讀。但由此以窺古音，亦初學之階梯也。要之，形為字之官體，聲義為字之精神，必三者具而文字之學始具。

許君之言曰：「唯初太極，道立於一。」「一」之為字，屬指事。蓋人類思想，由簡單以至繁複，苦結繩之不足致治，乃有點畫以作識記，則六書次第，以指事居首為最合，指事之次為象形。《說文》之

界說曰：「指事者，視而可識，察而見意，二、二是也。」「象形者，畫成其物，隨體詰屈，⊙、𝐃是也。」此皆獨體之文，繼後有形聲、會意，則孳乳而為合體之字。故形聲之界說曰：「以事為名，取譬相成，江河是也。」會意之界說曰：「比類合誼，以見指撝，武信是也。」指事、象形在前，形聲、會意在後，四者具而猶恐不足，則益之以轉注，廣之以假借，如是，則書契之道畢，憲象之理彰。

指事之異於象形者，形像一物，事晐眾物。以二、二（上、下）為例，二、二所晐者多，而日月則僅表一物。二、二二字，視之察之，可知其在上在下。此指事之最易明白者，故許君舉以為例。

指事之字，除二、二外，計數之字，自一至十，古人皆以為指事。但 𠂔 字從入從八，已屬會意。𠃋字象形，尚非指事，唯籀文作三，確係指事。按：莽布六、七、八、九作 丅、丅、丅、丅，或為最初之古文，極合於「察而見意」之例。若 七（七）、九（九）兩篆，殊不能「察而見意」也。

六書中之指事，後人多不了然。段氏《說文注》言指事者極少。王菉友《釋例》、《句讀》，凡屬指事之字，悉以為會意。要知兩意相合，方得謂之會意。指事有獨體、合體之別，二、二一、二，獨體指事也。合體指事，例如下列諸字：

木（本），以木下一表根。木（末），以木上一表顛，木（不），象形兼指事，一以表天，下為鳥形，鳥飛上翔，不下來也，坐（至），一以表地，上為鳥形，鳥飛從高，下至地也。此皆無形可象，故以一表之。又有屈曲其形以見意者，為 大（大）像人形，側其右曰 大，側

其右曰🦶，交其兩足則為🦶，曲其右足則為🦶。大、🦶、🦶、🦶均從大而略變者也，均指事也。更如屈木之顛曰🦶，木之曲頭，止不能上也。🦶中加一曰🦶（朱），赤心木也。赤心不可象，以一識之也。🦶（牟）牛鳴也，從牛，乙（厶）象其聲氣從口出。🦶（芈），羊鳴也，從羊，象氣上出。係豕足曰🦶（豕），絆馬足曰🦶（馬）。凡此皆不別造字，即於木、牛、羊、豕、馬本字之上，加以標幟者也。

指事有減省筆畫以見意者。如🦶（夕），暮也，從月半見。🦶（歺），伐骨之殘也，從半🦶；🦶，義為剔肉置骨，🦶而得半，其殘可知。🦶，木之餘，斷木之首以見意。🦶有相背之象。🦶，上象鳥首，下為雙翅，張其翅，以表飛翔之狀，而迅疾之🦶，從飛而羽不見，疾飛則羽毛不能詳審，故略去羽毛。今山水家畫遠鳥多作十字形，意亦同也。以上皆損筆見意之指事。又有以相反為指事者。如反正為🦶（乏），正乏即算術之正負，🦶即負耳。反人為🦶，相與比敘也。倒人為🦶（化），變也，人死則化矣。反🦶（永）為🦶（𠂢），永為水長，𠂢為分支，分支則水流長矣。🦶（之）象草出於地；倒🦶為🦶，周也。川楚間有陰沉木者，山崩木倒，枝葉入地而仍生，嶺南榕樹亦反倒入地而生，此皆可見蒙密周匝之意。推予謂之🦶（予）；倒予謂之🦶（幻），以騙術詐惑人而取其財，斯為幻矣。🦶（止）象人足，反🦶為🦶，蹈也。此皆以相反見意也。故指事有三例：一增一省一相反。今粵人減有字二畫為「冇」，音如毛，意為無有，此俗字之屬於指事者也。

指事不兼會意，而會意有兼指事。蓋雖為會意，仍有指事之意在。🦶從二人相背，🦶從二臣相違，相背相違，亦有指事之意。兩或

顛倒而成𡳆，悖也；兩止相背而成𣥠，足剌𣥠也。亦兼指事之意。指事之例甚廣，而段氏乃以為指事甚少，此亦未之思耳。但段氏猶知指事、會意，不容廁雜，而王菉友則直以指事為會意矣。要知會意之會，乃會合之會，非領會之會也。

造字之朔，象形居先，而指事更在象形之前。蓋指事亦象形之類，唯象空闊之形，不若象形之表示個體耳。許君舉日、月二文為象形例，⊙象日中有黑子，𝅆象日形之半，此乃獨體象形，兆、象、豕、𧰙、朮、屮之類均是。至合體象形：果，⊕象果實，下從木；某，𝅘象跗萼，下從木；𝄞象阡陌之狀，而小篆作畕；裘，古文作求，小篆加衣為裘，中象毛皮之形，皆合體象形也。母從女加--為兩乳形；兒從儿，囟象小兒頭囟未合，亦合體象形也。自獨體象形衍而為合體象形，亦有不得不然之勢。否則無女之--，無兒之囟，孰從而識其為母為兒乎？

象形之字，《說文》所錄甚多，然猶不止此數，如鐘鼎之𝄓，即為《說文》所未錄者（鐘鼎文字，原不可妄說，但連環之𝄓，可由上下文義而知其決然為環，經昔人謹慎考定，當可置信）。

造字之初，不過指事、象形兩例。指事尚有狀詞、動詞之別，而像形多為名詞。綜《說文》所錄，象形、指事，不過二三百字。雖先民言語簡單，恐亦非此二三百字所能達意。於是有以聲為訓之法，如：馬兼武義；火兼毀義；水有平準之義，而以水代准（古音水、准相近）；齊有集中之義，齋戒之齋，即假齊以行。夫書契之作，所以濟結繩之窮。若一字數義，仍不能收分理別異之功，同一馬也，或作

馬義，或作武義；同一水也，或作水義，或作準義：依是則飾偽萌生，治絲而益棼矣。於是形聲、會意之作乃起。

形聲之聲，有與字義無關者，如江之工、河之可，不過取工、可二音，與江、河相近。此乃純粹形聲，與字義毫無關係者也。劦部之勰、恊、協，皆有同心合力之意，則聲而兼義矣。蓋形聲之字，大都以形為主，聲為客。而亦有以聲為主者，《說文》中此類甚多，如某字從某，某亦聲，此種字皆形聲而兼會意者也。王荊公《字說》，凡形聲悉認為會意，遂成古今之大謬。故理董文字，切不可迂曲詮釋。一涉迂曲，未有不認形聲為會意者。初造文字時，決不爾也。

許君舉武、信為會意之例。夫人言為信，唯信乃得謂之人言，否則與雞鳴犬吠何異？此易明者。止戈為武，解之者率本楚莊王禁暴戢兵之意，謂止人之戈。但《大雅》：「履帝武敏。」《傳》曰：「武，跡也。」則足跡亦謂之武。按《牧誓》：「不愆於六步、七步。」「不愆於四伐、五伐。」步伐整齊，則軍令森嚴，此則謂之武耳。余意止者步省，戈者伐省，取步伐之義，似較優長。但楚莊之說，亦不可廢。若解止戈為不用干戈，則未免為不抵抗主義之信徒矣。

會意之字，《說文》所錄甚少，五百四十部以形聲字為最多。《說文》而後，字書所收，字日以多，自《玉篇》、《類篇》以至《正字通》、《康熙字典》則俗體浸多於前矣。

後人造形聲之字，尚無大謬，造會意則不免貽笑，若造象形、指事，必為通人所嗤。如「丟」，去上加一，示一去不返，即覺傖俗可笑。今人造牠、她二字，以牠為泛指一切，她則專指女人。實則自稱

曰我，稱第三者曰他，區別已明，何必為此駢枝？依是而言，將書俄屬男，寫娥屬女，而泛指之我，當別造一䝵字以代之。若「我師敗績」、「伐我北鄙」等語，我悉改書為䝵，不將笑絕冠纓耶？

轉注之說，解者紛繁。或謂同部之字，筆畫增損，而互為訓釋，斯為轉注。實則未見其然。《說文》所載各字，皆隸屬部首。亦有從部首省者：犛部有氂、有斄，氂與斄，非純從犛，從犛省也；爨部有𩰾、有釁（衅），但取爨之頭而不全從爨也；畫部有晝（昼），夢（夢）部有寐，有寤，有寱，晝為畫省，寤、寐、寱，皆非全部從夢。且氂，犛牛尾也；斄，強曲毛也，與犛牛非同意相受。𩰾所以支鬲；釁，血祭：亦非同意。晝，介也；畫，日之出入，與夜為介：意亦相歧。寐，臥也，雖與夢義較近，而寤則寐覺而有言，適與相反。謂生關係則可，謂同意相受則不可。不特此也，《說文》之字，固以部首為統屬，亦有特別之字雖同在一部而不從部首者。烏部有焉、有舃，與部首全不相關，意亦不復相近；犛、爨、畫、夢四部，尚可強謂與考、老同例，此則截然不相關矣。准此，應言建類一首，同意不相受。而江聲、曾國藩輩，堅主同部之說，何耶？

或謂建類一首者，頭必相同，如禽頭與兕頭同是也。余謂以此說「一首」猶可，顧「同意相受」之義猶未明。且《說文》所載，虎足與人足同，燕尾與魚尾同。如言禽頭與兕頭同為建類一首，則此復應言建類一尾或建類一足矣。況禽頭與兕頭同在《說文》象形中，字本無多，僅為象形之一種。故知此說瑣屑，亦無當也。

戴東原謂《說文》「考，老也。」「老，考也。」轉相訓釋，即所

謂「同意相受」。「建類一首」者，謂義必同耳。《爾雅》：「初、哉、首、基、肇、祖、元、胎、俶、落、權、輿，始也。」此轉注之例也。余謂此說太泛，亦未全合。《爾雅》十二字，雖均有始義，然造字之時，初為裁衣之始；哉（即才字）為草木初。始義雖同，所指各異。首為生人之初，基為築室之初。雖後世混用，造字時亦各有各義，決不可混用也。若《爾雅》所釋，同一訓者，皆可謂同意相受，無乃太廣泛矣乎？

於是許瀚出而補戴之闕，謂：戴氏言同訓即轉注，固當；然就文字而論，必也二義相同，又復同部，方得謂之轉注，此說較戴氏為精，然意猶未足。何以故？因五百四十部非必不可增損故，如烏、焉三字，立烏部以統之，若歸入鳥部，說從鳥省，亦何不可？況《說文》有瓠部，瓠部有瓢字，瓢從瓠省，實則瓠從瓜，瓢亦從瓜，均可歸入瓜部，不必更立一部也。且古籀篆字形不同，有篆可入此部，而古籀可入彼部者，是究應入何部乎？鵰，小篆從隹；雕，籀文從鳥，應入鳥部乎？隹部乎？未易決也。轉注通古籀篆而為言，非專指小篆。六書之名，先於《說文》，貫通古籀篆三，如同部云云，但依《說文》而言，則與古籀違戾。故許氏之說，雖精於戴，亦未可從也。

劉台拱不以小學名，而文集中《論六書》一文，識見甚卓，謂所謂轉注者，不但義同，音亦相近。此語較戴氏為有範圍。轉注云者，當兼聲講，不僅以形義言。所謂「同意相受」者，義相近也。所謂「建類一首」者，同一語原之謂也。同一語原，出生二字，考與老，二字同訓，聲覆疊韻。古來語言不齊，因地轉變，此方稱老，彼處曰

考；此方造老，彼處造考，故有考、老二文。造字之初，本各地同時並興舉，太史採集異文，各地兼收，欲通四方之語，故立轉注一項。是可知轉注之義，實與方言有關。《說文》同部之字，固有轉注；異部之字，亦有轉注，不得以同部為限也。

《說文》於義同、音同、部首同者，必聯綿屬綴，此許君之微意也。余著《國故論衡》，曾舉四十餘字作證。今略言之，艸部：薑，薑也；薑，薑也；蓨，苗也；苗，蓨也。交互為訓，綿聯相屬，即示轉注之意。所以分二字者，許君之書，非由己創，亦參考古書而成。薑、薑、蓨、苗，《爾雅》已分，故《說文》依之也。又如袒、裼、裸、裎：袒，許書作「但」；裼，古音如髟。但、裼古雙聲，皆在透母。裸，但也；裎，但也。裎今舌上音，古人作舌頭音，讀如聽，亦在透母。裸在今來母，於古亦雙聲。此皆各地讀音不同，故生異文。由今論之，古人之文，較今為簡。亦有繁於今者。《孟子》：「雖袒裼裸裎於我側，爾焉能浼我哉？」實則但言「袒於我側」可矣。又古人自稱曰我、曰吾、曰卬、曰言，我、吾、卬、言，初造字時，實不相關，語言轉變，遂皆成我義。低卬之卬，言語之言，豈為自稱而造？因各地讀音轉變而假用耳。又，古人對人稱爾、稱女、稱戎、稱若、稱而，《說文》爾作爾，既造爾為對人之稱，其餘皆因讀音轉變而孳生之字。女即借用男女之女，戎即借用戎狄之戎，若即借用擇菜之若，而即借用鬚髥之而。古無彈舌音，女、戎、若、而，皆入泥母。以今音準之，你音未變，戎讀為奴、為儂，而讀為奈，皆入泥母。今蘇滬江浙一帶，或稱奈，或稱你，或稱奴，或稱儂，則古今音無甚異也。又汪、潢、湖、污四字，音轉義同。小池為污，《左傳》：「周氏

之汪。」汪訓池，亦稱為潢，今匣母，轉而為污潢。《漢書》：「盜弄陛下之兵於潢池中耳。」《左傳》亦稱潢污行潦。汪今影母，音變為湖。污、湖陰聲，無鼻音；汪、潢陽聲，有鼻音。陰陽對轉，乃言語轉變之樞紐。言與我，吾與卬，亦陰陽對轉也。語言不同，一字變成多字。古來列國分立，字由各地自造，音亦彼此互異，前已言之。今南方一縣之隔，音聲即異，況古代分裂時哉！然音雖不同，而有通轉之理。《周禮·大行人》：「屬瞽史諭書名，聽聲音。」瞽不能書，審音則准。史者史官，職主記載。「諭書名」者，污、潢彼此不同，諭以通彼此之意也。「聽聲音」者，聽其異而知其同也。汪、污、潢、湖，聲雖不同，而有轉變之理，說明其理，在先解聲音耳。如此，則四方之語可曉；否則，逾一地、越一國，非徒音不相同，字亦不能識矣。六書之有轉注，義即在此。不然，祖禰裸裎、汪污潢湖，彼此焉能通曉？下三字與上一字，音既相同，義亦不異。此所謂「建類一首、同意相受」也。古者方國不同，意猶相通。造字之初，非一人一地所專，各地各造，倉頡採而為之總裁。後之史籀、李斯，亦彙集各處之字，成其《史籀篇》、《倉頡篇》。秦以後字書亦然，非倉頡、史籀、李斯之外，別無造字之人也。庶事日繁，文字遂多。《說文》之後，《玉篇》收兩萬字，《類篇》收五萬字，皆各人各造而編書者彙集之。後人如此，古人亦然。許書九千字，豈叔重一人所造？亦採前人已造者耳。荀子云：「好書者眾矣，而倉頡獨傳者，一也。」斯明證矣。是故，轉注在文字中乃重要之關鍵。使全國語言彼此相喻，不統一而自統一，轉注之功也。今人稱歐洲語同出羅馬，而各國音亦小異。此亦有轉注之理在。有轉注尚有不相喻處，故孔子曰：「吾猶及史之闕文也……今亡矣夫！」蓋當時列國赴告，均用己國通用之字，

彼此未能全喻，史官或有不識之字，則闕以存疑。周全盛時，雖諸侯分立，中央政府猶有史官可以通喻；及衰，列國依然自造文字，而史官不能喻。其初不喻者闕之，其後則指不識以為識。「今亡矣夫」者，傷之也。華夏一統，中國語言，彼此猶有不同，幸有字書可以檢查。是故，不但許君有功，即野王、溫公輩，亦未始無功。又字有義有音，義為訓詁，音為反切。韻書最古者推《廣韻》，則陸法言輩亦何嘗無功哉！古有論書名、聽音聲之事，其書不傳，後人採取其意而為音韻之書。為統一文字計，轉注絕不可少，音韻亦不得不講也。

假借之與轉注，正如算術中之正負數。有轉注，文字乃多；有假借，文字乃少。一義可造多字，字即多，轉注之謂也；本無其字，依聲託事，如令、長是，假借之類也。令之本義為號令，發號令者謂之令，古之令尹、後之縣令，皆稱為令，此由本義而引申者。長本長短之長，引申而為長幼之長。成人較小孩子為長，故可引申，再引申而為官長之長，以長者在幼者之上，亦猶官長在人民之上也。所謂假借，引申之謂耳。惑者不察，妄謂同聲通用為假借。夫同聲通用，別字之異名耳。例如前後之前，許書作歬，今乃作翦。翦，剪刀之剪也。漢以後，凡歬均作前。三體石經猶不作前。夫妄寫別字，漢以後往往有之，則漢以前亦安見其必無？周公、孔子，偶或誤書，後人尊而為之諱言，於是美其名曰假借。實則別字自別字，假借自假借，烏可混為一談？六書中之假借，乃引申之義。如同聲通用曰假借，則造拼音字足矣。夫中國語之特質為單音，外國語之特質為複音。如中土造拼音字，則此名與彼名同為一音，不易分辨，故拼音之字不適於華夏。倉頡為黃帝史官，黃帝恐亦如劉裕一流，難免不寫別字耳。是故

同聲通用，非《說文》所謂假借。《說文》所謂假借，乃引申之義，非別字之謂也。否則，許君何不謂「本有其字，寫成別字，假借是也」乎？「本無其字」者，有號令之令，無縣令之令；有長短之長，無令長之長：故曰無也。造一令字，包命令、縣令二義。造一長字，包長短、長幼、官長三義，此之謂假借。

外此，假借復有一例。唐、虞、夏、商、周五字，除夏與本義猶相近外，唐為大義，非地名；虞為騶虞義，非地名；商為商量義，周為周密義，均非地名。此亦本無其字，依聲託事也。如別造一字，唐旁加邑為鄌，虞、商、周亦各加邑其旁，亦何不可？今則不然，但作唐、虞、商、周，非依聲託事而何？此與令長意別，無引申之義，僅借作符號而已。

外此，復有一例。如重言之聯語，雙聲之聯語，疊韻之聯語。凡與本義不相關者，皆是也。《爾雅》：「懋懋、慔慔，勉也。」「呰呰、瑣瑣，小也。」「悠悠、洋洋，思也。」「烝烝、遂遂，作也。」此重言之聯語有此義無此字，亦本無其字，依聲託事之假借也。參差（雙聲之聯語，參與不齊無關）、輾轉（雙聲而兼疊韻。輾，《說文》作報。報與知戀反之轉不相關）、譸張（雙聲，譸或作侜，與幻義不相關），皆以雙聲為形容也。消搖（消者消耗，搖者搖動，皆無自在義）、須臾（須，頰毛也。臾，曳也，皆無頃刻義），皆以疊韻為形容也。有看似有義，實則無義者。如搶攘，《說文》無搶，作槍；攘作㪟，二字合而形容亂義。要之，聯詞或一有義，或均無義，皆本無其字，依聲託事也，皆假借也。是故不但令長可為假借之例，唐、虞、商、周、懋懋、慔慔、參差、搶攘，均可作假借之例。由此可知

假借之例有三：一引申，二符號，三重言雙聲疊韻之形容，皆本無其字，依聲託事也。烏得以同聲通用當之哉（同聲通用，治小學者亦不得不講。唯同聲通用乃小學之用，非六書造字之旨耳）！

引申、符號、形容，有此三者，文字可不必盡造，此文字之所以簡而其用普也。要之，《說文》只九千字，《倉頡篇》殆不過三千字，周秦間文化已啟，何以三千字已足？蓋雖字僅三千，其用則不僅三千。一字包多義，斯不啻增加三四倍矣。

以故，轉注、假借，就字關聯而言；指事、象形、會意、形聲，就字個體而言。雖一講個體，一講關聯，要皆與造字有關。如戴氏所言，則與造字無關，烏得廁六書之列哉？余作此說，則六書事事不可少；而於造字原則，件件皆當，似較前人為勝。

造字之始於倉頡，一見於《世本》，再見於《荀子》，三見於《韓非子》，而《說文序》推至伏羲畫卦者，蓋初文之作，不無與卦畫有關，如☵即坎卦是已。若漢人書坤作《《，《經典釋文》亦然；宋人妄說坤為六斷，實則坤與川古音相近，《《、巛相衍，義或近是。《爾雅・釋水》：「水中可居者曰州。」大地搏搏，水繞其旁，胥謂之州。故鄒衍有大九州之說。釋典有海中可居者四大洲之言。巛者巛之重也。氣字作彡，與☰卦近似。天本積氣，義亦相合。此三卦與初文皆有關係。言造字而推至畫卦，義蓋在是。

《序》又言：「見鳥獸蹏迒之跡，知分理之可相別異，初造書契。」此義漢儒未有所闡。按《抱朴子》：八卦象鷹隼之翩。其言當有所受。《易・繫》言：「古者庖犧氏之王天下也，仰則觀象於天，

俯則觀法於地，觀鳥獸之文與地之宜。」所謂鳥獸之文者，鷹隼之翮當居其一。鷹翮左右各三。像其全則為☰，去其身則為☷，此推至八卦之又一說也。

　　造字之後，經五帝三王之世，改易殊體，則文以浸多，字乃漸備。初文局於象形、指事，不給於用。《堯典》一篇，即非初文所可寫定。自倉頡至史籀作大篆時，歷年二千。其間字體，必甚複雜。史籀所以作大籀者，欲收整齊畫一之功也。故為之釐訂結體，增益點畫，以期不致淆亂。今觀籀文，筆畫繁重，結體方正：本作山旁者，重之而作屾旁；本作 旁者，重之而作 旁。較鐘鼎所作踦斜不整者，為有別矣。此史籀之苦心也。惜書成未盡頒行，即遇犬戎之禍。王畿之外，未收推行之效。故漢代發見之孔子壁中經，仍為古文。魏初邯鄲淳亦以相傳之古文書三體石經（北宋蘇望得三體石經，刻之於洛陽，見洪氏《隸續》，民十一洛陽出土石經存二千餘字）。至周代所遺之鐘鼎，無論屬於西周或屬於東周，亦大抵古文多而籀文少。此因周宣初元至幽王十一年，相去僅五十餘年。史籀成書，僅行關中，未曾推行關外故也。秦兼天下，李斯奏同文字，罷其不與秦文合者，作《倉頡》等三篇。取史籀大篆，或頗省改，後世謂之小篆。今觀《說文》所錄重文，古文有三百餘字，而籀文不及二百。此因小篆本合籀。籀文繁重，李斯略為改省。大篆小篆，猶世言大寫、小寫矣。

　　秦時發卒興戍，官獄繁多，程邈作隸，以趣約易。施用日廣，於是古文幾絕。秦隸今不可見，顧藹吉《隸辨》言秦隸之遺於今者，若秦量、秦權、秦詔版等。文雖無多，尚可見其大意。大概比篆書略加省改，而筆意仍為篆書。即西漢之吉金石刻，雖為隸體，亦多用篆筆

書寫，與後世之挑剔作勢者不同。東漢時，相傳有王次仲者，造作八分，於是隸法漸變，即今日所稱之漢隸也。今所見之漢碑，多起於東漢中葉以後。東漢初年之《三公山碑》，尚帶篆意；《石門頌》亦然；裴岑《紀功碑》雖隸而仍兼篆筆，蓋為秦隸之遺。桓、靈時之碑刻，多作八分，蔡邕之熹平石經亦八分也。八分與隸書之別，在一有挑剔，一無挑剔，譬之顏、歐作楷，筆勢稍異耳。《說文序》又言：「漢興有草書。」衛恆言：「草書不知作者姓名。」今按：草書之傳世者，以史游《急就篇》為最先，而趙壹亦謂起秦之末。但《論語》有「裨諶草創」之語；《屈原傳》亦有「屈平屬草稿未定」語。此所謂草，是否屬稿之際，作字草率牽連，或未定之稿曰草稿，均不可知。東周乙亥鼎文，阮元以為草篆，後人頗以為非。余謂凡筆畫本不相連，而忽牽連以書者，即可認為草書之起源。如二十並作廿，四十並作卅是矣。又古文㠯或作㠯，㠯從屮、從㠯，可以六書解說。㠯為㠯之上半，應作㠯，而今作㠯，不能以六書解，或古人之所謂草乎？要之，此所謂草，與漢後從隸變者不同，必從大篆來也。

《說文序》言秦燒滅經書，古文由此絕。絕者不通行之謂，非真絕也。秦石刻之乁字，即古文及字。又秦碑㦰字，亦係古文（小篆作㦰）。而廿字秦碑中亦有之。蓋秦時通行篆隸，古文易亂，不過施諸碑版，一如今世通行行楷，而篆蓋墓碑，多鏤刻篆文耳。

秦漢之際，識古文者猶多。魯恭王壞孔子宅，得《尚書》、《禮記》、《春秋》、《論語》、《孝經》數十篇。《史記·儒林傳》：孔氏有古文《尚書》，孔安國以今文讀之，因以起其家。漢初傳《尚書》者有伏生二十九篇，而孔壁所得多十六篇。夫漢景末年，去焚書時已七

十年，若非時人多識古文也，何能籀讀知其多十六篇哉！可見漢初猶多識古文也。《禮經》五十六篇，亦壁中經，中有十七篇與高堂生所傳相應；餘三十九篇，兩漢尚未亡佚。觀鄭康成注，常引逸《禮》，康成當有所受。知漢時識古文者多矣。又，《論語》亦壁中經，本係古文，而《魯論》、《齊論》，均自古文出，雖文字略異，而大旨相同。試問當時何以能識？無非景、武之間，仍有識古文者，孔安國得問之耳。又，北平侯張蒼獻《春秋左氏傳》。張之獻書，當在高后、文帝時，張以之傳賈誼，賈作訓詁，以授趙人貫公。賈由大中大夫出為太傅，在都不過一年，斯時張為達官，傳授之際，蓋略詔大意而已，豈真以一十九萬字，手指口授，字字課賈生哉！則賈之素識古文可知。又《封禪書》言：武帝有古銅器，李少君識之，謂齊桓公十年陳於柏寢。按之果然。《太史公自序》：「年十歲則誦古文。」凡此種種，均可見古文傳授，秦以後未嘗斷絕。至漢景、武間，識古文者猶多也。且也，《老》、《莊》、《荀子》，無今古文之別，其書簡帛者，為古文無疑（作《呂覽》時，尚無小篆）。秦焚書時，當亦藏之屋壁。迨發壁後，人多能讀。不識古文，焉能為此？河間獻王得古文先秦舊書《孟子》、《老子》之屬。《孟子》亦為古文書之，余可知矣。今人多以漢高、項王為不識字。其實不讀書則有之，不識字則未然。項籍少時，學書不成，項梁教之兵法；沛公壯試為吏，皆非目不識丁者所能為。張良受太公兵法於黃石公；蕭何引《逸周書》以對高祖；楚元王與申公受詩於浮丘伯；張耳、陳餘雅好儒術；賈山之祖賈祛，故魏王時博士弟子，山受學於祛，涉獵書記，凡此皆能識古文之人。漢文時，得魏文侯樂人竇公，年百八十，其書即《周禮·太司樂》章。竇公目盲，其書蓋未盲時所受，定係古文。然一獻而人能識之，

可證當時識者尚多。至東漢許君之時，識古文者漸少。蓋漢以經術取士，經典一立學官，人人沿習時制，其書皆變古而為隸矣。若伏生之二十九篇，當初本為古文，其後輾轉移寫，遂成隸書。高堂生傳《禮》，最初為篆為隸，蓋不可知。《詩》則成誦於口，與焚書無關，故他書字形或有舛謬，而齊、魯、毛、韓四家，並無因字體相近而致誤者。《易》以卜筮獨存，民間所傳，自田何以至施、孟、梁丘，皆漸由古文而轉變為隸，《左傳》本係古文，當時學者鮮見，《公羊》初憑口受，至胡毋生始著竹帛，為隸書無疑。大抵當時利祿之途已開，士人識隸已足，無須進研古、籀。許君去漢武時已三百餘年，歷年既久，識古文者自漸寥落。而一二古文大師，得壁中經後，師弟相傳，輾轉錄副以藏。以不立學官，故在民間自相傳授，浸成專家。此三體石經之古文所由來也。夫認識文字，端在師弟相傳。《說文》所錄古文，不過三百餘字，今三體石經尚有異體。緣壁經古文，結體凌亂，有不能以六書解者，許君不願穿鑿，因即屏去不錄，如《穆天子傳》八駿之名，今亦不能盡識也。

漢時通行載籍，沿用隸書，取其便於誦習，而授受弟子，則參用古文。《後漢書·賈逵傳》：「章帝令逵自選諸生高才者二十人，教以《左氏》，人與簡紙經傳各一通。」蓋簡載古文，而紙則隸寫。至鄭康成猶然，康成《戒子書》云：「所好群經率多腐敝，不得於禮堂寫定，傳與其人。」所謂腐敝者，古文本也。

馬、鄭《尚書》，字遵漢隸；而三體石經之古文，則邯鄲淳自有所受。若今世所行之偽古文《尚書》，《正義》言為鄭沖所作，由魏至晉，正三體石經成立之時，鄭沖即依石經增改數篇，以傳弟子。東

晉元帝時，梅賾獻之於朝。人見馬、鄭本皆隸書而此多古字，遽信以為真古文孔《傳》，遂開數千年聚訟之端。今日本所謂足利本隸古定《尚書》，宋薛季宣《書古文訓》，字形瑰怪，大體與石經相應。敦煌石室所出《經典釋文》殘卷，亦與之有相應。郭忠恕《汗簡》，徵引古文七十一家，中有古《尚書》，亦與足利本及《書古文訓》相應。蓋此二書乃東晉時之《尚書》，雖非孔壁之舊，而多存古字，亦足寶矣。

唐人不識古文，所作篆書，劣等字匠。唐高宗時之《碧落碑》，有真古文，亦有自造之字。北宋以還，鐘鼎漸漸發現。宋人釋鐘鼎文者，大都如望氣而知。清人則附會六書，強為解釋。夫以鐘鼎為古物，以資欣賞，無所不可；若欲以鐘鼎刻鏤，校訂字書，則適得其反耳。至如今人嘩傳之龜甲文字，器無徵信，語多矯誣。皇古占卜，著龜而外，不見其他。《淮南子》云：「牛蹄彘顱，亦骨也，而世弗灼；必問吉凶於龜者，以其歷歲久矣。」可見古人稽疑，靈龜而外，不事骨卜。今乃獸骨龜厭，紛然雜陳，稽之典籍，何足信賴？要知骨卜一事，古唯夷貊用之，中土無有也。《莊子》言宋元君得大龜，七十二鑽而無遺策。唐李華有《廢卜論》，可見龜卜之法，唐代猶存。開元時孟詵作《食療本草》，宋蘇頌《圖經》及《日華本草》，皆言已卜之龜，必有鑽孔，名之曰漏天機。雖絕小之龜，亦可以鑽十孔。鑽孔多則謂之敗龜板也。夫灼龜之典，載於《周禮》。鑿孔以灼，因以觀兆。無孔則空氣不通，不能施燋，無以觀兆。今所得者，累然成貫，而為孔甚少，不可灼卜。或者方士之流，偽作欺人。一如「河圖」、「洛書」之傅合《周易》乎？其文字約略與金文相似。蓋造之者亦撫

摹鐘鼎而異其鉤畫耳。夫鐘鼎文字，尚有半數可認，亦如二王之草書箋帖，十有六七可識。餘則難以盡知，不妨闕疑存信。若彼龜甲文者，果可信耶？否耶？

貴州有《紅崖碑》，摩崖巨刻，足壯觀瞻。唯文字為苗為華，訖不可知。鄒漢勳強為訓釋，真可謂器真而解之者妄。又如古人刀布，不可識者甚多，周景王大錢，上勒𣱶、㔾二文，解之者或謂寶貨，或以為燕貨。錢文類此者多，學者只可存而不論。大抵鐘鼎文之可識者，十可七八；刀布則十得五六；至於龜甲，則矯誣之器、荒忽之文而已。

古昔器物，近代出土愈多，而作偽者則異其心理。大抵輕而易舉者，為數必眾。鐘鼎重器，鑄造非易，故偽者尚少；刀布之類，聚銅熔淬，亦非巨資不辦。至於龜甲，則剛玉刻畫，頃刻可成。出土日眾，亦奚怪哉！

是故，居今而研文字，當以召陵正書為歸；外此則求古文於三體石經，亦屬信而有徵。至於籀文，則有石鼓文在。如是而一軌於正，庶不至誤入歧途矣。

語言不憑虛而起，文字附語言而作。象形象聲，神旨攸寄；表德表業，因喻兼綜。是則研討文字，莫先審音。字音有韻有紐：發聲曰紐，收聲曰韻。茲先述韻學大概。韻分古音、今音，可區別為五期，悉以經籍韻文為準。自《堯典》、《皋陶謨》，以至周秦漢初為一期；漢武以後至三國為一期；兩晉南北朝又為一期；隋唐至宋亦為一期；元後至清更為一期。泛論古音，大概六朝以前多為古音。今茲所謂古

音，則指兩漢以前。泛論今音，可舉元明清三代，今則以隋為今音。此何以故？因今之韻書俱以《廣韻》為準，而言古音則當以《詩經》用韻為準故。

《廣韻》之先為《切韻》。隋開皇初，陸法言與劉臻等八人共論音韻，略記綱紀，後定為《切韻》五卷。唐孫愐勒為《唐韻》，至宋陳彭年等又增修為《廣韻》。古今音之源流分合，悉具於是。

泛論古音有吳才老之《韻補》，雖界限凌亂，而能由《廣韻》以推《詩經》用韻分部，實由此起。至今音則每雜有方音。《廣韻》二百六韻，即以平聲五十七韻加入聲三十四韻，亦有九十一韻。以音理論，口齒中能發者不過二十餘韻，何以《廣韻》多至此數？此因《廣韻》雖以長安音為主，亦兼各處方音，且又以古今沿革分韻故也。

漢人用韻甚簡，而六朝漸繁。即漢前人用韻亦比漢朝為繁。如孔子贊《易》，老子著《道德經》，皆協韻成文。至漢人之詩，用韻尚謹嚴，賦已不甚謹嚴；若焦氏《易林》，用韻亦復隨意；他若《太史公自序》之敘目，及《漢書》之述贊，用韻更不嚴矣。宋鄭庠分古音為六部，後人言鄭之分部止合於漢人用韻，且亦僅合於《易林》、述贊之類，不合於賦，更不合於詩。

顧亭林之《唐韻正》、《古音表》析為十部，律以漢詩用韻，未盡密合。江慎修改為十三部，雖較為繁密，仍嫌不足。戴東原《聲類表》分平聲十六韻，入聲九韻。平聲陰陽各半，而閉口韻有陽無陰，入聲僅係假設，所以實得十有六韻。古音至戴氏漸臻完密。段懋堂《音韻表》分十七部，孔巽軒《詩聲類》分十八部，王懷祖分二十一

部，與鄭氏之說相較，相差甚遠。然王氏之二十一部，尚有可增可減之處。

自唐以來，以今音讀古之辭賦，一有不諧，便謂叶韻。陸德明見《詩》「燕燕於飛」以南與音、心為韻，以為古人韻緩，不煩改字。要知音、心屬侵，南屬覃，晉人尚不分部，陸氏生於陳時，已不甚明古音，自叶韻之說出，而古人正音漸晦。借叶之一字，以該千百字之變，天下豈有此易簡之理哉！清高宗作詩，至無韻可押，強以其字作他音協之。自古至今，他人斷無敢如此妄作者。明陳第言，凡今所稱協韻，皆即古之本音，非隨意改讀，輾轉遷就，如母必讀米，馬必讀姥，京必讀疆，福必讀偪之類。歷考諸篇，悉截然不紊。且不獨《詩經》為然，周秦人之韻文，無不皆然。且童謠及夢中歌謠，斷不至有意為叶韻之事。若《左》昭二十五年傳載《鸜鵒歌》，野讀墅，馬讀姥；哀十七年傳，衛侯夢渾良夫被髮之呼，瓜音為姑是也。自此說出，而韻學大明。清人皆信古本音之說，唯張成孫不信之，謂古人與我相隔二千年，不能起而與之對語，吾人何由知其本音正讀如此乎？然以反切定韻，最為有據。如等字一多肯切、一多改切，莽字一模朗切、一莫補切。等本與待相通借，多改切之等即出於待；莫補切之莽，古書中不乏其例，《離騷》莽與序、暮為韻，又莽何羅即馬何羅（漢武帝時，馬何羅與弟馬通謀反伏誅。通之後為馬援，援女為明德皇后，惡其先人叛逆，恥與同宗，改稱之曰莽何羅），馬，漢音讀姥，莽、馬同聲，此古本音之極有憑證者也。

《集韻》所收古音，比《廣韻》為多。《經典釋文》所無之字音，《集韻》時有之。如天，一音他前切，一音鐵因切。馬，一音莫下

切，一音滿補切。下，一音胡雅切，一音後五切。在唐以前之韻書都無此音。意者丁度等撰《集韻》時，已於《詩經》、《楚辭》中悟得此理，故本音之說，雖發自陳第，而《廣韻》、《集韻》已作驊騮之開道。是故求古韻，須知其音讀原本如此，非隨意改讀，牽強遷就。《易》、《詩》、《老子》、《楚辭》如此，後漢六朝之韻文亦如此。

唐杜、韓之詩，有意摹古，未必悉合《唐韻》。杜詩於入聲韻每隨意用之。韓則有意用古。其用韻或別有所本，亦未可知。古代韻書今僅存一《廣韻》矣。魏晉六朝之韻書，如李登《聲類》、呂靜《韻集》，悉不可見。意者唐人摹古擬古諸作，乃就古人所用之韻而仿為之，必非《唐韻》亦如此也。自天寶以後，聲音略有變動。白樂天用當時方音入詩，如《琵琶行》以住、部、妒、污、數、度、故、婦為韻，上去不分，非古非今。此音晚唐長安之音，婦、畝、富等字，皆轉入語、虞、姥、御、遇、暮諸韻，觀慧琳《一切經音義》可知。

唐韻分合，晚唐人已不甚知，宋人更不知之。宋人作詩，入聲隨意混用，詞則常以方音協之。北宋人詞，侵、覃與真、寒不混，而南宋人詞則混用不分矣。須知侵、覃閉口音，以半摩字收之，真、寒不閉口，以半那字收之。今交、廣人尚能分別。此其故，當係金元入據中原之後，胡人發音不準，華人漸與同化，而交、廣僻在嶺南，尚能保存古音。今江河之域，三、山二音不分，兩廣人聞之，必嗤為訛音，而在唐時或已有此等讀法。是故唐人有嘲人語不正詩，以其因、陰混用，不分閉口不閉口也。

日人讀我國之音，有吳音、漢音之別。吳音指金陵音，漢音指長

安音。聽其所讀漢音，實與山西西部、陝西東部略近。吾人今讀江與陽通，江西人讀江為羾，發聲時口腔穹窿，與東音相近。陽韻日本漢音讀陽若遙，章讀如宵，張讀如敲，正與山、陝人方音相似，此蓋唐人音讀本如此也。

欲明音韻，今音當以《廣韻》為主；古韻以《詩經》為主，其次則《易》贊、《楚辭》以及周秦人之韻文。顧亭林初欲明古音以讀《詩經》，其結果反以《詩經》明古音。詩即歌曲，被之管弦，用韻自不能不正，故最為可據。陳第《毛詩考》未分部，顧氏分十部，仍以《廣韻》之目為韻標。因《廣韻》雖係一時之音，尚有酌古准今之功。有今韻合而古韻分者，《廣韻》亦分之；有今韻分而古韻合者，《廣韻》亦分之。如支、脂之為一類，唐後不分，而六朝人分之。東、冬、鐘、江為一類，江韻古音與東、冬、鐘相同，所以歸為一類。然冬韻古音，昔人皆認為與東相近。孔巽軒則以為冬古音與東、鐘大殊，而與侵最近；嚴鐵橋更謂冬即侵也，不應分為二類。要之，冬、侵相近，其說是也。至於取《廣韻》部目以標古韻，本無不合。亦有人不喜用《廣韻》部目者，如張成孫《說文諧聲譜》，以《詩》中先出之字建首是也。要知用一字標韻，原不過取其聲勢大概如此，今不用《廣韻》標目而用他字，其所以為愈者何在？阮芸台元不知韻學，以為張氏之書，一掃千古之障，其實韻目只取其收聲耳。戴東原深知此理，故《聲類表》取喉音字標目，如東以翁、陽以央，則頗合音理矣。是故廢《廣韻》之譜而自立韻標，只有戴法可取。

戴氏不但明韻學，且明於音理。欲明韻學，當以《詩經》之用韻仔細比勘，視其今古分合之理。欲明音理，當知分韻雖如此之多，而

彼此有銜接。吾人若細以口齒辨之，識其銜接之故，則可悟陰陽對轉之理、弇侈旁通之法矣。對轉之理，戴氏發明之，孔氏完成之。

前之顧氏，後之段氏，皆長於韻學，短於音理。江氏頗知音理，戴氏最深，孔氏繼之。段氏於《詩經》、楚《騷》、周秦漢魏韻文中，發現支、脂、之三韻，古人分別甚嚴，而仍不識其所以分別之理，晚年詢之江有誥，有「得聞其故死而無憾」之言。江雖於音理較深，亦未能闡明其故。蓋音理之微，本非倉卒所能豁然貫通也。如不知音理而妄談韻學，則必如苗仙麓之讀《關雎》鳩、洲、仇入《廣韻》蕭、豪韻矣。顧亭林音理不深，但不肯矯揉造作，是以不如苗病之多。如歌、麻二字，古人讀麻長音，讀歌短音，當時爭論甚多，顧不能決，此即不明音理故也。居今日而欲明音韻之學，已入門者，宜求音理；未入門者，先講韻學。韻學之道，一從《詩經》入手，一從《廣韻》入手。多識古韻，自能明其分合之故。至求音理，則非下痛切工夫不可。

今人字母之稱，實不通之論也。西域文字以數十字輾轉相拚，連讀二音為一音，拼書二字為一字，故有字母之制。我國只有《說文》部首，可以稱為字母，《唐韻》言紐以雙聲疊韻，此以二音譬況一音，與梵書之以十四字母貫一切音者大異。唐末五代時，神珙、守溫輩依附《華嚴》、《涅槃》作三十六字母。至宋沈括、鄭樵諸人，始盛道之。然在唐宋以前，反語久已盛行。南北朝人好為體語，即以雙聲字相調侃。《洛陽伽藍記》載李元謙過郭文遠宅，見其門閣華美，乃曰：「是誰第宅？」郭婢春風出曰：「郭冠軍家。」元謙曰：「凡婢雙聲。」春風曰：「儜奴慢罵。」元謙服婢之能。蓋雙聲之理從古已

具也。

今之三十六字母排次亦不整齊，如喉音、牙音均可歸喉，半齒、彈舌應歸舌頭，故當改為：

喉	（深）	影	曉	匣	喻
音	（淺）	見	溪	群	疑
舌	（舌頭）	端透	定	泥來	日
音	（舌上）	知	徹	澄	娘
齒	（正齒）	照	穿床	審	禪
音	（齒頭）	精	清從	心	邪
唇	（重）	幫	滂	並	明
音	（輕）	非	敷	奉	微

疑應讀如皚而齊齒呼之，泥應讀你平聲，從音廣東呼之最清。非、敷二紐，今人不易分別。江慎修言，非發聲宜微開唇縫輕呼之，敷送氣重呼之，使敷音為奉之清，則二母辨矣。如芳字為敷紐，敷方切。方字為非紐，府良切。微音唯江浙人呼之最為分明，粵人讀入明紐，北音讀入喻紐。知、徹、澄，南音往往混入照、穿、床，閩人讀知如低，則舌上歸於舌頭矣。錢竹汀言古音無舌頭舌上之分，知、徹、澄三紐，古音與端、透、定無異，則閩語尚得古音之遺。又輕唇之字，古讀重唇。非、敷、奉古讀入幫、滂、明，直至唐人猶然。錢氏發明此理，引證甚多。《廣韻》每卷後附類隔更音和切。類隔者，謂切語上字與所切之字非同母同位同等也；音和則皆同。錢氏謂類隔之說不可信，今音舌上，古音皆舌頭；今音輕唇，古音皆重唇也。且不獨知、徹、澄古讀入端、透、定，即娘、日二紐，古並歸泥。泥今

音讀你之平聲，尼讀入娘母，而古讀則尼與泥無異。仲尼之母禱於尼丘，生而首上圩頂，因名曰丘，字曰仲尼。《爾雅・釋丘》：「水潦所止，泥丘。」《說文》：「𡰥，反頂受水丘也。從泥省，泥亦聲。」漢碑仲尼有作仲泥者，《顏氏家訓》言「仲尼居」三字，《三蒼》尼旁益丘，可見古音尼、泥同讀。娘，金人讀之似良，混入來紐。而來、日古亦讀入泥紐。如：戎陵今讀日紐，古音如農。若，古讀女六切。如，古讀奴。爾，古讀你。《詩・民勞》：「戎雖小子。」《箋》云：「戎猶汝也。」今江浙濱海之人，尚謂汝為戎。古人稱人之詞曰乃爾、戎、若，皆一聲之轉。仍，今在日紐，古人讀仍與乃通。《爾雅》「仍孫」、《漢書・惠帝紀》「內外公孫、耳孫」，師古曰：「仍、耳聲相近，蓋一號也。」仍從乃得聲。則仍、耳古皆在泥紐矣。由是言之，知、徹、澄古歸入端、透、定。非、敷、奉、微，古讀如幫、滂、並、明。娘、日並歸泥。是三十六紐減去其九，僅存二十有七耳。陳蘭甫據《廣韻》切語上字，以為喻、照、穿、床、審五紐，俱應分而為二。因加於、莊、初、神、山五紐，而明、微則不別，合成四十紐。但齒音加四而脣吻不能盡宣。喻分為於，同為撮口，紐音亦無大殊。陳說似未當也。然如江慎修視若神聖，以為不可增減，亦嫌未諦。如收聲之紐多濁音，無清音，泥、娘、來、日皆是。然黏本讀紐，今讀娘紐而入清音，則多一紐矣。來紐濁音，今有拎字，則為來紐清音，則又多一紐。聲音之道，本由簡而繁，古人只能發濁音，而今人能發清音，則聲紐自有可增者在。

清濁之分，本不甚難。堅清乾濁，見清健濁，潔清竭濁，檢清儉濁，今人習言之陰陽平，即平聲之清濁也。上、去、入亦皆可分清

濁，唯黃河流域只能分平聲清濁，上、去、入多發濁音，故有陰陽上去入之說，大約起於金元之間。南方上、去、入亦能各分清濁。上聲較難，唯浙西人能分別較然。故言音韻者，常有五聲、七聲之辨。茲重定聲紐清濁發送收，列表於下：

影	曉	匣	喻	見	溪	群	疑	端
清	清	濁	濁	清	清	濁	濁	清
發聲	送氣	送氣	收聲	發聲	送氣	送氣	收聲	發聲

透	定	泥	來	知	徹	澄	娘	日
清	濁	濁	濁	清	清	濁	濁	濁
送氣	送氣	收聲	收聲之餘	發聲	送氣	送氣	收聲	收聲之餘

照	穿	床	審	禪	精	清	從	心
清	清	濁	清	濁	清	清	濁	清
發聲	送氣	送氣	發聲	送氣	發聲	送氣	送氣	發聲

邪	幫	滂	並	明	非	敷	奉	微
濁	清	清	濁	濁	清	清	濁	濁
送聲	發聲	送氣	送氣	收聲	發聲	送氣	送氣	收聲

　　音呼分等，有開合之分，《切韻指掌圖》首列為圖。圖為宋人所作，世稱司馬溫公所撰，似未必是。開合之音，各有洪細。開口洪音為開口，細音為齊齒。合口洪音為合口，細音為撮口。可舉例以明之，如見「紐」見為齊齒，「干」為開口，「觀」為合口，「卷」為撮口。音呼應以四等為則，今之講等韻者，每謂開合各有四等，此則虛

列等位，脣吻所不能宣，吾人所未敢深信也。

古人分韻，初無一定規則，有合、撮為一類，開、齊為一類者，有開、齊、合、撮同歸一類者，亦有開、齊分為兩類者。此在《廣韻》中可細自求之。古韻歌與羈、姑與居同部，今韻歌、支、模、魚各為一韻。論古韻昔人意見各有不同。段懋堂以為真與諄、侯與幽均宜異部，戴東原則以為可不分。實則分之固善，合之亦無不可。侯、幽二韻，《詩經》本不同用，真、諄之應分合，一時亦難論定。蓋以開、齊、合、撮分韻，古人亦未斠若畫一也。

孫愐撰《唐韻》，已在天寶之末。其先唐玄宗自作《韻英》，分四百餘韻，頒行學官。後其書不傳。唐人據《韻英》而言者亦甚少。大概嚴格分別，或須四百餘韻，或竟不止此數。據音理而論，確宜如此。今《廣韻》二百六韻，多有不合音理者。然部居分合之故，作者未能詳言，吾人亦不能專以分等之說細為推求。其大要則不可不知。

四聲之說，起於齊、梁。而雙聲、疊韻，由來已久。至反切始於何時，載籍皆無確證。古人有讀如、讀若之例，即直音也。直音之道，有時而窮。蓋九州風土，剛柔有殊，輕重清濁，發音不齊。更有字止一音，別無他讀，非由面授，莫能矢口。於是反切之法，應運而起。《顏氏家訓》以為反語始於孫叔然作《爾雅音義》，說殊未諦。蓋《漢書音義》已載服虔、應劭反切。不過釋經用反語，或始於叔然耳。反語之行，大約去孫不遠。《家訓》言漢末人獨知反語，魏世大行。高貴鄉公不解反語，以為怪異。王肅《周易音》據《經典釋文》所錄，用反語者十餘條。肅與孫炎說經互相攻駁。假令叔然首創反

語，肅肯承用之乎？服、應與鄭康成同時，應行輩略後。康成注經只用讀若之例，則反語尚未大行。顧亭林謂經傳中早有反語，如不律為筆，蔽膝為韠，終葵為椎，蒺藜為茨。然此可謂反語之萌芽，不可謂其時已有反切之法。否則許氏撰《說文》，何不採用之乎？《說文》成於漢安帝時，服、應在靈帝時，去許已六七十年。此六七十年中，不知何人首創反語，可謂一大發明。今《說文》所錄九千餘字，吾人得以盡識，無非賴反切之流傳耳。

遠西文字表韻常用喉音，我國則不然。因當時創造之人未立一定規律，所以反切第二字隨意用之。今欲明反切之道，須知上一字當與所切之字同紐，即所謂雙聲也；下一字當與所切之字同韻，即所謂疊韻也。定清濁在上一字，分等呼在下一字。如：東，德紅切，東、德雙聲，東、紅疊韻，東、德均為清音，東、紅均為合口呼。學者能於三十六字紐發聲不誤，開、齊、合、撮分別較然，則於音韻之道思過半矣。

學者有志治經，不可不明故訓，則《爾雅》尚已。《爾雅》一書，《漢志》入《孝經》類，今入小學類。張晏曰：「爾，近也；雅，正也。」《論語》：「子所雅言。」孔安國亦訓雅言為正言。《爾雅》者，釐正故訓，綱維群籍之書也，昔人謂為周公所作，魏張揖《上廣雅表》言：周公著《爾雅》一篇，「今俗所傳三篇，或言仲尼所增，或言子夏所益，或言叔孫通所補，或言沛郡梁文所考」。朱文公不信《爾雅》，以為後人掇拾諸家傳注而成。但《爾雅》之名見於《大戴禮·小辯》篇：「魯哀欲學小辯，孔子曰：小辯破言，小言破義，《爾雅》以觀於古，足以辯言矣。夫弈固十棋之變，由不可既也，而況天

下之言乎？」（哀公所欲學之「小辯」，恐即後來「堅白同異」之類。哀公與墨子相接，《墨子》經、說，即堅白同異之濫觴。《莊子・駢拇》篇：「駢於辯者，累瓦結繩，竄句游心於堅白同異之間，而敝跬譽無用之言。非乎？而楊墨是已。」是楊朱亦持小辯。楊墨去魯哀不及百年，則春秋之末已有存雄無術之風，殆與晉人之好清談無異。）張揖又言：「叔孫通撰置《禮記》，言不違古」。則叔孫通自深於雅訓。趙邠卿《孟子題辭》言：「孝文皇帝欲廣遊學之路，《論語》、《孝經》、《孟子》、《爾雅》皆置博士。」可見《爾雅》一書，在漢初早已傳布。朱文公謂為掇拾傳注而成，則試問魯哀公時已有傳注否乎？伏生在文帝時始作《尚書大傳》，《大傳》亦非訓詁之書，《詩》齊、魯、韓三家，初只魯《詩》有申公訓故。申公與楚元王同受《詩》於浮丘伯，是與叔孫通同時之人。張揖既稱叔孫通補益《爾雅》，則掇拾之說何由成立哉！

　　謂《爾雅》成書之後代有增益，其義尚允。此如醫家方書，葛洪撰《肘後方》，陶宏景廣之為《百一方》。又如蕭何定律，本於《法經》。陳群言李悝作《法經》六篇，蕭何定加三篇。假令漢律而在，其科條名例，學者初不能辨其孰為悝作，孰為蕭益。又如《九章算術》，周公所作，今所見者為張蒼所刪補，人亦孰從而分別此為原文，彼為後出乎？讀《爾雅》者當作如是觀。

　　《爾雅》中詮詁《詩經》者，容有後人增補。即如「鬱陶，喜也」，乃釋《孟子》。「卷施拔心不死」，則見於《離騷》。又如《釋地》、《釋山》、《釋丘》、《釋水》諸篇，多雜後人之文。《釋地》中九州與《禹貢》所記不同。其「從《釋地》以下至九河，皆禹所名也」

二語，或為周公故訓耳。

　　以《爾雅》釋經，最是《詩》、《書》。毛《傳》用《爾雅》者十得七八。《漢志》言：《尚書》古文，讀應《爾雅》，則解詁《尚書》亦非用《爾雅》不可。然毛《傳》有與《爾雅》立異處，如「履帝武敏」，武，跡也。敏，拇也。三家《詩》多從《爾雅》，毛則訓敏為疾，意謂敏訓拇，則必改為「履帝敏武」，於義方順。又如，「籧篨戚施」，《爾雅》以籧篨為口柔，戚施為面柔，誇毗為體柔；毛《傳》則謂籧篨不能俯者，戚施不能仰者。此據《晉語》「籧篨不可使俯，戚施不可使仰」為訓。義本不同，未可強合，而鄭《箋》則曰：「籧篨口柔，常觀人顏色而為之辭，故不能俯也；戚施面柔，下人以色，故不能仰也。」強為傅合，遂致兩傷。《經義述聞》云：「豈有衛宣一人而兼此二疾者乎？」然王氏父子亦未多見病人，固有雞胸龜背之人，既不能俯亦不能仰者。謂為身兼二疾，亦無不可。毛《傳》又有改《爾雅》而義反弗如者，如《爾雅》：「式微式微，微乎微者也。」毛訓式為用，用微於義難通。又《爾雅》：「豈弟，發也。」《載驅》：「齊子豈弟」，毛訓樂易，則與前章「齊子發夕」不相應矣。

　　古文《尚書》，讀應《爾雅》。自史遷、馬、鄭以及偽孔，俱依《爾雅》作訓。或以為依《爾雅》釋《尚書》，當可讞然理解，而至今仍有不可解者，何也？此以《爾雅》一字數訓，解者拘泥一訓，遂致扞格難通也。如康有五訓：安也、虛也、苛也、蠱也，又五達謂之康。《詩·賓之初筵》：「酌彼康爵。」鄭《箋》云：「康，虛也。」《書·無逸》：「文王卑服，即康功田功。」偽孔訓為安人之功。不知此康安當取五達之訓。康功田功即路功田功也。《西伯戡黎》：「故天棄

我，不與康食。」偽孔訓為「不有安食於天下」。義雖可通，而一人不能安食，亦不至為天所棄。如解為糟糠之糠，則於義較長。故依《爾雅》解《尚書》當可十得七八，要在引用得當耳。然世之依《爾雅》作訓者，多取《釋詁》、《釋言》、《釋訓》三篇，其餘十六篇不甚置意，遂至五達之康一訓，熟視無睹，迂迴難通，職是故耳。

《經義述聞・春秋名字解詁》鄭公孫僑字子產，既舉《爾雅・釋樂》之訓，大管謂之簥，大龠謂之產；復言僑與產皆長大之意。實則僑借為簥而已。《離騷》：「吾令蹇修以為理。」理即行理之理，使也。蹇修，王逸以為伏羲氏之臣，然《漢書・古今人表》中無蹇修之名，此殆王逸臆度之言。按《爾雅・釋樂》：「徒鼓鐘謂之修；徒鼓磬謂之蹇。」以蹇修為理者，彼此不能相見，乃以鐘鼓致意耳。司馬相如以琴心挑之，即此意也。是知《爾雅》所釋者廣，故書雅訓悉具於是，學者欲明訓詁，不能不以《爾雅》為宗。《爾雅》所不具者，有《方言》、《廣雅》諸書足以補闕。《方言》成於西漢，故訓尚多。《廣雅》三國時人所作，多後起之訓，不足以釋經。《詩・商頌》「受小球大球」、「受小共大共」。毛《傳》以球為玉，以共為法，深合古訓。《經義述聞》以為解球為玉、與共殊義，應依《廣雅》作訓，拱、球，法也。改字解經，尊信《廣雅》太過矣。要知訓詁之道，須謹守家法，亦應兼顧事實。按《呂氏春秋》：夏之將亡，太史終古抱其圖法奔商，湯之所受小共大共，即夏太史終古所抱之圖法也。《書序》「湯伐三朡，俘厥寶玉，誼伯、仲伯作典寶。」即湯所受之大球、小球也。古人視玉最重，玉者，所以班瑞於群後。《周禮・大宗伯》：「以玉作六瑞，以等邦國。王執鎮圭，公執桓圭，侯執信圭，伯執躬

圭，子執穀璧，男執蒲璧。」一如後世之璽印，所以別天子、諸侯之等級也。湯受法受玉，而後可以發施政令，為下國綴旒。依《廣雅》作訓，於義未安。

宋人釋經，不信《爾雅》，豈知古書訓詁不可逞臆妄造。此如迻譯西土文字，必依據原文，不差累黍，遇有未瑩，則必勤檢辭書，求其詳審。若鑿空懸解，望文生訓，鮮不為通人所笑。《爾雅》：「繩繩，戒也。」《詩·螽斯》：「宜爾子孫繩繩兮。」毛《傳》：「繩繩，戒慎也。」朱文公以為繩有繼續之義，即解為不絕貌。《爾雅》：「緝熙，光也。」毛《傳》：「緝熙，光明也。」（「緝熙」，《詩經》凡四見）朱以緝纑之緝，因解為繼續也。按：《敬之》篇「學有緝熙於光明」者，即言光明更光明。於與乎通，與「微乎微之」語意相同。又《書·盤庚》：「今汝憩憩。」《說文》：「憩，拒善自用之意也。」馬、鄭、王肅所解略同，蔡沈乃解為聒聒多言。實則古訓並無多言之意。是故，吾人釋經，應有一定規則，解詁字義，先求《爾雅》、《方言》有無此訓。一如引律斷獄，不能於刑律之外強科人罪。故說經而不守雅訓，鑿空懸解，謂之門外漢。

古人訓詁之書，自《爾雅》而下，《方言》、《說文》、《廣雅》以及毛《傳》，漢儒訓詁，可稱完備。而今之講漢學者，時復不滿舊注，爭欲補苴罅漏，則以一字數訓，昔人運用尚有遺憾之故。此如士卒精良，而運籌者或千慮一失，後起之人，苟能調遣得法，即可制勝。又如用藥，藥性溫涼，全載《本草》，用藥者不能越《本草》之外，其成功與否，悉視運用如何而已。

訓詁之學，善用之如李光弼入郭子儀軍，壁壘一新；不善用之，如逢蒙學射，盡羿之道，於是殺羿。總之詮釋舊文，不宜離已有之訓詁，而臆造新解。至運用之方，全在於我。清儒之能昌明漢學、卓越前代者，不外乎此。

經學略說

「經」之訓「常」，乃後起之義。《韓非·內外儲》首冠經名，其意殆如後之目錄，並無常義。今人書冊用紙，貫之以線。古代無紙，以青絲繩貫竹簡為之。用繩貫穿，故謂之經。經者，今所謂線裝書矣。《儀禮·聘禮》：「百名以上書於策，不及百名書於方。」《禮記·中庸》云：「文武之政，布在方策。」蓋字少者書於方，字多者編簡而書之。方不貫以繩，而簡則貫以繩。以其用繩故曰編，以其用竹故曰篇。方，版牘也。古者師徒講習，亦用方騰寫。《爾雅》：「大版謂之業。」故曰肄業、受業矣。《管子》云：「修業不息版。」修業云者，修習其版上之所書也。竹簡繁重，非別版書寫，不易肄習。二尺四寸之簡（《後漢書·周磐傳》：編二尺四寸簡寫《堯典》），據劉向校古文《尚書》，每簡或二十五字，或二十二字，知一字約占簡一寸。二十五自乘為六百二十五。令簡策縱橫皆二十四寸，僅得六百二十五字。《尚書》每篇字數無幾，多者不及千餘。《周禮》六篇，每篇少則二三千，多至五千。《儀禮·鄉射》有六千字，《大射儀》有六千八百字。如橫布《大射》、《鄉射》之簡於地，占地須二丈四尺，合之今尺，一丈六尺，倘師徒十餘人對面講誦，便非一室所能容。由是可知講授時決不用原書，必也移書於版，然後便捷。故稱肄業、受業，而不曰肄策、受策也。帛，絹也，古時少用。《漢書·藝文志》六藝略、諸子略、詩賦略、兵書略，每書皆云篇；數術、方技，則皆稱卷。數術、方技，乃秦漢時書，古代所無。六藝、諸子、詩賦、兵書，漢人亦有作。所以不稱卷者，以劉向《敘錄》，皆用竹簡殺青繕寫，數術、方技，或不用竹簡也。唯圖不稱篇而稱卷，蓋帛書矣（《孫子兵法》皆附圖）。由今觀之，篇繁重而卷簡便，然古代質厚，用簡者多。《莊子》云：「惠施多方，其書五車。」五車之書，如為

帛書，乃可稱多；如非帛書，而為竹簡，則亦未可云多。秦皇衡石程書，一日須盡一石。如為簡書，則一石之數太多，非一人一日之力所能盡（古一石當今三十斤，如為帛書，准之於今，當亦有一二百本）。古稱奏牘，牘即方版，故一日一石不為多耳。

周代《詩》、《書》、《禮》、《樂》皆官書。《春秋》史官所掌，《易》藏太卜，亦官書。官書用二尺四寸之簡書之。鄭康成謂六經二尺四寸，《孝經》半之，《論語》又半之是也。《漢書》稱律曰「三尺法」，又曰「二尺四寸之律」。律亦經類，故亦用二尺四寸之簡。唯六經為周之官書，漢律乃漢之官書耳。尋常之書，非經又非律者，《論衡》謂之短書。此所謂短，非理之短，乃策之短也。西漢用竹簡者尚多，東漢以後即不用。《後漢書》稱董卓移都之亂，縑帛圖書，大則連為帷蓋，小乃製為縢囊，可知東漢官書已非竹簡本矣。帛書可卷可舒，較之竹簡，自然輕易，然猶不及今之用紙。紙之起源，人皆謂始於蔡倫，然《漢書・外戚傳》已稱赫蹄，則西漢時已有紙，但不通用耳。正唯古人之不用紙，作書不易；北地少竹，得之甚難；代以縑帛，價值又貴，故非熟讀強記不為功也。竹簡書之以漆，劉向校書可證；方版亦然。至於縑帛，則不可漆書，必當用墨。《莊子》云：宋元君將畫圖，眾史舐筆和墨。則此所謂圖，當是縑素。又《儀禮》「銘旌用帛」，《論語》「子張書紳」，紳以帛為之，皆非用帛不能書。唯經典皆用漆書簡，學生講習，則用版以求方便耳。以上論經之形式及質料。

《莊子・天下》篇：「《詩》以道志，《書》以道事，《禮》以道行，《樂》以道和，《易》以道陰陽，《春秋》以道名分。」列舉六經，

而不稱之曰「經」。然則「六經」之名，孰定之耶？曰：孔子耳。孔子之前，《詩》、《書》、《禮》、《樂》已備。學校教授，即此四種。孔子教人，亦曰：「興於《詩》，立於《禮》，成於《樂》。」又曰：「《詩》、《書》執禮，皆雅言也。」可見《詩》、《書》、《禮》、《樂》，乃周代通行之課本。至於《春秋》，國史祕密，非可公布，《易》為卜筮之書，事異恆常，非當務之急，故均不以教人。自孔子贊《周易》、修《春秋》，然後《易》與《春秋》同列六經。以是知六經之名，定於孔子也。

五禮著吉、凶、賓、軍、嘉之稱，今《儀禮》十七篇，只有吉、凶、賓、嘉，而不及軍禮。不但十七篇無軍禮，即《漢書》所謂五十六篇《古經》者亦無之。《藝文志》以《司馬法》二百餘篇入禮類（今殘本不多），此軍禮之遺，而不在六經之內。孔子曰：「軍旅之事，未之學也。」蓋孔子不喜言兵，故無取焉。又古律亦官書，漢以來有《漢律》。漢以前據《周禮》所稱，五刑有二千五百條，《呂刑》則云三千條。當時必著簡冊，然孔子不編入六經，至今無隻字之遺。蓋律者，在官之人所當共知，不必以之教士。若謂古人尚德不尚刑，語涉迂闊，無有是處。且《周禮‧地官》之屬，州長、黨正，有讀法之舉，是百姓均須知律。孔子不以入六經者，當以刑律代有改變，不可為典要故爾。

六經今存五經，《樂經》漢時已亡。其實，六經須作六類經書解，非六部之經書也。禮，今存《周禮》、《儀禮》。或謂《周禮》與《禮》不同，名曰《周官》，疑非禮類。然《孝經》稱「安上治民莫善於禮」，《左傳》亦云：「禮，經國家、定社稷、序人民、利後嗣。」

由《孝經》、《左傳》之言觀之，則《周官》之設官分職、體國經野，正是禮類。安得謂與禮不同哉？春秋時人引《逸周書》皆稱《周書》，《藝文志》稱《逸周書》乃孔子所刪百篇之餘。因為孔子所刪，故不入六經。又《連山》、《歸藏》，漢時尚存（桓譚《新論》云：或藏蘭台），與《周易》本為同類。以孔子不贊，故亦不入六經。實則《逸周書》與《書》為一類，三易同為一類，均宜稱之曰經也。

今所傳之十三經，其中《禮記》、《左傳》、《公羊》、《穀梁》均傳記也。《論語》、《孝經》，《藝文志》以《詩》、《書》、《易》、《禮》、《春秋》同入六藝，實亦傳記耳。《孟子》應入子部，《爾雅》乃當時釋經之書，亦不與經同。嚴格論之，六經無十三部也。

史部本與六經同類。《藝文志》春秋家列《戰國策》、《太史公書》。太史公亦自言繼續《春秋》。後人以史部太多，故別為一類。荀勖《中經簿》始立經、史、子、集四部，區經、史為二，後世仍之。然乙部有《皇覽》。《皇覽》者，當時之類書也，與史部不類。王儉仿《七略》作《七志》（《七略》本僅六種：一、六藝；二、諸子；三、詩賦；四、兵書；五、數術；六、方技），增圖譜一門，稱六藝略曰經典志，中分六藝、小學、史記、雜傳四門，有心復古，頗見卓識。又有《漢志》不收而今亦歸入經部者，緯書是也。緯書對經書而稱，後人雖不信，猶不得不以入經部。獨王儉以數術略改為陰陽志，而收入緯書，以緯書與陰陽家、形法家同列，不入經典，亦王氏之卓識也。自《隋書・經籍志》後，人皆依荀勖四部之目，以史多於經，為便宜計，不得不爾。明知緯書非經之比，無可奈何，亦錄入經部，此皆權宜之計也。

兵書在《漢志》本與諸子分列。《孫子兵法》入兵書，不入諸子。《七志》亦分兵書曰軍書，而阮孝緒《七錄》（依王儉為七部，不分經、史、子、集）以子書、兵書合曰子兵，未免謬誤。蓋當代之兵書，應秘而不宣；古代之兵書，可人人省覽。《孫子》十三篇，空論行軍之理，與當時號令編制之法絕異，不似今參謀部之書，禁人窺覽者也。是故當代之兵書，不得與子部並錄。

向、歆校書之時，史部書少，故可歸入《春秋》。其後史部漸多，非別立一類不可，亦猶《漢志》別立詩賦一類，不歸入《詩經》類耳。後人侈言復古，如章實齋《校讎通義》，獨斷斷於此，亦徒為高論而已。顧源流不得不明，緯與經本應分類，史與經本不應分，此乃治經之樞紐，不可不知者也。

漢人治經，有古文、今文二派。伏生時緯書未出，尚無怪誕之言。至東漢時，則今文家多附會緯書者矣。古文家言歷史而不信緯書，史部入經，乃古文家之主張；緯書入經，則今文家之主張也。

古文家間引緯書，則非純古文學，鄭康成一流是也。王肅以賈、馬之學，反對康成。賈雖不信緯書，然亦有附會處（《後漢書》可證），馬則絕不附會矣（馬書今存者少）。

至三國時人治經，則與漢人途徑相反。東漢今文說盛行之時，說經多採緯書，謂孔子為玄聖之子，稱其述作曰為漢製法。今觀孔林中所存漢碑，《史晨》、《乙瑛》、《韓敕》，皆錄當時奏議文告，並用緯書之說。及黃初元年，封孔羨為宗聖侯，立碑廟堂，陳思王撰文，錄文帝詔書，其中無一語引緯書者。非唯不引緯書，即今文家，亦所不

採。以此知東漢與魏，治經之法，截然不同。今人皆謂漢代經學最盛，三國已衰，然魏文廓清讖緯之功，豈可少哉！文帝雖好為文，似詞章家一流，所作《典論》，《隋志》歸入儒家。緯書非儒家言，乃陰陰家言，故文帝詔書未引一語。豈可僅以詞章家目之！

自漢武立五經博士，至東漢有十四博士（五經本僅五博士，後分派眾多，故有十四博士）。《易》則施、孟、梁丘、京，《書》則歐陽、大小夏侯，《詩》則齊、魯、韓，《禮》則大小戴，《春秋》則嚴、顏（皆《公羊》家），皆今文家也。孔安國之古文《尚書》，後世不傳。漢末，馬、鄭之書，不立學官。《毛詩》亦未立學官。古文《禮》傳之者少。《春秋》則《左氏》亦未立學官。至三國時，古文《尚書》、《毛詩》、《左氏春秋》，皆立學官，此魏文帝之卓見也。漢熹平石經，隸書一字，是乃今文。魏正始時立三體石經，則用古文。當時古文《禮》不傳，《尚書》、《春秋》皆用古文。《易》用費氏，以費《易》為古文也（傳費《易》者，漢末最盛，皆未入學官。馬、鄭、荀爽、劉表、王弼皆費氏《易》）。《周禮》則本為古文。三國之學官，與漢末不同如此。故曰魏文廓清之功不可少也。

清人治經，以漢學為名。其實漢學有古文、今文之別。信今文則非，守古文即是。三國時漸知尊信古文。故魏、晉兩代，說經之作，雖精到不及漢儒，論其大體，實後勝於前。故「漢學」二字，不足為治經之正軌。昔高郵王氏，稱其父熟於漢學之門徑，而不囿於漢學之藩籬。此但就訓詁言耳。其實，論事蹟、論義理，均當如是。魏、晉人說經之作，豈可廢哉！以上論經典源流及古今文大概。

欲明今古文之分，須先明經典之來源。所謂孔子刪《詩》、《書》，定《禮》、《樂》，贊《周易》，修《春秋》者，《漢書·藝文志》云：禮、樂，周衰俱壞，《樂》尤微眇，又為鄭、衛所亂，故無遺法。又云：及周之衰，諸侯將逾法度，惡其害己，皆滅去其籍，自孔子時而不具。是孔子時《禮》、《樂》已闕，唯《詩》、《書》被刪則俱有明證。《左傳》：韓宣子適魯，觀書於太史氏，見《易·象》與魯《春秋》，曰：周禮盡在魯矣。可見別國所傳《易·象》，與魯不盡同。孔子所贊，蓋魯之《周易》也。《春秋》本魯國之史，當時各國皆有春秋，而皆以副本藏於王室。故太史公謂孔子西觀周室，論史記舊聞而修《春秋》，蓋六經之來歷如此。

《禮記·禮器》云：「經禮三百、曲禮三千。」鄭康成註：經禮謂《周禮》，曲禮即《儀禮》。《中庸》云：「禮儀三百，威儀三千。」孔穎達疏：禮儀三百即《周禮》，威儀三千即《儀禮》。今《儀禮》十七篇，約五萬六千字，均分之，每篇得三千三百字。漢時，高堂生傳《士禮》十七篇，合淹中所得，凡五十六篇，較今《儀禮》三倍。若以平均三千三百字一篇計之，則五十六篇當有十七萬字，恐孔子時經不過如此。以字數之多，故當時儒者不能盡學，孟子所謂「諸侯之禮，吾未之學也」。至於《周禮》是否經孔子論定，無明文可見。孟子謂「諸侯惡其害己也，而皆去其籍」，是七國時《周禮》已不常見，故孟子論封建與《周禮》不同。

太史公謂古詩三千餘篇，孔子刪為三百篇。或謂孔子前本僅三百篇，孔子自信「詩三百」是也。然《周禮》言九德、六詩之歌。九德者，《左傳》所謂水、火、金、木、土、穀、正德、利用、厚生。九

功之德皆可歌者，謂之九歌。六詩者，一曰風，二曰賦，三曰比，四曰興，五曰雅，六曰頌。今《詩》但存風、雅、頌，而無賦、比、興。蓋不歌而誦謂之賦，例如後之《離騷》，篇幅冗長，宜於誦而不宜於歌，故孔子不取耳。九德、六詩合十五種，今《詩》僅存三種，已有三百篇之多，則十五種當有一千五百篇。風、雅、頌之逸篇為春秋時人所引者已不少，可見未刪之前，太史公三千篇之說為不誣也。孔子所以刪九德之歌者，蓋水、火、金、木、土、谷，皆詠物之作，與道性情之旨不合，故刪之也。季札觀周樂，不及賦、比、興，賦本不可歌，比、興被刪之故，則今不可知。墨子言誦詩三百、弦詩三百、歌詩三百、舞詩三百。夫可弦必可歌，舞雖有節奏，恐未必可歌，誦則不歌也。由此可知，詩不僅三百，依墨子之言，亦有千二百矣。要之詩不但取其意義，又必取其音節，故可存者少耳。

　　《書》之篇數，據揚子《法言》稱：昔之說《書》者序以百。《藝文志》亦云凡百篇。百篇者，孔子所刪定者也。其後，伏生傳二十九篇（據《書序》則分為三十四篇）。壁中得四十八篇。由今觀之，《書》在孔子刪定之前已有亡佚者。楚靈王之左史，通三墳、五典、八索、九丘。今三墳不傳，五典僅存其二。楚靈王時，孔子年已二十餘，至刪《書》時而僅著《堯典》、《舜典》二篇，蓋其餘本已佚矣。若依百篇計之，虞、夏、商、周凡四代，如商、周各四十篇，虞、夏亦當有二十篇。今夏書最少，《禹貢》猶不能謂為夏書。真為夏書者，僅《甘誓》、《五子之歌》、《胤征》三篇而已。《胤征》之後，《左傳》載魏絳述后羿、寒浞事，伍員述少康中興事，皆《尚書》所無。魏絳在孔子前，而伍員與孔子同時，二子何以知之？必當時別有記

載，而本文則已亡也。此亦未刪而已佚之證也。至如周代封國必有命（如近代之冊命），封康叔有《康誥》，而封伯禽、封唐叔，左氏皆載其篇名，《書序》則不錄。且魯為孔子父母之邦，無不知其封誥之理。所以不錄者，殆以周封諸侯甚多，不得篇篇而登之，亦唯擇其要者耳。否則，將如私家譜牒所錄誥命，人且厭觀之矣。《康誥》事涉重要，故錄之，其餘則不錄，此刪《書》之意也。

《逸周書》者，《藝文志》言，孔子所論百篇之餘。今《逸周書》有目者七十一篇。由此可知，孔子於《書》，刪去不少。雖自有深意，然刪去之《書》，今仍在者，亦不妨視為經書。今觀《逸周書》與《尚書》性質相同，價值亦略相等。正史之外，猶存別史（《史》、《漢》無別史，《後漢書》外有袁宏《後漢記》，其中所載事實、奏議，有與《後漢書》不同者，可備參考。《三國志》外有魚豢之《魏略》、王沈之《魏書》，不可謂只《三國志》可信，餘即不可信也），安得皇古之書，可信如《逸周書》者，顧不重視乎？《詩》既刪為三百篇，而刪去之詩，如「巧笑倩兮，美目盼兮，素以為絢兮」一章，子夏猶以問孔子，孔子亦有「啟予」之言。由此可見，逸詩仍有價值。逸書亦猶是矣。蓋古書過多，或殘缺，或不足重，人之目力有限，不能盡讀，於是不得不刪繁就簡。故孔子刪《詩》、《書》，使人易於持誦，刪餘之書，仍自有其價值在也。崔東壁輩以為經書以外均不足採，不知太史公三代三紀，固以《尚書》為本，《周本紀》即採《逸周書》《克殷解》、《度邑解》，此其卓識過人，洵非其餘諸儒所能及。

六經自秦火之後，《易》為卜筮，傳者不絕。漢初北平侯張蒼獻

《春秋左氏傳》，經傳俱全。《詩》由口授，非秦火所能焚，漢初有齊、魯、毛、韓四家。唯毛有六笙詩（自秦焚書，至漢高祖破秦子嬰，歷時七年，人人熟習之歌，自當不亡）。禮則《儀禮》不易誦習，故高堂生僅傳十七篇（高堂生必讀熟方能傳也）。《周禮》在孟子時已不傳，而荀子則多引之（荀子學博遠過孟子，故能引之），然全書不可見。至漢河間獻王乃得全書，猶缺《冬官》一篇，以《考工記》補之。《尚書》本百篇，伏生壁藏之，亂後求得二十九篇，至魯恭王壞孔子宅，又得五十八篇，孔安國傳之，謂之古文。此秦火後六經重出之大概也。

經今古文之別有二：一、文字之不同；二、典章制度與事實之不同。

何謂文字之不同？譬如《尚書》，古文篇數多，今文篇數少，今古文所同有者，文字又各殊異，其後愈說愈歧。此非伏生之過，由歐陽、大小夏侯三家立於學官，博士抱殘守缺，強不知以為知，故愈說而愈歧也。《古文尚書》孔安國傳之太史公，太史公以之參考他書，以故，不但文字不同，事實亦不同矣（今文家不肯參考他書，古文家不然，太史公採《逸周書》可證也）。

何謂典章制度之不同？如《周禮》本無今文，一代典章制度，於是大備。可見七國以來傳說之語，都可不信。如封建一事，《周禮》謂公五百里、侯四百里、伯三百里、子二百里、男百里。而孟子乃謂公、侯皆方百里、伯七十里、子男五十里，與《周禮》不合。此當依《周禮》，不當依孟子，以孟子所稱乃傳聞之辭也。漢初人不知《周

禮》，文帝時命博士撰《王制》，即用孟子之說，以未見《周禮》故。此典章制度之不同也。

何謂事實之不同？如《春秋左傳》為古文，《穀梁》、《公羊》為今文。《穀梁》稱申公所傳、《公羊》稱胡毋生所傳。二家皆師弟問答之語。《公羊》至胡毋生始著竹帛，《穀梁》則著錄不知在何時。今三傳不但經文有異，即事實亦不同，例亦不同。劉歆以為左氏親見夫子，好惡與聖人不同；而公羊、穀梁在七十子之後。傳聞之與親見之，其詳略不同。以故，若論事實，自當信《左氏》，不當信《公》、《穀》也。《詩》無所謂今古文，口授至漢，書於竹帛，皆用當時習用之隸書。《毛詩》所以稱古文者，以其所言事實與《左傳》相應，典章制度與《周禮》相應故爾。《禮》，高堂生所傳十七篇為今文；孔壁所得五十六篇為古文。古文、今文大義無殊，唯十七篇缺天子、諸侯之禮。於是，後耆推士禮至於天子（五十六篇中有天子、諸侯之禮）。後人不得不講《禮記》，即以此故。以十七篇未備，故須《禮記》補之。《禮記》中本有《儀禮》正篇，如《奔喪》，小戴所有；《投壺》，大、小戴俱有。大、小戴皆傳自後耆，皆知十七篇不足，故採《投壺》、《奔喪》二篇。二家之書，所以稱《禮記》者，以其為七十子後學者所記，故謂之《禮記》。記，百三十一篇：大戴八十二篇，小戴四十九篇。今大戴存三十九篇，小戴四十九篇具在，合之得八十八篇。此八十八篇中，有並非採自百三十一篇之記者，如大戴有《孔子三朝記》七篇，《孔子三朝記》應入《論語》家（《藝文志》如此）；《三朝記》之外，《孔子閒居》、《仲尼燕居》、《哀公問》等，不在《三朝記》中，則應入《家語》一類。要之，乃《論語》家言，非《禮》

家言也。大戴採《曾子》十篇，《曾子》本儒家書。又《中庸》、《緇衣》、《表記》、《坊記》四篇，在《小戴記》，皆子思作。子思書，《藝文志》錄入儒家。若然，《孔子三朝記》以及曾子、子思所著，錄入大、小戴者，近三十篇。加以《月令》本屬《呂氏春秋》（漢人稱為《明堂月令》），亦不在百三十一篇中。又，《王制》一篇，漢文帝時博士所作。則八十八篇應去三十餘篇，所餘不及百三十一篇之半，恐猶有採他書者在。如言《禮記》不足據，則其中有百三十一篇之文在；如云可據，則其中有後人所作在。故《禮記》最難辨別，其中所記，是否為古代典章制度，乃成疑寶。若但據《禮記》以求之，未為得也。《易》未遭秦火，漢興，田何數傳至施、孟、梁丘三家。或脫去《無咎》、《悔亡》，唯費氏不脫，與古文同。故後漢馬融、荀爽、鄭玄、劉表皆信費《易》。《易》專言理，唯變所適，不可為典要，故不可據以說《禮》。然漢人說《易》，往往與禮制相牽。如《五經異義》以「時乘六龍」謂天子駕六，此大謬也。又施、孟、梁丘之說，今無隻字之存。施、孟與梁丘共事田生，孟喜自云：「田生且死時，枕喜膝，獨傳喜」；而梁丘曰：「田生絕於施讎手中，時喜歸東海，安得此事！」是當時已起爭端。今孟喜之《易》，尚存一鱗一爪。臆造之說，未足信賴。焦延壽自稱嘗從孟喜問《易》，傳之京房，喜死，房以延壽《易》即孟氏學，而孟喜之徒不肯，曰：「非也。」然則焦氏、京氏之《易》，都為難信。虞氏四傳孟氏《易》，孟不可信，則虞說亦難信。此數家外，荀氏、鄭氏傳世最多，然《漢書》謂費本無書，以《彖》、《象》、《文言》釋經，而荀氏據爻象承應陰陽變化之義解說經意，是否為費之正傳，亦不可知。鄭《易》較為簡單，恐亦非費氏正傳。今學《易》者多依王弼之注，弼本費

《易》，以文字論，費《易》無脫文，當為可信。余謂論《易》，只可如此而已。

此外，《古論語》不可見，今所傳者，古齊、魯雜糅。《孝經》但存今文。關於典章制度、事實之不同者，須依古文為準。至尋常修身之語，今、古文無大差別，則《論語》、《孝經》之類，不必問其為古文或今文也。

十四博士皆今文，三國時始信古文。古文所以引起許多糾紛者，孔壁所得五十八篇之書，亡於漢末，西晉鄭沖偽造二十五篇，今之孔氏《尚書》，即鄭沖偽造之本。其中馬、鄭所本有者，未加竄改；所無者，即出鄭沖偽造。又分虞書為《堯典》、《舜典》二篇，分《皋陶謨》為《益稷》。《大禹謨》、《五子之歌》、《胤征》已亡，則補作三篇。既是偽作，不足置信。至漢人傳《易》，是否《易》之正本不可知，後則王弼一家為費氏書。宋陳希夷輩造先天八卦、河洛諸圖，傳之邵康節，此乃荒謬之說。東序河圖，既無人見，孔子亦嘆河不出圖，則後世何由知其象也。先天八卦，以說卦方位本離南坎北者改為乾南坤北，則與觀象、觀法而造八卦之說不相應，此與《尚書》偽古文同不足信（偽古文參考閻氏《古文尚書疏證》，河洛參考胡氏《易圖明辨》）。至今日治《書》而信偽古文；言《易》而又河洛、先天，則所謂門外漢矣。然漢人以誤傳之說亦甚多。清儒用功較深，亦未入說經正軌，凡以其參雜今古文故也。近孫詒讓專講《周禮》，為純古文家。惜此等著述，至清末方見萌芽，如群經皆如此疏釋，斯可謂入正軌矣。

經之由來及今古文之大概既明，須進而分講各經之源流。今先講《易經》。

初造文字，取法獸蹄鳥跡；畫卦亦然。《易·繫辭》云：「古者庖犧氏之王天下也，仰則觀象於天，俯則觀法於地，觀鳥獸之文與地之宜，近取諸身，遠取諸物，於是始作八卦。」今觀乾、坤二卦：乾作 ☰，坤作 ☷。《抱朴子》云：「八卦出於鷹隼之所被，六甲出於靈龜之所負。」蓋鳥舒六翮，即成 ☰ 象，但取其翮而遺其身，即成 ☷ 象。於是或分或合，錯而綜之，則成八卦。此所以言觀鳥獸之文也。抱朴之說，必有所受，然今無可考，施、孟、馬、鄭、荀爽皆未言之。

重卦出於何人，說者紛如。王弼以為伏羲，鄭玄以為神農，孫盛以為夏禹，而太史公則以為文王。伏羲之說，由於《周禮》，太卜掌三易之法：一曰《連山》，二曰《歸藏》，三曰《周易》。三易均六十四卦，杜子春謂《連山》，伏羲；《歸藏》，黃帝。王弼據之，故云重卦出於伏羲。然伏羲作《連山》，黃帝作《歸藏》，語無憑證，故鄭玄不從之也。神農之說，由於《繫辭》稱「神農氏作，斫木為耜，揉木為耒，蓋取諸《益》；日中為市，交易而退，蓋取諸《噬嗑》」二語。以神農氏已有《益》、《噬嗑》，故知重卦出於神農。然《繫辭》所謂「蓋取」，皆想像之辭，烏可據為實事！夏禹之說，從鄭玄之義蛻化而來。鄭玄《易贊》及《易論》云：夏曰《連山》，殷曰《歸藏》，周曰《周易》。孫盛取之，以為夏有《連山》，即兼山之艮，可見重卦始於夏禹。至文王之說，則太史公因「作《易》者其有憂患乎」一語而為是言。要之，上列諸說，雖不可確知其是非，以余觀

之，則重卦必不在夏禹之後，短中取長，則孫盛之說為可信耳。

至卦辭、爻辭之作，當是皆出文王。《繫辭》云：「《易》之興也，當文王與紂之事耶？」又云：「作《易》者，其有憂患乎？」太史公據此，謂「西伯拘而演《周易》」。故卦辭、爻辭並是文王被囚而作，或以為周公作爻辭，其說無據。如據韓宣子聘於魯，見《易‧象》而稱周公之德，以此知《易‧象》繫於周公，故謂周公作爻辭。然韓宣子並及魯之《春秋》，《春秋》豈周公作耶？如據「王用亨於岐山」及「箕子之明夷」及「東鄰殺牛不如西鄰之禴祭」諸文，以為岐山之王當是文王。文王被囚之時，猶未受命稱王。箕子之被囚奴，在武王觀兵之後，文王不宜預言明夷，東鄰指紂，西鄰指文王。紂尚南面，文王不宜自稱己德，以此知爻辭非文王作，而為周公作。然《禹貢》「導岍及岐」，是岐為名山，遠在夏後之世。古帝王必祭山川，安知文王以前，竟無王者享於岐山乎？「箕子」二字，本又讀為「荄滋」（趙賓說）。且箕子被囚，在觀兵以後，亦無實據。《象》傳「內文明而外柔順，以蒙大難，文王以之；內難而能正其志，箕子以之」，並未明言箕子之被囚奴，且不必被囚然後謂之明夷也。東鄰、西鄰，不過隨意稱說，安見東鄰之必為紂、西鄰之必為文王哉？據此三條，固不能謂爻辭必周公作矣。且《繫辭》明言「殷之末世，周之盛德」，而不及周公之時。孔穎達乃謂文王被囚，固為憂患；周公流言，亦屬憂患。此附會之語矣。余謂，據《左傳》，紂囚文王七年，七年之時甚久，卦辭、爻辭，不過五千餘字，以七年之久，作五千餘字，亦未為多，故應依太史公說，謂為文王作，則與《繫辭》相應。

文王作《易》之時，在官卜筮之書有《連山》、《歸藏》，文王之

《易》與之等列，未必視為獨重。且《周易》亦不止一部。《藝文志》六藝略首列《周易》十二篇；數術略蓍龜家又有《周易》三十八卷。且《左傳》所載筮辭，不與《周易》同者甚多。成季將生，筮得大有之乾曰：「同復於父，敬如君所。」秦繆伐晉，筮遇蠱，曰：「千乘三去，三去之餘，獲其雄狐。」皆今《周易》所無，解之者疑為《連山》、《歸藏》。然《左傳》明言以《周易》筮之，則非《連山》、《歸藏》也。余謂此不足疑，三十八卷中或有此耳。今《周易》六十四卦、三百八十四爻，而焦延壽作《易林》，以六十四自乘，得四千九十六條。安知周代無《易林》一類之書，別存於《周易》之外乎？蓋《連山》、《歸藏》、《周易》，初同為卜筮之書；上下二篇之《周易》與三十八卷之《周易》，性質相同，亦無高下之分，至孔子贊《易》，乃專取文王所演者耳。

《易》何以稱《易》，與夫《連山》、《歸藏》，何以稱《連山》、《歸藏》，此頗費解。鄭玄注《周禮》曰：《連山》似山出內氣變也；《歸藏》者，萬物莫不歸而藏於中也。皆無可奈何，強為之辭。蓋此二名本不可解。周易二字，周為代名，不必深論；易之名，《連山》、《歸藏》、《周易》之所共。《周禮》，太卜掌三易之法，《連山》、《歸藏》均稱為《易》。然易之義不可解。鄭玄謂易有三義：易簡，一也；變易，二也；不易，三也。易簡之說，頗近牽強，然古人說《易》，多以易簡為言。《左傳》：南蒯將叛，以《周易》占之。子服惠伯曰：「《易》不可以占險。」則易有平易之意，且直讀為易（去聲）矣。易者變動不居，周流六虛，不可為典要，唯變所適，則變易之義，最為易之確詁。唯不易之義，恐為附會，既曰易，如何又謂之

不易哉！又《繫辭》云：生生之謂易。此義在變易、易簡之外，然與字義不甚相關。故今日說《易》，但取變易、易簡二義，至當時究何所取義而稱之曰《易》，則不可知矣。

孔子贊《易》之前，人皆以《易》為卜筮之書。卜筮之書，後多有之。如東方朔《靈棋經》之類是。古人之視《周易》，亦如後人之視《靈棋經》耳。贊《易》之後，《易》之範圍益大，而價值亦高。《繫辭》曰：「夫《易》何為者也？夫《易》開物成務、冒天下之大道，如斯而已者也。」孔子之言如此。蓋發展社會、創造事業，俱為《易》義所包矣。此孔子之獨識也。文王作《易》，付之太卜一流。卜筮之徒，不知文王深意，至孔子乃視為窮高極遠，於是《周易》遂為六經之一。秦皇焚書，以《易》為卜筮之書，未之焚也。故自孔子傳商瞿之後，直至田何，中間未嘗斷絕；不如《尚書》經孔子刪定之後傳授不明，至伏生，突然以傳《書》著稱；亦不如《詩經》刪定之後，傳授不明，至轅固生、韓嬰等突然以傳《詩》著稱也。《魯詩》雖云浮丘伯受於荀卿，而荀卿之前不可知；《毛詩》雖云傳自子夏，然其事不見於《藝文志》，亦不見於《漢書・儒林傳》。唯《易》之傳授最為清楚：自商瞿一傳至橋庇子庸；二傳至馯臂子弓，三傳至周丑子家，四傳至孫虞子乘，五傳而至田何。其歷史明白如此，篇章亦未有闕脫（《藝文志》：《周易》十二篇，施、孟、梁丘三家）。向來說經者，往往據此疑彼，唯《易》一無可疑。以秦木未焚，漢仍完整也。歐陽脩經學疏淺，首疑《繫辭》非孔子作，以為《繫辭》中有「子曰」字，決非孔子自道。然《史記》自稱「太史公曰」，太史公下腐刑時，已非太史令矣，而《報任少卿書》猶自稱「太史公」；即

歐陽脩作《秋聲賦》亦自稱「歐陽子」，安得謂《史記》非太史公作、《秋聲賦》非歐陽脩作哉？商瞿受《易》之時，或與孔子問答，退而題「子曰」字，事未可知，安得徑謂非孔子作哉？歐陽脩無謂之疑，猶不足怪，後人亦無尊信之者。近皮錫瑞經學頗有功夫，亦疑《易》非文王作，以為卦辭、爻辭皆孔子作，夫以卦辭、爻辭為孔子作，則《繫辭》當非孔子作矣。然則《繫辭》誰作之哉？皮氏於此未能明言。夫《易》自商瞿至田何，十二篇師師相傳，並未有人增損。晉人發冢，得《周易》上下經，無十翼。此不足怪，或當時但錄經文，不錄十翼耳。《繫辭》明言「易之興也，其當殷之末世，周之盛德邪？當文王與紂之事邪？」如上下經為孔子作，則不得不推翻此二語。且田何所傳，已有《繫辭》，田何上去孔子，不及三百年，亦如今之去顧亭林時耳。人縱疏於考證，必不至誤認顧亭林書為唐宋人書也。又，「文言」二字，亦有異解。梁武帝謂文言者，文王之言也。今按：「元者，善之長也；亨者，嘉之會也；利者，義之和也；貞者，事之干也。君子體仁，足以長人；嘉會足以合禮；利物足以和義；貞固足以幹事」，此五十字為穆姜語，唯「體仁」作「體信」略異。穆姜在孔子前，故梁武帝謂為文王之言。然文王既作卦辭曰「元、亨、利、貞」，而又自作文言以解之，恐涉詞費，由今思之，或文王以後，孔子以前說《易》者發為是言，而孔子採之耳。所以題曰「文言」者，蓋解釋文王之言。

《史記·孔子世家》：「孔子晚而喜《易》，讀《易》韋編三絕。」如孔子以前，但有六十四卦之名，亦何須數數披覽，至於韋編三絕耶？必已有五千餘字，孔子披覽之勤，故韋編三絕也。陳希夷輩意欲

超過孔子，創先天八卦之說，不知八卦成列由觀象於天、觀法於地而來，其方位見於《說卦》傳（即陳希夷所謂後天八卦）。當時所觀之天，為全世界共見之天，所觀之地，則中國之地也。今以全地球言之，中國位東半球之東部，八卦方位，就中國所見而定。乾在西北者，中國之西北也；坤在西南者，中國之西南也。古人以北極標天，以崑崙標地。就中國之地而觀之，北極在中國西北，故乾位西北。崑崙在中國西南，故坤位西南。正南之離為火，即赤道，正北之坎為水，即翰海。觀象、觀法，以中國之地為本，故八卦方位如此，後之先天八卦，乾在南而坤在北，與天文、地理全不相應。作先天八卦者，但知乾為高明之象，以之標陽；坤為沉潛之象，以之標陰。遂謂坤應在北，乾應在南。不知仰觀俯察，非言陰陽，乃言方位耳。《禮》：「圜丘祭天，方澤祭地。」鄭玄註：祭天謂祭北極，祭地謂祭崑崙。人以北極崑崙，分標天地，於此可見先天八卦為無知妄作矣。

《漢書·五行志》劉歆曰：「伏羲氏繼天而王，受河圖則而畫之，八卦是也；禹治洪水，賜洛書法而陳之，《洪範》是也。」然不知所謂「圖」、「書」者何物也。至宋劉牧以《乾鑿度》九宮之法為「河圖」，又以生數、就成數依五方圖之，以為「洛書」，更有《洞極經》亦言「河圖」、「洛書」，則如劉牧之說而互易之，以五方者為圖，九宮者為書。然鄭氏、虞氏說《易》，並不以九宮、五方為圖、書。桓譚《新論》曰：「河圖、洛書，但有朕兆而不可知。」是漢人雖說「河圖」、「洛書」，卻未言「圖」、「書」為何象。宋人說《易》，創為河洛及先天八卦圖。朱晦庵《易本義》亦列此圖。其實先天圖書荒唐悠謬，要當以左道視之，等之天師一流可矣。

其餘說《易》者，漢儒主象數，王弼入清談。拘牽象數，固非至當；流入清談，亦非了義（《乾》、《坤》二卦，以及《既濟》、《未濟》，以清談釋之，說亦可通。然其他六十卦，恐非清談所能了也）。《繫辭》云：「夫《易》開物成務，冒天下之道。」謂「冒天下之道」，則佛法自亦在內。李鼎祚《集解序》云：「權輿三教，鈐鍵九流。」詳李氏此說，非但佛法在內，墨、道、名、法，均入《易》之範圍矣。然李氏雖作此說，亦不能有所發明。孔穎達云：「《易》理難窮。雖復玄之又玄，至於垂範作則，便是有而教有，若論住內、住外之空，就能、就所之說，斯乃義涉於釋氏，非為教於孔門。」然《正義》依王、韓為說，往往雜以清談。後之解者，因清談而入佛法。雖為孔氏所不敢，然《易》理亦自包含佛法。論說經之正，則非不但佛法不可引用，即《老子》「玄之又玄」之語，亦不應取。如欲窮究《易》理，則不但應取老、莊，即佛亦不得不取。其他九流之說，固無妨並採之矣！

《禮記・經解》曰：「《易》之失，賊。」此至言也。尚清談者，猶不致賊。如以施之人事，則必用機械之心太過，即不自覺為賊矣！蓋作《易》者本有憂患，故曰「其辭危」。危者使平，易者使傾，若之何其不賊也。若蔡澤以亢龍說范雎，取范雎之位而代之，此真可謂賊矣。夫蔡澤猶淺言之耳。當文王被囚七年，使四友獻寶，紂見寶而喜，曰：譖西伯者，乃崇侯虎也。則文王亦何嘗諱賊哉！論其大者、遠者，所謂「開物成務，冒天下之道」是矣。「冒天下之道」者，權輿三教也；「開物成務」者，鈐鍵九流也。然不用權謀，則不能開物成務；不極玄妙，則不能冒天下之道。管輅謂善《易》者不言

《易》。然則真傳《易》者，正恐不肯輕道陰陽也。以上講《周易》大概。

《尚書》分六段講：一、命名；二、孔子刪《書》；三、秦焚《書》；四、漢今古文之分；五、東晉古文；六、明清人說《尚書》者。

一、命名。周秦之《書》，但稱曰《書》，無稱《尚書》者。《尚書》之名，見於《史記·五帝本紀》、《三代世表》及《儒林》傳。《儒林》傳云：伏生以二十九篇「教於齊、魯之間，學者由是頗能言《尚書》」。又云：「孔氏有古文《尚書》。」則今、古文皆稱《尚書》也。何以稱之曰《尚書》？偽孔《尚書序》云：「以其上古之書，謂之《尚書》。」此言不始於偽孔，馬融亦謂上古有虞氏之書，故曰《尚書》，而鄭玄則以為孔子尊而命之曰《尚書》。然孔子既命之曰《尚書》，何以孔子之後，伏生之前，傳記之書無言《尚書》者？恐《尚書》非孔子名之，漢人名之耳。何以漢人名之曰《尚書》？蓋僅一「書」字不能成名，故為此累言爾。《書》包虞、夏、商、周四代文告，馬融獨稱虞者，因《書》以《堯典》、《舜典》開端，故據以為名，亦猶《儀禮》漢人稱《士禮》耳（《儀禮》不皆士禮，亦有諸侯、大夫禮，所以稱《士禮》者，以其首篇為《士冠禮》也）。哀、平以後，緯書漸出，有所謂《中候》者（漢儒謂孔子定《書》一百二十篇，百兩篇為《尚書》，十八篇為《中候》）。「中候」，官名。以中候對尚書，則以尚書為官名矣（漢尚書令不過千石，分曹尚書六百石，位秩雖卑，權任實大。北軍中候六百石，掌監五營。漢人以為文吏位小而權大者尚書，武臣位小而權大者中候，故以為匹）。此荒謬之說，不足

具論。要之，《尚書》命名，以馬融說為最當。

二、刪書。孔子刪《書》，以何為憑？曰：以《書序》為憑。《書序》所有，皆孔子所錄也。然何以知孔子刪《書》而為百篇，焉知非本是百篇而孔子依次錄之耶？曰：有《逸周書》在，可證《尚書》本不止百篇也。且《左傳》載封伯禽、封唐叔皆有誥。今《書》無之，是必為孔子所刪矣。至於《書》之有序，與《易》之有《序卦》同。《序卦》孔子所作，故漢人亦以《書序》為孔子作。他且勿論，但觀《史記·孔子世家》曰：「孔子序《書傳》，上紀唐、虞之際，下至秦繆，編次其事。」是太史公已以《書序》為孔子作矣（《夏本紀》多採《書序》之文）。《漢書·藝文志》本向、歆《七略》，亦曰：「《書》之所起遠矣，至孔子纂焉，上斷於堯，下訖於秦，凡百篇，而為之序。」是劉氏父子亦以《書序》為孔子作矣。漢人說經，於此並無異詞。然古文《尚書》自當有序，今文則當無序，而今熹平石經殘石，《書》亦有序，甚可疑也。或者今人偽造之耳。何以疑今文《尚書序》偽也？劉歆欲立古文時，今文家諸博士不肯，謂《尚書》唯有二十八篇，不信本有百篇，如有《書序》，則不至以《尚書》為備矣。《書序》有數篇同序，亦有一篇一序者。《堯典》、《舜典》，一篇一序也。《大禹謨》、《皋陶》、《棄稷》三篇同序也。數篇同序者，《書序》所習見，然揚子《法言》曰：昔之說《書》者序以百，而《酒誥》之篇俄空焉。蓋《康誥》、《酒誥》、《梓材》三篇同序，而揚子以為僅《康誥》有序，《酒誥》無序，或者《尚書》真有無序之篇，以《酒誥》為無序，則《梓材》亦無序。今觀《康誥》曰：「周公咸勤，乃洪大誥治。王若曰：『孟侯，朕其弟，小子封。』」王者，周公代王自稱

之詞，故曰「孟侯，朕其弟」矣。《酒誥》稱「（成）王若曰：『明大命於妹邦』」，今文如此，古文馬、鄭、王本亦然。馬融之意，以為成字後錄書者加之。然康叔始封而作《康誥》與成王即政而作《酒誥》，年代相去甚久，不當並為一序。故揚子以為《酒誥》之篇俄空焉。不但《酒誥》之序俄空，即《梓材》亦不能確知為何人之語也。

漢時古文家皆以《書序》為孔子作，唐人作五經《正義》時，並無異詞，宋初亦無異詞。朱晦庵出，忽然生疑。蔡沈作《集傳》，遂屏《書序》而不載。晦庵說經本多荒謬之言，於《詩》不信小序，於《尚書》亦不信有序。《後漢書》稱衛宏作《詩序》。衛宏之序，是否即小序，今不可知，晦庵以此為疑，猶可說也。《書序》向來無疑之者，乃據《康誥》「王若曰：『孟侯，朕其弟』」一語而疑之，以為如王為成王，則不應稱康叔為弟；如為周公，則周公不應稱王。心擬武王，而《書序》明言「成王既伐管叔、蔡叔，以殷余民封康叔」，知其事必在武庚叛滅之後，決非武王時事。無可奈何，乃云《書序》偽造。不知古今殊世，後世一切官職，皆可代理，唯王不可代；古人視王亦如官吏，未嘗不可代。生於後世，不能再見古人。如生民國，見內閣攝政，而布告署大總統令，則可釋然於周公之事矣。《詩》是文言，必須有序，乃可知作詩之旨；《書》本敘事，似不必有序，然《尚書》有無頭無尾之語，如《甘誓》「大戰於甘，乃召六卿」，未明言誰與誰大戰；又稱「王曰：『嗟六事之人，予誓告汝，有扈氏威侮五行，怠棄三正』」，亦不明言王之為誰。如無《書序》，「啟與有扈戰於甘之野」一語，真似冥冥長夜，終古不曉矣（孔子未作《書序》之前，「王」字當有異論，其後《墨子》所引《甘誓》以王為禹）。

《商書序》稱王必舉其名，本文亦然。《周書》與《夏書》相似，王之為誰，皆不可知。《呂刑》穆王時作，本文但言王享國百年，序始明言穆王。如不讀序，從何知為穆王哉？是故，《書》無序亦不可解。自虞、夏至孔子時，《書》雖未有序，亦必有目錄之類，歷古相傳，故孔子得據以為去取。否則，孔子將何以刪《書》也？《書序》文義古奧，不若《詩序》之平易，決非漢人所能偽造。自《史記》已錄《書序》原文，太史公受古文於孔安國，安國得之壁中，則壁中《書》已有序矣。然自宋至明，讀《尚書》者，皆不重《書序》，梅鷟首發偽古文之覆，亦以《書序》為疑。習非勝是，雖賢者亦不能免。不有清儒，則《書序》之疑，至今仍如冥冥長夜爾。

孔子刪《書》，傳之何人，未見明文。《易》與《春秋》三傳，為說不同，其傳授源流皆可考。《詩》、《書》、《禮》則不可知（子夏傳《詩》，未可信據）。蓋《詩》、《書》、《禮》、《樂》，古人以之教士，民間明習者眾，孔子刪《書》之時，習《書》者世多有之，故不必明言傳於何人。《周易》、《春秋》，特明言傳授者，《易》本卜筮之書，《春秋》為國之大典，其事祕密，不以教士（此猶近代實錄，不許示人），而孔子獨以為教，故須明言為傳授也。伏生《尚書》何從受之，不可知。孔壁古文既出，孔安國讀之而能通。安國本受《尚書》於申公（此事在伏生之後），申公但有傳《詩》、傳《穀梁》之說，其傳《尚書》事，不載本傳，何所受學，亦不可知。蓋七國時通《尚書》者尚多，故無須特為標榜耳。

孔子刪《書》百篇之餘為《逸周書》，今考《漢書·律歷志》所引《武成》，與《逸周書·世俘解》詞句相近。疑《世俘解》即《武

成》篇。又《箕子》一篇，錄入《逸周書》，今不可見，疑即今之《洪範》。逸書與百篇之書文字出入，並非篇篇不同。蓋《尚書》過多，以之教士，恐人未能畢讀，不得不加以刪節，亦如後之作史者，不能將前人實錄字字錄之也。刪《書》之故，不過如此。雖云《書》以道政事，然以其為孔子所刪，而謂篇篇皆是大經大法，可以為後世模楷，正未必然。即實論之，《尚書》不過片斷之史料而已。

三、秦焚書。秦之焚書，《尚書》受厄最甚。揆秦之意，何嘗不欲全滅六經。無如《詩》乃口誦，易於流傳；《禮》在當時，已不甚行，不須嚴令焚之。故禁令獨重《詩》、《書》，而不及《禮》（李斯奏言：「有敢藏《詩》、《書》百家語者，悉詣守、尉雜燒之。有敢偶語《詩》、《書》，棄市。」）。蓋《詩》、《書》所載，皆前代史蹟，可作以古非今之資，《禮》、《樂》，都不甚相關。《春秋》事蹟最近，最為所忌，特以柱下史張蒼藏《左傳》，故全書無缺。《公羊傳》如今之講義，師弟問答，未著竹帛，無從燒之。《穀梁》與《公羊》相似，至申公乃有傳授。《易》本卜筮，不禁。唯《尚書》文義古奧，不易熟讀，故焚後傳者少也。伏生所藏，究有若干篇，今不可知，所能讀者二十九篇耳。孔壁序雖百篇，今不可知，所能讀者二十九篇耳。孔壁序雖百篇，所藏只五十八篇。知《書》在秦時，已不全讀，如其全讀，何不全數藏之？蓋自荀卿隆禮儀而殺《詩》、《書》，百篇之書，全讀者已少，故壁中《書》止藏五十八篇也。此猶《詩》在漢初雖未缺，而治之者，或為《雅》，或為《頌》，鮮有理全經者。又《毛傳》、《魯詩》，皆以《國風》、《大、小雅》、《頌》為四始，而《齊詩》以水、木、火、金為四始。其言卯、酉、午、戌、亥五際，亦但

取《小雅》、《大雅》而不及《頌》。蓋殺《詩》、《書》之影響如此。然則百篇之《書》，自孔壁已不具。近人好生異論，蓋導源於鄭樵。鄭樵之意，以為秦之焚書，但焚民間之書，不焚博士官所藏。其實鄭樵誤讀《史記》文句，故有此說。《史記》載李斯奏云：「臣請：史官，非秦記皆燒之；非博士官所職，天下敢有藏《詩》、《書》、百家語者，悉詣守、尉雜燒之。」此文本應讀：「天下敢有藏《詩》、《書》、百家語非博士官所職者」，何以知之？以李斯之請燒書，本為反對博士淳于越，豈有民間不許藏《詩》、《書》而博士反得藏之之理？《叔孫通傳》：「陳勝起山東，二世召博士諸生問曰：『楚戍卒攻蘄入陳，於公如何？』博士諸生三十餘人前曰：『人臣無將，將即反，罪死無赦，願陛下急發兵擊之。』二世怒，作色。叔孫通前曰：『諸生言皆非也。明主在其上，法令具於下，人人奉職，四方輻輳，安敢有反者？此特群盜鼠竊狗盜耳。』二世喜曰：『善。』令御史按諸生言反者下吏，曰：『非所宜言。』」今按：「人臣無將」二語，見《公羊傳》，於時《公羊》尚未著竹帛，然猶以「非所宜言」得罪，假如稱引《詩》、《書》，其罪不更重哉！李斯明言：「有敢偶語《詩》、《書》者棄市。」如何博士而可藏《詩》、《書》哉（李斯雖奏偶語《詩》、《書》者棄市，然其諫二世有曰：「放棄《詩》、《書》，極意聲色，祖伊所以懼也。」此李斯前後相背處）！鄭樵誤讀李斯奏語，乃為妄說，以歸罪於項羽。近康有為之流，採鄭說而發揮之，遂謂秦時六經本未燒盡，博士可藏《詩》、《書》，伏生為秦博士，傳《尚書》二十九篇，以《尚書》本只有二十九篇故（《新學偽經考》主意即此），二十九篇之外，皆劉歆所偽造。余謂《書序》本有《湯誥》，壁中亦有《湯誥》原文，載《殷本紀》中。如謂二十九篇之

外，皆是劉歆所造，則太史公焉得先採之？於是崔適謂《史記》所載不合二十九篇者，皆後人所加（《史記探源》如此說）。由此說推之，凡古書不合己說者，無一不可云偽造。即謂堯舜是孔子所偽造，孔子是漢人所偽造，秦皇焚書之案，亦漢人所偽造，遷、固之流，皆後人所偽造，何所不可！充類至盡，則凡非目見而在百年以外者，皆不可信。凡引經典以古非今者，不必焚其書而其書自廢。嗚呼！孰料秦火之後，更有滅學之禍什佰於秦火者耶？

四、漢今、古文之分。漢人傳《書》者，伏生為今文，孔安國為古文，此人人所共知。《史記·儒林傳》云：「伏生故為秦博士，孝文時，欲求能治《尚書》者，天下無有，乃聞伏生能治，欲召之。時伏生年九十餘，老不能行，於是乃詔太常使掌故朝錯往受之。秦時禁書，伏生壁藏之。其後，兵大起，流亡。漢定，伏生求其書，亡數十篇，獨得二十九篇，即以教於齊魯之間。」其敘《尚書》源流彰明如此，可知伏生所藏，原係古文，無所謂今文也，且所藏不止二十九篇，其餘散失不可見耳。朝錯本法吏，不習古文，伏生之徒張生、歐陽生輩，恐亦非卓絕之流，但能以隸書迻寫而已，以故二十九篇變而為今文也。其後劉向以中古文校伏生之《書》，《酒誥》脫簡一，《召誥》脫簡二，文字異者七百有餘。文字之異，或由於張生、歐陽生等傳寫有誤，脫簡則當由壁藏斷爛，然據此可知鄭樵、康有為輩以為秦火不焚博士之書之謬。如博士之書可以不焚，伏生何必壁藏之耶？

《儒林傳》稱伏生得二十九篇，而劉歆《移讓太常博士》云：「《泰誓》後得，博士而贊之。」又，《論衡·正說》篇云：「孝宣皇帝時，河內女子發老屋，得逸《易》、《禮》、《尚書》各益一篇。而

《尚書》二十九篇始定。」然則，伏生所得本二十九篇乎？抑二十八篇乎？余謂太史公已明言二十九篇，則二十九篇之說當可信。今觀《尚書大傳》有引《泰誓》語，《周本紀》、《齊世家》亦有之。武帝時董仲舒、司馬相如、終軍輩，均太初以前人，亦引《泰誓》，由此可知，伏生本有二十九篇，不待武帝末與宣帝時始為二十九篇也。意者，伏生所傳之《泰誓》，或脫爛不全，至河內女子發屋，才得全本。今觀漢、唐人所引，頗有出《尚書大全》外者，可見以河內女子本補之，《泰誓》始全也。馬融輩以為《左傳》、《國語》、《孟子》所引，皆非今人之《泰誓》。《泰誓》稱白魚躍入王舟、火流為烏，語近神怪，以此疑今之《泰誓》。然如以今之《泰誓》為伏生所偽造，則非也。河內女子所得者，秦以前所藏，亦非偽造。以余觀之，今之《泰誓》，蓋當時解釋《泰誓》者之言。《周語》有《泰誓故》，疑伏生所述，即《泰誓故》也。不得《泰誓》，以《泰誓故》補之，亦猶《考工記》之補冬官矣。然《泰誓》之文，確有可疑者。所稱八百諸侯，不召自來、不期同時、不謀同辭，何其誕也？武王伐紂，如有徵調，當先下令。不徵調而自來，不令而同時俱至，事越常理，振古希聞。據《樂記》孔子與賓牟賈論大武之言曰：「久立於綴，以待諸侯之至也。」可見諸侯畢會，亦非易事。焉得八百諸侯，同時自來之事耶？此殆解釋《泰誓》者張大其辭，以聳人聽聞耳。據《牧誓》，武王伐紂，雖有友邦冢君，然誓曰：「逖矣，西土之人！」可知非西土之人，武王所不用也。又曰庸、蜀、羌、髳、微、盧、彭、濮人。庸、蜀、羌、髳、微、盧、彭、濮，均在周之南部，武王但用此南部之人，而不用諸侯之師者，以庸、蜀之師本在西方，親加訓練，而東方諸侯之師，非其訓練者也。所以召東方諸侯者，不過壯聲

勢、揚威武而已（此條馬融疑之，余亦以為可疑）。又，觀兵之說，亦不可信。豈有諸侯既會，皆曰可伐，而武王必待天命，忽然還師之理乎？是故，伏生《泰誓》不可信。若以《泰誓故》視之，亦如《三國志注》採《魏略》、《曹瞞傳》之類，未始可不為參考之助也。《泰誓》亦有今、古文之別。「流為烏」，鄭註：古文烏為雕。蓋古文者河內女子所發，今文者伏生所傳也（此古文非孔壁所得）。伏生發藏之後，張生、歐陽生傳之。據《史記・婁敬傳》，高帝時，婁敬已引八百諸侯之語。又，《陸賈傳》稱陸生時時前稱說《詩》、《書》，可見漢初尚有人知《尚書》者。蓋婁敬、陸賈早歲誦習而晚失其書，故《儒林傳》云「孝文時求為《尚書》者，天下無有」。「無有」者，無其書耳。然《賈誼傳》稱誼年十八，以能誦《詩》屬《書》聞於郡中。其時在文帝之前。《詩》本諷誦在口，《尚書》則必在篇籍矣。可知當時傳《書》者不僅伏生一人，特伏生為秦博士，故著名爾。

《尚書》在景帝以前，流傳者皆今文。武帝初，魯恭王壞孔子宅，得古文《尚書》，孔安國獻之（據《史記》、《漢書》及《說文序》所引，所得不止《尚書》一種）。孔安國何以能通古文《尚書》？以其本治《尚書》也。伏生傳《書》之後，未得壁經之前，《史記》稱魯周霸、孔安國、洛陽賈嘉頗能言《尚書》事（孔安國、周霸，皆申公弟子。申公之治《尚書》於此可見。賈誼本誦《詩》、《書》，故其孫嘉亦能治《尚書》），孔安國為博士，以書教授。兒寬初受業於歐陽生，後又受業於安國。所以然者，以歐陽生本與孔安國本不同耳。倪寬之徒，為歐陽高、大小夏侯。歐陽、大小夏侯三家本之倪寬，而倪寬本之孔安國。孔安國非本之伏生，則漢之所謂今文《尚書》者，

名為伏生所傳，實非伏生所傳也。三家《尚書》亦有孔安國說，今謂三家悉本伏生，未盡當也。

今文《尚書》之名見稱於世，始於三國，而非始於漢人。人皆據《史記・儒林傳》「孔氏有古文《尚書》，而安國以今文讀之」一語，謂孔安國以今文《尚書》翻譯古文。此實不然。《漢書》稱「孔安國以今文字讀之」，謂以隸書讀古文耳。孔安國所得者為五十八篇，較伏生二十九篇分為三十四篇者，實多二十四篇。二十四篇中《九共》九篇，故漢人通稱為十六篇。孔安國既以今文字讀之，而《史記》又謂《逸周書》得十餘篇，《尚書》茲多於是。可知孔安國非以伏生之《書》讀古文也。蓋漢初人識古文者猶多，本不須伏生之《書》對勘也。

孔安國之《書》授都尉朝，都尉朝授膠東庸生，庸生授胡常，常授徐敖，敖授王璜、塗惲。自孔至王、塗凡五傳。王、塗至王莽時，古文《尚書》立於學官。塗傳東漢賈徽。太史公從孔安國問，《漢書》稱遷書載《堯典》、《禹貢》、《洪範》、《微子》、《金縢》諸篇多古文說。然太史公所傳者，不以伏生為限。故《湯誥》一篇，《殷本紀》載之。

哀帝時劉歆欲以古文《尚書》立學官，博士不肯（博士抱殘守缺，亦如今之教授已不能講，不願人講也）。歆移書讓之，王莽時，乃立於學官，莽敗，說雖不傳，《書》則具存。蓋古文本為竹簡，經莽亂而散失，其存者唯傳抄本耳。東漢杜林，於西州（天水郡，今甘肅秦州）得漆書一篇，林寶愛之，以傳衛宏、徐巡（杜林所得必為王

莽亂後流傳至天水郡者。其後，馬、鄭猶能知逸《書》篇數，鄭玄、許慎亦能引之者，蓋傳寫猶可見，而真本則已亡矣），後漢講古文者自此始（杜林非由孔安國直接傳授，早歲學於張敞之孫張竦。林之好古文，蓋淵源於張氏）。其後，馬融、鄭玄注《尚書》，但注伏生所有，不注伏生所無，於孔安國五十八篇不全治。馬融受之何人不可知，唯賈逵受《書》於父徽，逵弟子許慎作《說文解字》。是故，《說文》所稱古文《尚書》，當較馬、鄭為可信，然其中亦有異同。今欲求安國正傳，唯《史記》耳。《漢書》云，遷書《堯典》五篇為古文說，然《五帝本紀》所載《堯典》與後人所說不同。所以然者，杜林所讀與孔安國本人不甚同也。《說文》「圛」下稱「《尚書》曰：『圛圛升云，半有半無。」據鄭玄注稱古文《尚書》以弟為圛，而《宋微子世家》引《洪範》「曰雨、曰濟、曰涕」，字作「涕」。是太史公承孔安國正傳，孔安國作「涕」，而東漢人讀之為「圛」，恐是承用今文，非古文也。自清以來，治《尚書》者皆以馬、鄭為宗，段玉裁作《古文尚書撰異》，以為馬、鄭是真古文，太史公是今文。不知太史公之治古文，《漢書》具有明文。以馬、鄭異讀，故生異說耳。

古文家所讀，時亦謂之古文。此義為余所摘發。治古文者，不可不知。蓋古文家傳經，必依原本抄寫一通，馬融本當猶近真，鄭玄本則多改字。古文真本，今不可見，唯有三體石經，尚見一斑。三體石經為邯鄲淳所書，淳師度尚，尚治古文《尚書》。邯鄲淳之本，實由度尚而來。據衛恆《四體書勢》稱，魏世傳古文者，唯邯鄲淳一人。何以僅得邯鄲淳一人，而鄭玄之徒無有傳者？蓋鄭玄晚年，書多腐敝，不得於禮堂寫定，傳與其人。故傳古文者，僅一邯鄲淳也。今觀

三體石經殘石，上一字為古文，中一字為篆文，下一字為隸書。篆書往往與上一字古文不同。蓋篆書即古文家所讀之字矣。例始三體石經《無逸》篇「中宗之中」，上一字為中，下一字為仲，此即古文家讀「中，仲也」。考華山碑，亦稱宣帝為中宗。歐陽脩疑為好奇，實則漢人本讀中為仲也。

今文為歐陽、大小夏侯為三家，傳至三國而絕。然蔡邕熹平石經猶依今文。今欲研究今文，只可求之《漢書》、《後漢書》及漢碑所引。然漢碑所引，恐亦有古文在。

五、東晉古文。今之《尚書》，乃東晉之偽古文（據《尚書正義》引《晉書》，定為鄭沖所作），以馬、鄭所有者分《堯典》為《舜典》（《舜典》，《書序》中本有），更分《皋陶謨》為《益稷》，又改作《泰誓》，此外又偽造二十五篇。不但偽造經，且偽造傳（亦稱孔傳）。自西晉開始偽造以後，更四十餘年，至東晉梅賾始獻之。字體以古文作隸書，名曰隸古定。人以其多古字，且與三體石經相近，遂信以為真孔氏之傳，於是眾皆傳之。甚至孔穎達作《尚書正義》，亦以馬、鄭為今文矣。

梅賾獻書之時，缺《舜典》一篇，分《堯典》「慎徽五典」以下為《舜典》之首。至齊建武四年姚方興獻《舜典》，於「慎徽五典」之上加「曰若稽古，帝舜」等十二字，而梁武帝時為博士，議曰：「孔序稱伏生誤合五篇，皆文相承接，所以致誤。」《舜典》首有「曰若稽古」，伏生雖昏耄，何容合之？遂不行用。然其後江南皆信梅書，唯北朝猶用鄭本耳。隋一天下，採南朝經說，乃純用東晉古文，

即姚方興十二字本也。其後又不知如何增為二十八字，今注疏本是已。

東晉古文，又有今文、古文之分，以隸古定傳授不易，故改用今文寫之，傳之者有范寧等。唐玄宗時，衛包以古文本改為今文，用隸書寫之，唐石經即依是本，然《經典釋文》猶未改也（宋開寶初始改）。唐宋間亦多有引古文《尚書》者，如顏師古之《匡謬正俗》，玄應之《一切經音義》，郭忠恕之《汗簡》，徐鍇之《說文繫傳》皆是。宋仁宗時，宋次道得古文《尚書》，傳至南宋，薛季宣據以作訓，而段玉裁以為宋人假造，然以校《汗簡》及足利本《尚書》，均符合。要之，真正古文，唯三體石經可據。東晉古文則以薛季宣本、敦煌本、足利本為可據耳。

六、明清人說《尚書》者。明正德時，梅鷟始攻東晉古文之偽。梅鷟之前，吳棫、朱熹亦嘗疑之，以為豈有古文反較今文易讀之理？至梅鷟出，證據乃備（梅鷟不信孔安國得古文《尚書》，以為東晉古文即成帝時張霸偽造之百兩篇，然校《漢書》原文，可知其誤。張霸之百兩篇，分析眾篇，略加首尾而已。東晉古文，非從二十九篇分出，自非張霸本也。此梅鷟之誤）。清康熙時，閻若璩作《古文尚書疏證》，始知鄭康成《尚書》為真本。閻氏謂《孟子》引父母使舜完廩一段為《舜典》之文，此說當確。惠棟《古文尚書考》，較閻氏為簡要。其弟子江聲（艮庭）作《尚書集注音疏》，於今文、古文不加分別。古文「欽明文思安安」，今文作「欽明文塞宴宴」，東晉古文猶作「欽明文思安安」，江氏不信東晉古文，寧改為「文塞宴宴」，於是王鳴盛（西莊）作《尚書後案》，一以鄭康成為主，所不同者，

概行駁斥，雖較江為可信，亦非治經之道。至孫星衍作《尚書今古文注疏》，古文採馬、鄭本，今文採兩《漢書》所引，雖優於王之墨守，然其所疏釋，於本文未能聯貫。蓋孫氏學力有餘，而識見不足，故有此病。今人以為孫書完備，此亦短中取長耳。要之，清儒之治《尚書》者，均不足取也。今文家以陳壽祺、喬樅父子為優。凡漢人《書》說，皆入網羅，並不全篇下注，亦不問其上下文義合與不合。所考今文，尚無大謬。其後魏源（默深）作《書古微》，最為荒謬。魏源於陳氏父子之書，恐未全見，自以為采輯今文，其實亦不盡合。源本非經學專家，晚年始以治經為名，猶不足怪。近皮錫瑞所著，採陳氏書甚多。陳氏並無今古是否之論，其意在網羅散失而已。皮氏則以為今文皆是，古文皆非。其最荒謬者，《史記》明引《湯誥》（在伏生二十九篇之外），太史公亦明言「年十歲，誦古文」，而皮氏以為此所謂古文，乃漢以前之書，非古文《尚書》也，此誠不知而妄作矣。

古文殘闕，三體石經存字無幾，其他引馬、鄭之言，亦已無多，然猶有馬、鄭之緒餘在。今日治《書》，且當依薛季宣《古文訓》及日本足利本古文，刪去偽孔所造二十五篇，則本文已足。至訓釋一事，當以「古文《尚書》讀應《爾雅》」一言為準。以《爾雅》釋《書》，十可得其七八，斯亦可矣。王引之《經義述聞》，解《尚書》者近百條；近孫詒讓作《尚書駢枝》，亦有六七十條，義均明確，猶有不合處。余有《古文尚書拾遺》，自覺較江、王、孫三家略勝。然全書總未能通釋，此有待後賢之研討矣。

古人有言：「昔吾有先正，其言明且清。」訓詁之道，雖有古今

之異，然造語行文，無甚差池，古人絕不至故作不可解之語。故今日治《書》，當先求通文理。如文理不通，而高談微言大義，失之遠矣。不但治經如此，讀古書無不如此也。

《虞書》曰：「詩言志，歌永言，聲依永，律和聲。」先有志而後有詩。詩者，志之所發也。然有志亦可發為文。詩之異於文者，以其可歌也。所謂「歌永言」，即詩與文不同之處。永者，延長其音也。延長其音，而有高下洪纖之別，遂生宮、商、角、徵、羽之名。律者，所以定聲音也。既須永言，又須依永，於是不得不有韻（急語無收聲，收聲即有韻，前後句收聲相同即韻也）。詩之有韻，即由「歌永言」來。

《虞書》載「元首明哉！股肱良哉！庶事康哉！」「元首叢脞哉！股肱惰哉！萬事墮哉！」二歌。可見堯、舜時已有詩。《尚書大傳》有《卿雲之歌》。漢初人語未必可信。《樂記》云：「舜作五弦之琴以歌南風。」今所傳《南風歌》出王肅《家語》，他無所見，亦不可信。唐、虞之詩，要以二《典》所載為可信耳。鄭康成《詩譜序》云：「有夏承之，篇章泯棄，靡有孑遺。」而今《尚書》載《五子之歌》，可知其為晉人偽造也。《詩譜序》又云：「邇及商王，不風不雅。」此謂商但有《頌》，《風》、《雅》不可見矣。《周禮·太師》：「教六詩：曰風、曰賦、曰比、曰興、曰雅、曰頌。」賦、比、興與風、雅、頌並列，則為詩體無疑。今《毛傳》言「興」者甚多，恐非賦、比、興之「興」耳。賦體後世盛行，《毛傳》以升高能賦為九能之一，謂之德音。周末屈原、荀卿俱有賦。賦既在風、雅、頌之外，比、興當亦若是。唯孔子刪詩，存風、雅、頌而去賦、比、興。《鄭志》答張逸

問，賦、比、興，吳札觀詩已不歌。蓋不歌而誦謂之賦。賦不可歌，與風、雅、頌異，故季札不得聞也（比、興不知如何）。賦、比、興之外，又有《九德之歌》，《左傳》郤缺曰：九功之德，皆可歌也，謂之九歌。六府三事，謂之九功。水、火、金、木、土、穀，謂之六府；正德、利用、厚生謂之三事，合之為十五種。今《詩》僅存風、雅、頌三種。

《詩大序》：「風，風也。」「雅，正也。」「頌者，美盛德之形容，以其成功告於神明者也。」風有諷諭之義，雅之訓正，讀若《爾雅》之「雅」，然風、雅、頌之「雅」，恐本不訓正。《說文》：「疋，古文以為《詩·大雅》字。」一曰，疋，記也。「疋」即今疏字。然則詩之稱疋，紀事之謂，亦猶後世稱杜工部詩曰詩史。故大雅、小雅無非紀事之詩，或謂雅即雅烏。孔子曰：「烏，盱呼也。」李斯《諫逐客書》：「擊甕叩缶，彈箏搏髀，而歌呼嗚嗚快耳者，真秦之聲也。」楊惲《報孫會宗書》：「家本秦也，能為秦聲」，「仰天撫缶而呼嗚嗚」。秦本周地，故大、小雅皆以雅名（所謂烏烏秦聲者，即今之梆子腔也）。此亦可備一說。余意《說文》訓疋為記，乃雅之正義，以其性質言也；雅、烏可為雅之別一義，以其聲調言也。至正之一訓，乃後起之義。蓋以雅為正調，故釋之曰正耳。

詩以四言為主，取其可歌，然亦有二言、三言以至九言者，唯不多見耳。今按：「肇禋」，二言也；「洞酌彼行潦挹彼注茲」，九言也。一言太短，不可以歌，故三百篇無一言之詩。然梁鴻《五噫》之歌曰：「陟彼北芒兮，噫！顧覽帝說兮，噫！宮室崔嵬兮，噫！人之劬勞兮，噫！遼遼未央兮，噫！」則一言未始不可成句，或者三篇中偶

然無一言之句耳，非一言之句必不可歌也。

《詩經》而後，四言漸少。漢世五言盛行，唐則七言為多。八言、九言，偶一為之，三言唯漢《郊祀歌》用之。六言亦不多見。《漢書》所錄漢之四言之作，有韋孟《諫詩》一首，《在鄒詩》一首，韋玄成《自責詩》一首、《戒子孫詩》一首。西漢之作，傳於世者，盡於此矣。魏武帝作《短歌》，猶用四言，雖格調有異《詩經》，然猶有霸氣。至《文選》所錄魏晉間四言之作，語多迂腐。自是之後，四言衰歇，五言盛行。李白謂「興寄深微，五言不如四言，七言尤其靡也」，然所作《雪讒詩》譏刺楊妃，有乖敦厚之義，或故為大言以欺人耳。又雜言一體，《詩經》所有。漢樂府往往用之，唐人歌行亦用之。夫抒寫性情，貴在自由，不宜過於拘束，如必句句字數相同，或不能發揮盡致。故雜言之作，未為不可。今人創新體詩，以雜言為主可也，但無韻終不成詩耳。（以上論《詩》之大概。）

太史公謂古詩三千餘篇，蓋合六詩、九德之歌言之。孔子刪詩，僅取三百餘篇。蓋以古詩過多，不能全讀，故刪之爾，或必其餘皆不足觀也。或謂孔子刪《詩》與昭明之作《文選》有異。余意不然，《文選》為總集，《詩經》亦總集，性質正復相似，所謂「自衛反魯，然後樂正，《雅》、《頌》各得其所」，絕非未正以前，《雅》入《頌》、《頌》入《雅》也。《雅》主記事，篇幅舒長；《頌》主讚美，章節簡短。但觀形式，已易辨別。且其聲調又不同，何至相亂，或次序顛倒，孔子更定之耳。

《風》、《雅》有正、變（盛周為正，衰周為變），《頌》無正、

變，因《風》、《雅》有美有刺，《頌》則有美無刺也。《魯語》閔馬父之言曰：「昔正考父校商之名頌十二篇於周太師，以《那》為首。」今《商頌》僅存五篇，其餘七篇，或孔子時而已佚矣。據今《商頌》，有商初所作，亦有武丁時所作，而《周頌》皆成王時詩，後則無有。《孟子》曰：「由湯至於武丁，賢聖之君六七作。」故頌聲未息，周則成王以後無賢聖也。或以《魯頌》為僭天子之禮。若然，孔子當屏而不錄。孔子錄之，將何以說？按《周官·籥章》：吹豳詩以逆暑迎寒，吹豳雅以樂田畯，吹豳頌以息老物。同為《七月》之詩，而風、雅、頌異名者，歌詩之時，其聲調三變爾。《豳風》非天子之詩，而可稱頌，則《魯頌》稱頌而孔子錄之，無可怪也。今觀《泮水》、《閟宮》之屬，體制近雅而不近頌，若以雅為稱，則無可譏矣。

《史記·孔子世家》稱「三百五篇，孔子皆絃歌之，以求合《韶》、《武》、《雅》、《頌》之音」。然則，今之《詩經》在孔子時無一不可歌也。《漢書·禮樂志》云：「河間獻王獻雅樂，天子下大樂官常存肄之。」是其樂譜尚在。後則可歌者，唯《鹿鳴》、《伐檀》等十二篇耳。近人以《鹿鳴》、《伐檀》等譜一字一聲，無抑揚高下之音，疑為唐人所作。然一字一聲，不但《詩經》為然，宋詞亦然。姜夔、張炎之譜可證也。一字之譜多聲，始於元曲，古人未必如是，孔子曰：「放鄭聲。」又曰：「惡鄭聲之亂雅樂。」漢儒解鄭聲以為煩手躑躅之聲。張仲景《傷寒論》云：「實則譫語，虛則鄭聲。鄭聲者，重語也。」可見漢人皆讀「鄭」為鄭重之「鄭」。「鄭聲」即一字而譜多聲之謂。唐人所重十二詩之譜，一字一聲，正是雅樂，無可致疑。（以上論《詩》之可歌。）

《詩》以口誦，至秦未焚。漢興有齊、魯、毛、韓四家，齊、魯、韓三家無笙詩，為三百五篇；毛有笙詩，為三百十一篇。笙詩有其義而亡其辭，則四家篇數本相同也（笙詩六篇，殆如今之樂曲，有聲音節奏而無文詞）。所不同者，《小雅・彼都人士》「狐裘黃黃，其容不改，出言有章，行歸於周，萬民所望」數句，三家所無，而毛獨有，此其最著者也。其餘文字雖有異同，不如《尚書》今、古文之甚。以《詩》為口誦，故無形近之訛耳。

　　《魯詩》出自浮丘伯，申公傳之。魯人所傳，故曰《魯詩》。《齊詩》傳自轅固生，齊人所傳，故曰《齊詩》。《韓詩》傳自韓嬰，據姓為稱，故曰《韓詩》。齊、韓二家，當漢景帝時，在《魯詩》之後。《毛詩》者，毛公所傳，故曰《毛詩》。相傳毛公之學出自子夏，三國時吳徐整謂子夏援高行子，高行子援薛倉子，薛倉子授帛妙子，帛妙子授河間人大毛公，毛公為《詩故訓傳》於家，授趙小人毛公，小毛公為河間獻王博士。而陸璣則謂子夏傳曾申，申傳魏人李克，李克傳魯人孟仲子，孟仲子傳根牟子，根牟子傳趙人孫卿子，孫卿子傳魯人大毛公。由徐整之說，則子夏五傳而至大毛公；由陸璣之說，則子夏七傳而至大毛公。所以參差者，二家之言，互有詳略耳（大毛公名亨，小毛公名萇，今之《詩傳》乃大毛公所作，當稱《毛亨詩傳》，而世皆誤以為毛萇，不可不正也）。

　　《毛詩・絲衣序》引高子曰：「靈星之屍也。」《維天之命》傳引孟仲子曰：「大哉天命之無極，而美周之禮也。」《閟宮》傳引孟仲子曰：「是祥宮也。」高子、孟仲子並見《孟子》七篇中。或疑高子即高行子。高行子為子夏弟子，不當與孟子同時，然趙岐注云：高子

年長，或高叟即高行子矣。趙注又云：孟仲子，孟子之從昆弟，學於孟子者也。然則孟子長於《詩》、《書》，故高子、孟仲子之說皆為毛公所引。

《漢書‧藝文志》謂齊、魯、韓三家，咸非《詩》之本義，與不得已，魯最為近之。又云：毛公之學，自謂子夏所傳。據此，知向、歆父子不信三家詩說。歆讓太常博士，欲以《毛詩》立學官，而《七略》不稱《毛詩》之優。今觀四家之異同，其優劣可得而言。太史公言《關雎》之亂以為《風》始，《鹿鳴》為《小雅》始，《文王》為《大雅》始，《清廟》為《頌》始，其言與《詩大序》「《關雎》，風之始也」語同。《詩大序》但舉《雅》、《頌》之名，而不言《鹿鳴》為《小雅》始、《文王》為《大雅》始、《清廟》為《頌》始，但云「是謂四始，《詩》之至也」者，蓋由「《關雎》，《風》之始也」一語，可以類推其餘耳。鄭康成云：「始者，王道興衰之所由。」余謂毛意同史公，史公所引，多本《魯詩》，《毛詩》傳至荀子，《魯詩》亦傳自荀子，此其所以符合也。

《齊詩》與《魯》、《毛》全異，蕭望之、翼奉、匡衡同事後蒼，治《齊詩》。翼奉有五際、六情之語，不及四始。詩緯《汎歷樞》稱四始有水、木、火、金之語。謂《大明》水始，《四牡》木始，《嘉魚》火始，《鴻雁》金始，其言甚不可解，恐東漢人所造，非《齊詩》本義。匡衡上書稱孔子論《詩》以《關雎》為始，此言與《毛傳》相同，並無水、木、火、金之語。可知《汎歷樞》為後人臆說也。衡奏議平正，奉則有怪誕之語，雖與衡同師，而別有發明矣。如以水、木、火、金說四始，則《齊詩》竟是神話。四始《詩》之大義，而

《齊詩》之說如此，以此知齊之不逮毛、魯遠也。然匡衡說《詩》，亦有勝於魯、韓者。《魯詩》說周道缺，詩人本之衽席，《關雎》作。《齊詩》亦謂周康王后佩玉晏鳴，《關雎》嘆之。匡衡上書，乃謂《周南》、《召南》，被賢聖之化深，故篤於行，而廉於色，此非以《關雎》為刺詩矣。蓋《齊詩》由轅固數傳而至後蒼。蒼本傳《禮》。《鄉飲酒禮》：「合樂《周南·關雎》、《葛覃》、《卷耳》。」《燕禮》：「歌鄉樂《周南·關雎》、《葛覃》、《卷耳》。」《儀禮》，周公所定，已有《周南·關雎》，知《關雎》非康王時畢公所作。匡衡師事後蒼，故其說《詩》，長於魯、韓也。

　　齊、魯、韓三家詩序不傳，而毛序全存。如《左傳》隱三年：「衛莊公娶於齊東宮得臣之妹，曰莊姜，美而無子，衛人所為賦《碩人》也。」閔二年：「鄭人惡高克，使帥師次於河上，久而弗召，師潰而歸，高克奔陳，鄭人為之賦《清人》。」文六年：「秦伯任好卒，以子車氏之三子奄息、仲行、鍼虎為殉，皆秦之良也，國人哀之，為之賦《黃鳥》。」《毛序》所云，皆與《左傳》符合，此毛之優於三家者也。又三家詩，皆有怪誕之語，毛則無有。即如「履帝武敏歆」，《爾雅》已有「敏，拇也」之訓，而三家說皆謂姜嫄出野見巨人跡，踐之身動如孕，而生后稷。《毛傳》則以「疾」訓「敏」，以帝為高辛氏之帝，從於帝而見於天，將事齊敏，不信感生之說。又如：「赫赫姜嫄，其德不回，上帝是依」，若用感生之說，必謂上帝依姜嫄之身，降之精氣，而《毛傳》則謂上帝依其子孫。又如：「文王在上，於昭於天，文王陟降，在帝左右。」《毛傳》之前，《墨子·明鬼》已引此詩，謂若鬼神無有，則文王既死，豈能在帝之左右哉！

而《毛傳》則謂文王在民上，文王升接天、下接人，一掃向來神怪之說。蓋自荀子作《天論》，謂聖人不求知天，神話於是摧破。《毛詩》為荀卿所傳，即此可徵。

《大序》，相傳子夏所作，《小序》，毛公所作。鄭康成之意，謂《小序》發端句，子夏作，其下則後人所益，或毛公作也。今按，《序》引高子曰：「靈星之屍也。」此語自當出子夏之後矣。《衛宏傳》有「作詩序」語，故《釋文》或云《小序》是東海衛敬仲所作。然衛宏先康成僅百年，如《小序》果為宏作，康成不容不知。由今思之，殆宏別為《毛詩序》，不與此同，而不傳於後。或宏撰次詩序於每篇之首，亦通謂之作耳。漢人專說《毛詩》者，今存《鄭箋》一種。馬融《毛詩傳》散佚已久，今可見者，唯《生民》篇《正義》所引言帝嚳事為最詳耳。（以上論三家詩與毛之不同。）

朱晦庵誤解「鄭聲淫」一語，以為鄭風皆淫，於是刺忽之詩，皆釋為淫奔之作。陳止齋笑晦庵以彤管為行淫之具，城闕為偷期之所，今《集傳‧靜女》中無此語，蓋晦庵自覺其非而刪之矣。凡《小序》言刺者，晦庵一概目為淫人自道之詞。自來淫人自道之詞未嘗無有，如六朝歌謠之類，恐未可以例《國風》。若鄭風而為淫人自道之詞，顯背無邪之旨，孔子何以取之？昔昭明編輯《文選》，於六朝狎邪之詩，擯而不錄。《高唐》、《神女》、《洛神》之屬，別有托意，故錄之（見《荷漢閒話》）。昭明作《陶淵明集序》，謂《閒情》一賦，白璧微瑕。昭明尚然，何況孔子？晦庵之言，亦無知而妄作爾。

自晦庵作《集傳》，說《詩》之風大變。清陳啟源作《毛詩稽古

編》，反駁晦庵，其功不可沒（呂東萊作《讀詩記》，不以晦庵為然。晦庵好勝，謂東萊為毛、鄭之佞臣）。後之治《毛詩》者，桐城馬瑞辰作《毛詩傳箋通釋》，涇縣胡承珙作《毛詩後箋》，長洲陳奐作《詩毛氏傳疏》。馬氏並重《傳》、《箋》，胡氏從《傳》而不甚從《箋》，陳氏則全依《毛傳》。治三家詩者（《齊詩》亡於三國；《魯詩》亡於永嘉之亂；《韓詩》唐代猶存，今但存《外傳》而已。三家至宋全亡，如三家詩不亡，晦庵作《集傳》當不至荒謬如此），王應麟後，清有陳壽祺、喬樅父子。喬樅好為牽附，謂《儀禮》引《詩》，皆《齊詩》說；又謂《爾雅》為《魯詩》之學，恐皆未然。要之，陳氏父子，雖識見未足，然網羅放失之功，亦不可沒。其後，魏源作《詩古微》，全主三家。三家無序，其說流傳又少，合之不過三十篇，謂之「古微」，其實逞臆之談耳。

今治《詩經》，不得不依《毛傳》，以其序之完全無缺也。詩若無序，則作詩之本意已不明，更無可說。三家詩序存者無幾，無從求其大義矣。戴東原作《毛鄭詩考證》，東原長於訓詁之學，而信服晦庵，故考證未能全備。東原之外，治《詩》者皆宗《毛傳》，陳氏父子，不過網羅放失而已。

《孝經》曰：「安上治民，莫善於禮。」《左傳》曰：「禮經國家、定社稷、序民人、利後嗣。」今按：《儀禮》與安上治民有關。《周禮》則經國家、定社稷之書也。《周禮》初出曰《周官經》，劉歆始改稱《周禮》，然《七略》猶曰《周官》，《漢書·藝文志》仍之。馬融訓釋之作，亦稱《周官傳》，至鄭康成以《周禮》名之，合《儀禮》、《小戴記》為三禮。三禮之名，自鄭氏始，今若以《大戴禮》

合之，當稱四禮。稱三禮者，沿鄭氏注也。

賈公彥《序周禮廢興》引馬融傳，稱劉歆末年，知周公致太平之跡具在《周官》，然當時今文家不肯置信。林碩以為黷亂不驗之書，何休以為戰國陰謀之書。今觀《周禮》，知劉歆之言不謬。唯其書非一時一人之作，蓋如歷代會典，屢有增損（《唐六典》以及明清之《會典》，皆擬《周禮》。《六典》全依《周官》，《會典》雖稍異，然行文多模仿之跡，此亦有關文體。不學《周禮》，則官制說不清楚。亦如後之律書必擬漢律也）。創始之功，首推周公，增損之筆，終於穆王耳。

今《逸周書》有《職方》篇，為穆王時作，而其文見於《周禮·夏官》，知周公以後、穆王以前，《周禮》一書，時有修改。穆王以後，則未見修改之跡也。何以言之？曰：《周禮》司刑掌五刑之法，墨罪五百、劓罪五百、宮罪五百、刖罪五百、殺罪五百，合二千五百條；而穆王作《呂刑》稱五刑之屬三千，較《周禮》多五百條。《呂刑》別行，以此知穆王晚年，已不改《周禮》也。《左傳》子革曰：「昔穆王欲肆其心，周行天下，將皆必有車轍馬跡焉。」今《穆天子傳》真偽未可知。然穆王好大喜功，觀《職方氏》一篇可知也。《職方氏》言中國疆域，東西南北相距萬里。方千里曰王畿，其外方五百里曰侯服，又其外方五百里曰甸服，又其外方五百里曰男服，又其外方五百里曰采服，又其外方五百里曰衛服，又其外方五百里曰蠻服（又稱要服），又其外方五百里曰夷服，又其外方五百里曰鎮服，又其外方五百里曰藩服。依此推算，自王城至藩服之邊，東西南北均五千里，為方萬里，積一萬萬方里。蠻服以內為九州，以外為蕃國。九

州以內，方七千里，積四千九百萬方里。非穆王之好大，何以至此！《康誥》曰：「周公初基作新大邑於東國洛，四方民大和會，侯、甸、男、邦、采、衛。」是周公作洛時，無所謂要服。《康王之誥》稱庶、邦、侯、甸、男、衛，亦無要服。不特此也，漢人迷信《王制》，《王制》曰：「凡四海之內九州，州方千里。」鄭注云：「大界方三千里，三三而九，方千里者九也。其一為縣內，餘八各立一州，此殷制也。」余謂夏制不可知，殷制則不止方三千里。《酒誥》曰：「自成湯咸至於帝乙，越在外服，侯、甸、男、衛、邦伯，罔敢湎於酒。」是周初之制與商制無甚差異，皆侯、甸、男、采、衛五等，無所謂要服也。要服本為蠻服，不在九州之內。穆王好大喜功，故《職方》之言如此。《大行人》朝貢一節，與《職方氏》相應，當亦穆王所改。若巾車掌公車之政令、革路以封四衛、木路以封蕃國，可見周初疆域，至衛服而止，無所謂要服，此穆王所未改者也。夷、鎮、藩三服，地域渺茫，叛服不常，安知其必為五百里？要服去王城三千五百里，東西七千里，九州之大，恐無此數。

今中國本部，最北為獨石口，當北緯四十一度半；極南至於瓊州，當北緯十八度。其中南北相去二十三度半，為里四千七百。周尺今不可知，若以漢尺作準，漢尺存者有慮俿尺，慮俿尺一尺，合清營造尺七寸四分，尺度雖古今不同，里法則古今不異。古之五服六千里，以七四比之，當四千四百四十里，與今四千七百里不甚相遠。穆王加要服為七千里，以今尺計之，則為五千一百八十里，較今長三四百里，此由今中國本部，北至獨石口，而古者陝西北部之河套亦隸境內（今屬綏遠）。河套之地，於漢為朔方、九原、定襄（朔方正傍黃

河，周時「城比朔方」，此朔方與漢之朔方為近，非唐之朔方也），如並朔方計之，當有五千一百八十里。恐穆王時疆域亦未大於今日也。《漢書・地理志》：「郡縣北至朔方，南至交趾（九真日南即今安南）。」而雲南北萬三千三百六十八里。以今尺七四比之，有九千六百餘里。自朔方以至日南，亦無此數。自此以後，言地域者，皆稱南北萬里，東西九千里。其實中國本部無此數，此後世粗疏，更甚於《周禮》也。測量之不精，自周至明，相差不遠，唯周人不甚誇大、漢以後誇大耳。

測量之法，古人未精，西晉裴秀作官圖，蓋嘗測量矣。所以不準者，以不知北極出地之法也。唐賈耽作《華夷圖》及關中、隴右、山南、九州等圖；至宋，略改郡縣之名，劉豫阜昌七年刻之西安，一曰《禹跡圖》，一曰《華夷圖》，今尚完好。賈耽之作，亦由測量而來，然亦未準者，不知北極出地之法，一也；未免誇大，二也。北極出地之法，周人自未之知，因其不誇大，故所言里數與今相差不遠耳。（以上言職方與周初疆域不同，明《周禮》非周公一時之作，周公之後屢有修改。）

管仲治齊，略變《周禮》之法，《小匡》篇及《齊語》並載桓公問為政之道，管子稱：「昔吾先王昭王、穆王，世法文、武之遠績，以成其名。」《周禮》至穆王乃定，此亦一證。又，《周禮》：萍氏掌國之水禁，幾酒、謹酒，其法不甚嚴厲，其職殆如今衛生警察。如言《周禮》之作在周公時，則萍氏顯違《酒誥》之文。《酒誥》曰：「群飲，汝勿佚，盡執拘以歸於周，予其殺！」不僅幾酒、謹酒而已！此亦可見《周禮》之屢有修改，蓋百餘年中，不知修改若干次矣。

六官之制，古無異論。清金鶚作《求古錄禮說》，言六官之制，實始於周。《曲禮》云：「天子之五官，曰司徒、司馬、司空、司士、司寇。」此與《周官》不同，當為殷制。又云：王者設官，所以代天官，故其制必法乎天。三光以法三公，五官以法五行。引《左傳》云：五行之官，是謂五官。木正曰句芒，火正曰祝融，金正曰蓐收，水正曰玄冥，土正曰后土。明自少皞、顓頊以來皆五官。余謂少皞、顓頊之制，確為五官，前乎此則未可知。至商，恐已六官矣。《曲禮》之言，不知何據。鄭注《禮記》，凡與《周禮》不合者，皆曰夏殷之制。其實五官是否確為殷制，不可知也。余謂，與其據《曲禮》，不如據《論語》。《論語》云：「君薨，百官總己以聽於冢宰三年。」「何必高宗？古之人皆然。」此所謂冢宰，當如《周官》之冢宰，為六官之首。否則，百官何以聽之？冢宰於《周禮》曰太宰。太宰之名，不見虞、夏之書，殆起於商。《說文》云：「宰，罪人在屋下執事者；從宀從辛，辛，罪也。」具食之官，見於《左傳》者曰宰夫，或曰膳宰。《漢書》有雍太宰，為五時具食之官。宰本罪人之稱，庖人具食，事近奴隸，故以宰為名。然太宰、小宰，位秩俱隆，而貤被宰名，當自伊尹始。《呂覽‧本味》篇稱伊尹說湯以至味，極論水火調劑之事，周舉天下魚肉菜果之美，而結之曰：天子成則至味具。《史記‧殷本紀》亦謂伊尹欲干湯而無由，乃為有莘氏媵臣，負鼎俎以滋味說湯，至於王道。二家之說與《孟子》「伊尹以割烹要湯」符合。據《文選》李善注引《魯連子》曰：「伊尹負鼎佩刀以干湯，得意，故尊宰舍。」蓋伊尹參與帷幄之謀，權勢雖尊，本職則卑。後以其功高，而尊宰舍，故有太宰、冢宰之名耳。又《商頌》稱伊尹為阿衡，《周書》曰保衡。保阿，女師也。阿，《說文》作「娿」，在女子曰保

阿，在男子亦曰阿衡、保衡，其為媵同也。伊尹為媵臣，故尊保阿；伊尹為庖人，故尊宰舍。此說雖為孟子所不信，然其為實事至明。周因殷禮，故設太宰之官。今觀太宰所屬之官，與清之內務府不遠。唯司會掌邦之六典、八法、八則之貳，以逆邦國都鄙官府之治；太府掌九貢、九賦、九功之貳，以受其貨賄之入，為與國計有關。自餘宮殿之官，如宮正之屬；禁掫之官，如內宰之屬；飲食之官，如膳夫之屬；衣服之官，如司裘、掌皮之屬，皆清內務府所掌也。周官三百六十，太宰所掌六十，位秩最崇，然治官之屬，僅司會、大府為有關於國計者。以太宰本之殷制而來，其本職不過《周禮》膳夫、內宰二官。由飲食而兼司衣服，由禁掫而兼司宮殿。是故，周官太宰無所不掌，而屬員仍冗官耳。後儒不明此理，謂周公防宦官用事，故立此制。不知宦官用事，必不在貴族執政之世，周公時貴族執政，斷無防及刑餘擅權之理也（漢、唐、明三代，皆有刑餘擅權之事，六朝則無。何則？貴族執政階級嚴明，非刑餘所得間也）。由此論之，天官冢宰，周襲殷制，後世未必可法。至春官宗伯主祭祀，非今之要職。地官司徒掌地方行政，兼司教育，如今內務、教育兩部。夏官司馬掌行軍用兵，如今軍政部。秋官司寇掌獄訟刑法，如今之司法部。皆立國要典，可資取法者也。（以上論六官之職。）

何以漢儒謂《周禮》為黷亂不驗之書也？以漢初經師之說，與《周禮》不同，故排棄之耳。《馬融傳》云：「秦自孝公以下，用商君之法，其政酷烈，與《周官》相反，故始皇禁挾書，特疾惡，欲絕滅之，搜求焚燒之獨悉，是以隱藏百年。孝武帝始除挾書之律，開獻書之路，既出於山巖屋壁，復入於祕府。五家之儒，莫得見焉。」按：

馬謂秦燒《周禮》獨悉，其言太過。秦所最惡者為《詩》、《書》而不及《禮》。孟子曰：「諸侯惡其害已也，而皆去其籍。」可見《周禮》自七國時已不甚傳。雖以孟子之賢，猶未之見。故其言封建與《周禮》全異（孟子言：「公、侯皆方百里，伯七十里，子、男五十里。」《周禮》謂公五百里，侯四百里，伯三百里，子二百里，男百里）。漢初儒者未見《周禮》，而孟之說流傳已久，故深信不疑（景帝末年河間獻王始得《周禮》，《周禮》未出時，漢儒言封建者皆宗孟子，文帝時作《王制》亦採《孟子》為說）。又以賈誼有眾建諸侯之論，故雖見《周禮》，亦不敢明說。

周之五百里，為今三百七十里，其封域不過江、浙之一道，川、雲之一府。漢初王國之廣，猶不止此。夏、商二代，封國狹小，故湯之始征，四方風靡，文王伐崇戡黎，為時亦暫。以四鄰本非強大，故得指顧而定之也。《逸周書・世俘解》稱武王翦商，滅國六百餘（孟子言滅國五十），若非小國寡民，安得數月之間滅國六百餘乎？周公有鑒於此，故大封宗室，取其均勢，以為藩屏。其弊至於諸侯爭霸，互相爭伐，而天子不能禁。以視武丁朝諸侯、有天下，如運諸掌，本末之勢，迥乎不同。由此可知，商代封國尚無五百里之制也。賈誼患諸侯王尾大不掉，故不肯明徵《周禮》。唯太史公《漢興以來諸侯年表》云：「封伯禽、康叔於魯、衛，地各四百里。」《漢書・韓安國傳》，王恢與安國論辯，稱秦繆公都雍地，方三百里，並與《周禮》相應。蓋史公但論史事，王恢不知忌諱，故直舉之耳。然孟子之言亦未無據。周之封建，有功者，視其功之高下以為等級，無功則封地狹小。滕、薛皆侯國。滕，周所封；薛，夏所封。考其地不出今滕縣一

縣，猶不及孟子所言之百里。齊、魯、衛、燕，亦皆侯國，而封域不止四百里（齊，太公之後；魯，周公之後；燕，召公之後。功業最高，故封地獨大。衛包邶、鄘、衛三國，殷畿千里，皆為衛有）。蓋於魯、衛為褒有德，於齊、燕為尊勤勞。其地皆去周遠，亦所以固吾圉也。以此知五百里、四百里之制，不過折衷言之，非不可斟酌損益也。明乎此義，則可知《周禮》非黷亂不驗之書矣。至謂《周禮》為六國陰謀之書者，漢人信《孟子》，何休專講《公羊》，故有此言耳。

後之論者，以王莽、王安石皆依《周禮》施政而敗，故反對《周禮》。余謂二王致敗之由在不知《周禮》本非事事可法。即欲採取，只可師其意，而不可襲其跡。西漢之末，家給人足，天下艾安。莽之變法，可謂庸人擾之。宋神宗時，國勢雖衰，民猶安樂，安石乃以變風俗、立法度為急，而其法又主於聚斂，宜其敗矣。宇文周時關隴殘破，蘇綽為六條詔書奏施行之：曰先治心，曰敦教化，曰盡地利，曰擢賢良，曰恤獄訟，曰均賦役。蓋亦以《周禮》為本，終能斫雕為樸，變奢從儉。隋及唐初，胥蒙其福。貞觀之治，基礎於此。夫變法之道，亂世用之則治，治世用之則亂，況《周禮》不盡可為後世法乎？陳止齋、葉水心尊信《周禮》，當南宋殘破之時而行《周禮》，或有可致治之理，然不可行之今日。何者？今外患雖烈，猶未成南宋之局，若再變法，正恐治絲而益棼耳。

《中庸》云：「禮儀三百，威儀三千。」《禮器》云：「經禮三百，曲禮三千。」禮儀、經禮謂《周禮》也。威儀、曲禮謂《儀禮》也。《儀禮》篇目不至有三千，故鄭康成云：其中事儀三千。然《漢志》言禮自孔子時而不具，《雜記》言恤由之喪，哀公使孺悲之孔子學

《士喪禮》，《士喪禮》於是乎書。然則在孔子時，《儀禮》早有亡失。三百、三千云者，約舉其大數云爾。

秦燔書後，漢興高堂生傳《士禮》十七篇，又於孔壁得《禮古經》五十六篇，其十七篇與高堂生所傳同；《記》百三十一篇，七十子後學者所記。以古《禮》僅存五十六篇，故學者無不重視《禮記》。今五十六篇又散佚矣。漢儒說經，為《儀禮》作注者絕少。馬融但注《喪服》一篇，至康成乃注全經。自漢末以逮西晉，注《喪服》者，無慮二三十家，而注全經者，僅王肅一人而已。

今人見《儀禮》僅存十七篇，以為《禮古經》五十六篇，除十七篇外，悉已散佚。此不然也。按：《小戴記》《投壺》、《奔喪》二篇，鄭《目錄》云：實逸《曲禮》之正篇也。又，《大戴記》之《諸侯遷廟》、《諸侯釁廟》、《公冠》（《公冠》文簡，是否全文，未可知，後附孝昭冠辭，文亦無多）三篇，皆當為逸禮之正篇。又鄭注《內宰》，引《天子巡守禮》；注《司巫》、《月令》，引《中霤禮》，其文雖少，亦《禮古經》之正篇，當在五十六卷之數。依是數之，則十七篇外，今可知者又有七篇，合之得二十四篇。《禮經》之文，平易可讀，漢儒所以不注者，或以其繁瑣太甚，或以通習者不多（西漢習禮者有魯國桓公，見劉歆《移讓太常博士書》，其授受不可知）。蓋漢人治經謹慎，非有師受，不敢妄說。康成但注十七篇者，亦以三十九篇先師未有講說故耳。

禮書序次，大、小戴及《別錄》，彼此不同。其以《士冠》、《士昏》、《士相見》為次，則三家未有違異。鄭氏次第，悉依《別錄》。

其經文有今、古文之異者，鄭於字從今者下注「古文作某」，從古者，下注「今」文作某。所謂今、古文，非立說有異，不過文字之異耳。自漢以來，傳《喪服》者獨盛（馬融而後，三國蔣琬亦作《喪服要記》一卷）。《小戴記》論《喪服》者十餘篇，《大戴記》亦有論喪服變除之言，見《通典》所引。古人三年之喪，未葬，服斬衰，居倚廬，寢苫枕塊；既葬，齊衰，居堊室；小祥以後，衰裳練冠，居外寢；大祥則禫服素冠，出堊室，始居內寢（《檀弓》言祥而縞，蓋縞冠素紕也。素即白絹。《詩・檜風》：「素冠，刺不能三年也」）。禫服三月之後，則以墨經白緯為冠，得佩紛帨之屬，寢有床，猶別內，始飲醴酒。逾月復吉，三年之禮乃成，此即所謂喪服變除。蓋古人居喪，兼居處飲食言之，非專繫於冠服也。漢人居喪尚合古法，故能精講《喪服》。

韓昌黎自比孟子，而言《儀禮》行於今者蓋寡，沿襲不同，復之無由，考於今，誠無所用之。夫《儀禮》在後代可用者誠少，然昏禮至今尚用納采、問名、納吉、納徵、請期、親迎之名。喪禮亦尚有古人遺意。冠禮至唐已廢。鄉飲酒禮六朝至唐仍沿用之。昌黎疏於《禮》，故為此言耳。

《喪服》一篇，自漢末以至六朝，講究精密，《通典》錄其論議，多至二三十卷。其中疑難，約有數端。出妻之子為母期，而嫁母之有服、無服，《儀禮》未有明文。或以為應視出母，或以為嫁由自絕，與被出有異。又為人後者，議論紛繁。《傳》曰：「為人後者孰後？後大宗也。」大宗不可以絕，故族人以支子後大宗。漢代王侯往往以無子國除，此不行古代後大宗之禮也。否則，王侯傳國四五代，必有

近支可承，何至無子國除？迨元始時，始令諸侯王、公、列侯、關內侯無子而有孫、若子、同產子者，皆得以為嗣。師古曰：「子同產子者，謂養昆弟子之為子者。」如諸葛亮以兄子為子，皇甫謐出後其叔，此皆非後大宗，與《儀禮》之為人後者不相應。《唐律》於此亦稱養子。《開元禮》有為人後者，實即養子也。後人誤以養子為即俗稱之螟蛉子，因疑《唐律》既許養子，何以又有不許養異姓男一條。不知《唐律》所稱養子是養同宗於昭穆相當者也。《儀禮》：為人後者，為其父母降為齊衰不杖期，蓋持重大於宗者，降其小宗也。然魏晉六朝人於三年之內不得嫁娶，即子女嫁娶亦所不許。曹公為子整與袁譚結婚，裴松之曰：「紹死至此不過周五月耳，譚雖出後其伯，不為紹服三年，而於再期之內以行吉禮，悖矣。」於此可見古人守禮之嚴。至今所謂養子者，魏時或為《四孤論》曰：「遇兵饑饉，有賣子者，有棄溝壑者，有生而父母亡，復無緦麻親，其死必也者；有俗人以五月生子妨忌不舉者。有家無兒，收養教訓成人。」則對於公嫗育養者應有服否，三國、兩晉論議甚多，或以為宜服齊衰周，方之繼父同居者，此議斟酌盡善，可補《儀禮》之闕。《儀禮》制於宗法時代，秦漢而後，宗法漸衰，自有可斟酌損益之處。《開元禮》亦有與《儀禮》不同者，《儀禮》父在為母齊衰期，武后時，改為父在為母齊衰三年；《儀禮》為祖父齊衰不杖期，為曾祖父母齊衰三月，高祖之服則無有（或以為古人婚晚，玄孫不及見，高祖故無服，其說非是，恐高祖以上概括在曾祖之內），《開元禮》改為曾祖父母齊衰五月正服，為高祖父母齊衰三月加服。嫂叔本無服，蓋推而遠之也。唐太宗以同爨尚有緦麻之恩，增叔嫂小功五月義服。古人外親之服皆緦，為外祖父母小功，以尊加也。為舅緦，從服也。母之姐妹曰從

母，而舅不可稱從父，故為從母小功，以名加也，此亦古人之執著。《開元禮》改為舅及從母小功正服。綜此四條，悉當情理。

六朝人天性獨厚，守禮最篤，其視君臣之義，不若父子之恩，講論《喪服》，多有精義。唐人議禮定服，亦尚有法，不似後世之枉戾失中也。服有降服、正服、義服。斬衰無降服，衰以縷之粗細為等，斬者不緝也。為父正服，為君義服；故為父斬衰三升，為君三升半，父子之恩固重於君臣之義也。魏太子會眾賓百數十人，太子建議曰：「君父各有篤疾，有藥一丸，可救一人，當救君耶？父耶？」眾人紛紜，或父或君。邴原在座，不與此論。太子咨之於原，原悖然對曰：「父也！」南朝二百七十餘年，國勢雖不盛強，而維持人紀，為功特多。《喪服》一篇，師儒無不悉心探討，以是團體固結，雖陵夷而不至澌滅。此所謂魯秉周禮，未可取也。宋代理學家亦知講求古禮，至明人而漸不能矣。今講《儀禮》，自以《喪服》為最要。

《隋書‧經籍志》云：「漢初，河間獻王得仲尼弟子及後學者所記一百三十一篇獻之，至劉向校書，檢得一百三十篇，第而敘之，又得《明堂陰陽記》三十三篇、《孔子三朝記》七篇、《王氏史氏記》二十一篇、《樂記》二十三篇，凡五種，合二百十四篇。戴德刪其煩重，合而記之，為八十五篇，謂之《大戴記》；而戴聖又刪大戴之書為四十六篇，謂之《小戴記》。馬融傳小戴之學，又足《月令》一篇、《明堂位》一篇、《樂記》一篇，合四十九篇。」今《大戴記》存三十九篇，《小戴記》四十九篇。《投壺》、《哀公問》兩篇，二戴所同，合得八十六篇。大戴亡佚篇目，今不可考。錢曉徵以為小戴實止四十六篇，今《曲禮》、《檀弓》、《雜記》俱分上下，故為四十九

篇；以小戴四十六，合大戴八十五，即古記之百三十一篇也。其說殊未諦。《樂記》二十篇，本不在古記之數。今《樂記》斷取十一篇為一篇，以入《禮記》。《月令》與《明堂位》同屬《明堂陰陽記》，大戴《盛德》篇亦應屬《明堂陰陽記》。古記百三十一篇之數，絕不如錢氏所舉也。

又二戴所錄，有非禮家之言。如大戴《千乘》、《四代》、《虞》，戴德《誥志》、《小辯》、《用兵》、《少閒》七篇，採自《孔子三朝記》（唐人所引直稱《三朝記》）。《漢志・儒家》：《子思》二十三篇，《曾子》十八篇。大戴錄《曾子》、《立事》以下十篇，而小戴之《中庸》、《坊記》、《表記》、《緇衣》四篇，當為子思之書。又大戴《武王踐阼》錄自《太公陰謀》，《漢志》以太公入道家。此皆二戴改採諸子之文，凡二十二篇。又小戴《王制》，乃孝文帝令博士所作，大戴《公冠》後附孝昭冠辭，並非古記舊有，更去其屬於《明堂陰陽記》及《樂記》者，刪其復重《投壺》、《哀公問》二篇，則二戴記中可說為古記之舊者，不及百三十一篇之半。又如通論之篇，若《儒行》、《大學》等，是否在百三十一篇中，尚難言也。

《禮記》一書，雜糅今古文之說。《王制》一篇為今文家言，其言封建，採用《孟子》，言養老不知所據。唯《喪禮》、《喪服》無今古文之異，《禮記》言此墓詳。自明以來，讀經所以應科舉，以《喪禮》、《喪服》不在程試範圍，則刪節不讀。其實讀《禮禮》以《喪禮》、《喪服》為最要。餘如《儒行》、《大學》、《表記》、《坊記》、《緇衣》等篇，皆言尋常修己治人之道，亦無今古文之異。凡此，皆《禮記》之可信者。若言典章制度，則宜從古文不從今文，古文無謬誤，

今文多紕漏也。

《三禮》鄭注之後，孔賈之疏已為盡善，清人以賈疏尚有未盡，胡培翬作《儀禮正義》，孫詒讓作《周禮正義》。由今觀之，新疏自比賈疏更精。《禮記》孔疏理晰而詞富，清儒無以復加，朱彬作《訓纂》，不過比於補注而已。《大戴禮》自北魏盧辯作注，歷千餘年，論舛不可卒讀，戴震校之，孔廣森作《補註》，但闕佚已多耳。說禮者皆稱三禮，而屏棄大戴不道。其實，《大戴禮》亦多精義，應與小戴並舉，而稱四禮。理學家最重小戴，以《大學》、《中庸》並在其中故。獨楊慈湖以為大戴多孔子遺言，所作《先聖大訓》錄《大戴記》特多。二戴記中《哀公問》、《儒行》、《仲尼燕居》、《孔子閒居》、《王言》諸篇，皆孔子一人之言。七十子後學者所記，《漢志》不入《論語》家，獨《三朝記》入《論語》家，殆以《三朝》七篇，文理古奧，與餘篇不同，或是孔子手作，或是孔子口說、弟子筆錄者爾。

關於《春秋》者，余所著《春秋左氏疑義答問》大旨略具，今所講者，補其未備而已。

問《春秋》起於何時？曰：晉之《乘》、楚之《檮杌》、魯之《春秋》，皆在孔子之前。《周官》「外史，掌四方之志」，鄭注云：謂若晉之《乘》、楚之《檮杌》、魯之《春秋》。是《春秋》起於周，非始於古代也。《左傳》：「韓宣子適魯，見《易‧象》與魯《春秋》，曰：『周禮盡在魯矣。吾乃今知周公之德與周之所以王也。』」孔疏云：魯《春秋》遵周公之典以序時事，發凡言例，皆是周公制之。然韓宣

子云周禮在魯者，所以美周公之德耳，非謂《易·象》、《春秋》是周公所作也。《春秋》備紀年、時、月、日，《尚書》往往有年有月有日而無時（唯「秋大獲」一句紀時，其餘不見），其紀年月日又無定例。如《書序》：「唯十有一年，武王伐殷。」此所謂十有一年者，以文王受命起數，非武王之紀元也。紀年之法，苟且如此，即為未有《春秋》編年之法之故。今人以為古聖制禮作樂，必無不能紀年之理。其實，非唯周公未知紀年之法，即孔子亦何嘗思及本紀、世家、列傳哉！太史公《三代世表》謂：「余讀諜記，黃帝以來，皆有年數，稽其歷譜諜終始五德之傳，古文咸不同、乖異，夫子之弗論次其年月，豈虛哉！」可見史公所見周秦以前書不少，而紀年各不同。今觀《竹書紀年》（七國時書），自黃帝以來，亦皆有年數，而與王孫滿所稱「鼎遷於商，載祀六百」之言違異。此為古無紀年之作，後人據歷推之（戰國時有六家歷，《漢書·律歷志》所云黃帝、顓頊、夏、殷、周及魯歷是也。《藝文志》春秋家有太古以來年紀二篇，當亦此類）。各家所推不同，故《竹書》所載與古語不符也。太史公不信譜諜，故於三代但作世表，共和以後，始著《十二諸侯年表》。《大戴禮·五帝德》稱：「宰予問於孔子曰：昔者，予聞諸榮伊令『黃帝三百年』，請問黃帝者人耶？抑非人耶？何以至於三百年乎？」如當時有紀年之書，宰予何為發此問哉？劉歆作《三統歷》以說《春秋》，班氏以為推法密要。然周以前不可推，以古人歷疏，往往有日無月，不能以月日推也。

　　《十二諸侯年表》，始於共和元年，余臆《春秋》之作，即在共和之後。蓋宣王即位，補記共和國時事而有《春秋》也。觀《十二諸

侯年表》，諸侯卒與即位均書年，可見《春秋》編年之法即在此時發明者，於時厲王出奔，宣王未立，元年者，誰之元年乎？《春秋》以道名分，故書共和元年也。《墨子・明鬼》歷舉周之《春秋》、燕之《春秋》、宋之《春秋》、齊之《春秋》，而始於杜伯射宣王事。前乎此者，但徵及《詩》、《書》而已。可見宣王以前無《春秋》也。宣王中興令主，不但武功昭著，即文化亦遠邁前古。改古文為籀文，易紀事以編年，皆發明絕大者也。至列國之有《春秋》，則時有早晚，決非同時並作。《晉世家》記穆侯四年取齊女姜氏為夫人，當周宣王二十年，是晉於是始有《春秋》。其餘各國皆在宣王之後。魯之《春秋》，始於隱公元年，當平王四十九年，上去共和元年曆一百一十九年。其所以始於隱公者，漢儒罕言其故。杜元凱謂平王東周之始王，隱公讓國之賢君，故托始於此。此殆未然。列國《春秋》，本非同時並作，魯則隱公時始有《春秋》耳，非孔子有意托始於隱公也。後人以太史公「世家」首太伯，「列傳」首夷、齊，推之《春秋》始於魯隱，其意正同。其實太史公或有此意，孔子則未必然。隱公但有讓桓之言，而無其實事。云「使營菟裘，吾將老焉」者，不過尋常酬酢語耳，何嘗真以國讓哉！

周之史官有辛甲、尹佚。尹佚即史佚，其書二篇，《藝文志》入墨家。《呂氏春秋・當染》篇云：「魯惠公使宰讓請郊廟之禮於天子，桓王（當作平王）使史角往，惠公止之。其後在於魯，墨子學焉。」墨子之學，出於史角，由此可知史角即尹佚之後。魯有《春秋》，殆自史角始矣。

《左傳》所載五十凡例，杜氏以為周公之舊典，蓋據傳凡例謂之

禮經，而謂此禮經為周公所制也。然時王之禮皆是禮經，豈必周公所制然後謂之禮經哉！余臆五十凡例乃宣王始作《春秋》之時王朝特起之例。列國之史，其凡例由周室頒布抑列國自定，今不可知。要之，當時之禮即可謂之禮經，不必定是周公作也。

作史不得不有凡例，太史公、班孟堅之作有無凡例不可知。范蔚宗作《後漢書》則有之（《宋書·范曄傳》云：「班氏任情無例，吾雜傳論，皆有精意。紀傳例為舉其大略耳」），唯今不可見。唐修《晉書》，非一人之作，不得不立凡例以齊之一。宋修《新唐書》，呂夏卿有《唐書直筆新例》一卷（見《宋史·藝文志》）。《新唐書》本紀、志、表，皆歐陽脩作；列傳則宋祁作。二人分工，如出一手，凡例之效也。大抵一人之作，不願以凡例自限，《春秋》本不定出一史官之手，無例則有前後錯誤之虞，故不得不立凡例。唯《左傳》舉五十凡例，不知為周史所遺抑魯史自定之耳。

自來論孔子修《春秋》之故者，孟子曰：「世衰道微，邪說暴行又作，臣弒其君者有之，子弒其父者有之，孔子懼，作《春秋》。」《公羊傳》曰：「君子曷為《春秋》？撥亂世，反諸正，莫近諸《春秋》。」公羊之論較孟子為簡賅。然《春秋》者，史也。即在盛世，亦不可無史。《尚書》紀事，略無年月，或頗有而多闕，僅為片斷之史料。《春秋》始有編年之法，史法於是一變，故不可謂《春秋》之作專為撥亂反正也。宋儒以為《春秋》貴王賤霸，此意適與《春秋》相反。《春秋》詳述齊桓、晉文之事，尚霸之意顯然。孟子、公羊，同然一辭。雖孟子論人，好論人心，以五霸為假。然假與不假，《春秋》所不論也。貴王賤霸之說，三傳俱無，漢人偶亦及之，宋儒乃極

言之耳。三傳事蹟不同，褒貶亦不同，而大旨則相近。所謂絀周、王魯、為漢製法者，《公羊》固無其語，漢儒傅會以干人主，意在求售，非《春秋》之旨也。要之，立國不可無史，《春秋》之作，凡為述行事以存國性。以此為說，無可非難。今文化之國皆有史，唯不如中士詳備。印度玄學之深，科學亦優，而其史則不可考。又如西域三十六國，徒以《漢書》有此一傳，尚可據以知其大概，彼三十六國無史，至今不能自明其種類。中國之大，固不至如三十六國之泯焉無聞，然使其墮入印度則易。此史之所以可貴，而《春秋》之所以作也。

問魯之《春秋》，孔子何為修之？曰：魯之《春秋》，一國之史也。欲以一國之春秋，包舉列國之《春秋》，其事不易。當時之史，唯周之《春秋》最備，以列國記載皆須上之周室（《史記‧六國表》謂：「秦既得志，燒天下《詩》、《書》，諸侯史記尤甚，為其所刺譏也。《詩》、《書》所以復見者，多藏人家，而史記獨藏周室，以故滅」。可見七國時，列國之史猶藏周室）。孔子之作《春秋》，如欲包舉列國之史，則非修周之《春秋》不為功。然周之《春秋》，孔子欲修之而不可得。魯為父母之邦，故得修魯之《春秋》耳。然魯之《春秋》，局於一國，其於列國之事，或赴告不全，甚或有所隱諱，不能得其實事；既魯史載筆，亦未必無誤。如此則其記載未必可信，不信則無從褒貶，不足傳之後世。以故，孔子不得不觀書於周史也。既窺百國之書，貫穿考核，然後能筆削一經爾。

嘉慶時，袁蕙纕據《左傳》從赴之言，以孔子未嘗筆削。然此可以一言破之：魯史以魯為範圍，不得踰越範圍而竄易之，使同於王室

之史。孔子之修《春秋》，殆如今大理院判案，不問當事者事實，但據下級法庭所敘，正其判斷之合法與否而已。傳曰：「非聖人誰能修之？」焉得謂孔子無治定舊史之事哉！乾隆時重修《明史》，一切依王鴻緒《明史稿》，略加論贊。孔子之修《春秋》，亦猶是也。所以必觀書於周史者，《十二諸侯年表》云：「孔子西觀周室，論史記舊聞，興於魯而次《春秋》。」「七十子之徒口受其傳指。為有所刺譏，褒諱挹損之文辭，不可以書見也。魯君子左丘明，懼弟子人人異端，各安其意，失其真，故因孔子史記，具論其語，成《左氏春秋》。」據此可知，孔子觀周與修《春秋》之關係淺，與作《左傳》關係深，然自孔子感麟製作，以迄文成，為時亦當一年，更踰年而孔子卒。古之學者，三年而通一藝，《春秋》二百四十二年之事，以授弟子，恐非期月之間所能深通。今觀仲尼弟子所著，如《曾子》十八篇，無一言及《春秋》者。太史公云：「春秋筆則筆，削則削，子夏之徒不能贊一辭。」信矣！蓋《春秋》與《詩》、《書》、《禮》、《樂》不同，《詩》、《書》、《禮》、《樂》，自古以之教人；《春秋》，官史之寶書，非他人所素習。文成一年，微言遂絕，故以子夏之賢，曾無啟予之效。而太史公又謂七十子咸受傳指，人人異端，蓋已過矣。誠令弟子人人異端，則《論語》應載其說，傳文何其闕如？嘗謂《春秋》既成，能通其傳指者甚少，亦如《太史公書》唯楊惲為祖述耳。左丘明身為魯史，與孔子同觀周室，孔子作經，不暇更為之傳，既卒，而弟子又莫能繼其志。於是具論其事而作傳耳。

孟子曰：「《春秋》，天子之事也。是故，孔子曰：『知我者，其唯《春秋》乎！罪我者，其唯《春秋》乎！』」按，《說文》：「事，

從史之省聲。」史所以記事，可知事即史也。《春秋》天子之事者，猶云《春秋》天子之史記矣。後人解《孟子》，以為孔子匹夫而行天子為事，故曰罪我者其唯《春秋》，此大謬也。周史祕藏，孔子窺之，而又洩之於外，故有罪焉爾。向來國史實錄，祕不示人。明清兩代，作實錄成，焚其稿本，棄其灰於太液池。以近例遠，正復相似。豈徒國史祕密，其凡例當亦祕密，故又曰：「其義則丘竊取之矣。」義即凡例之謂。竊取其義者，猶云盜其凡例也。孟子之言至明白，而後人不了其義，遂有漢儒之妄說。夫司馬子長身為史官，作史固其所也。班孟堅因其父業而修《漢書》，即有人告私改作國史者，而被收繫獄。《後漢書》亦私家之作，然著述於易代之後，故不以私作為罪。《新五代史》亦私家之作，所以不為罪者，徒以宋世法律之寬耳。若莊廷鑨私修《明史》，生前未蒙刑罪，死後乃至戮屍。國史之不可私作也如此。故孔子曰竊取、曰罪我矣。

孔子之修《春秋》，其意在保存史書，不修則獨藏周室，修之則傳諸其人。秦之燔書，周室之史一炬無存，至今日而猶得聞十二諸侯之事者，獨賴孔子之修《春秋》耳。使孔子不修《春秋》，丘明不述《左傳》，則今日之視春秋猶是洪荒之世已。（以上論孔子修《春秋》。）

《公羊傳》云：「所見異辭，所聞異辭，所傳聞異辭。」此語不然。公羊在野之人，不知國史，以事實為傳聞，其實魯有國史，非傳聞也。董仲舒、何休更以所見之世為著太平，所聞之世為見昇平，所傳聞之世為起衰亂，分二百四十二年以為三世，然公羊本謂《春秋》撥亂世、反諸正，是指二百四十二年皆為亂世也。

僖公經二十八年：「天王狩於河陽。」《左傳》稱仲尼曰：「以臣召君，不可以訓，故書曰：『天王狩於河陽。』」似傳意以此為孔子所修。然《史記・晉世家》稱孔子讀史記，至文公曰：「諸侯無召王。『王狩河陽』者，《春秋》諱之也。」則知此乃晉史舊文，孔子據而錄之耳。是故，杜氏以諸稱「書」、「不書」、「先書」、「故書」，「不言」、「不稱」、「書曰」之類皆是孔子新意，正未必然。唯《趙世家》云：「孔子聞趙簡子不請晉君而執邯鄲午、保晉陽，故書《春秋》曰：『趙鞅以晉陽叛。』」此當為孔子特筆。又，《左傳》具論《春秋》非聖人不能修，蓋以書齊豹曰盜、三叛人名為孔子特筆。外此，則孔子特筆治定者殆無幾焉。《春秋》本史官舊文，前後史官意見不同，故褒貶不能一致。例如《史》、《漢》二書，太史公所譏，往往為班孟堅所許，《春秋》之褒貶，當作如是觀矣。宋人謂《春秋》本無褒貶（朱晦庵即如此說），則又不然。三傳皆明褒貶，不褒貶無以為懲勸，亂臣賊子何為而懼也？胡安國謂聖人以天自處，故王亦可貶。此又荒謬之說也。晉侯、齊侯貶稱曰人，略之而已，無妨於實事。如稱齊伯、晉伯，則名實乖違，夫豈其可？如胡氏之言，孔子可任意褒貶，則充類至盡，必至如洪秀全所為。洪秀全自稱天王，而貶秦始皇曰秦始侯，貶漢高祖曰漢高侯，可笑孰甚焉？余意褒貶二字，猶言詳略，天子諸侯之爵位略而不書，貶云乎哉！

《春秋》三傳者，《左氏》、《公羊》、《穀梁》是也。《史記》稱《左氏》曰春秋，稱《公》、《穀》曰傳。清劉逢祿據是謂《左氏春秋》猶《晏子春秋》、《呂氏春秋》也。劉歆等改左氏為傳《春秋》之書。東漢以後，以訛傳訛，冒名《春秋左氏傳》，不知春秋固為史書之通

稱，而傳之名號亦廣矣。孟子常稱「於傳有之」，是凡經傳無不可稱傳，孔子作《易》十翼，後人稱曰象傳、象傳、文言傳、繫辭傳是也。左氏之初稱傳與否，今莫能詳。太史公云：「左丘明因孔子史記具論其語，成《左氏春秋》。」此謂丘明述傳，本以說經。故桓譚《新論》（《太平御覽》引）云：「左氏傳於經，猶衣之表裡，相持而成。」焉得謂是《晏子》、《呂覽》之比？蓋左氏之旨，在採集事實，以考同異、明義法，不以訓故為事，本與其餘釋經之傳不同。《春秋》不須訓故，即《公》、《穀》亦不得訓故也。

《春秋》經十二公，何人所題（三體石經今存文公篇題）？哀公經又何人所題？是當屬左氏無疑。《漢志》：《春秋古經》十二篇、經十一卷。此因《公》、《穀》合閔於莊，而《左氏》則莊、閔各卷，故《公》、《穀》十一，而《古經》十二也。閔公歷年不久，篇卷短少，故合之於莊，乃何休則以為「三年無改於父之道」。不以鑿乎？

《漢志》：《春秋古經》十二篇，《左氏傳》三十卷，是經、傳別行。杜元凱作注，始合經、傳而釋之。昔馬融作《周官傳》，就經為注。康成注《易》以十翼合之於經，皆所以便諷籀耳。《論衡‧案書》篇云：「《春秋左氏傳》者，蓋出孔子壁中。」而《漢志》稱孔壁所得止有《尚書》、《禮記》、《論語》、《孝經》。《說文序》云：「魯恭王壞孔子宅，而得《禮記》、《尚書》、《春秋》、《論語》、《孝經》，又北平侯張蒼獻《春秋左氏傳》。」張蒼所獻者，是否經傳合編，則不可知。今《左氏》經文已經後師用《公》、《穀》校改，觀三體石經與今本不同可知也。《儒林傳》稱賈誼為《左氏傳訓故》，是《左傳傳》先恭王壞壁而出，《說文序》云張蒼獻之，是也。

唐趙匡云：丘明者，蓋夫子以前賢人，如史佚、遲任之流，而劉歆以為《春秋左氏傳》是丘明所為耳。按：昔人所以致疑於左氏者，以《左傳》稱魯悼公之諡。魯悼之卒，後於獲麟五十年。又稱趙襄子之諡，趙襄之卒，更在其後四年。如左氏與孔子同時，不至如此老壽。然考仲尼弟子，老壽者多。《史記‧仲尼弟子列傳》稱子夏少孔子四十歲，《六國表》稱魏文侯十八年受經子夏，時子夏一百一歲矣。至文侯二十五年，子夏一百有八，《魏世家》猶有受經藝之文。假令左氏之年與子夏相若，所舉諡號在魯元初年，其時不過八十餘年，未為篤老也。又《呂覽‧長利》篇載南宮括與魯繆公論辛寬語。繆公之卒，上距元公之初五十餘年，南宮得見繆公，則何疑於左氏之不逮元公也。劉向《別錄》稱左丘明授曾申，申授吳起，起授其子期，期授楚人鐸椒，鐸椒作《抄撮》八卷，授虞卿，虞卿作《抄撮》九卷，授荀卿，荀卿授張蒼。按：《呂氏春秋‧當染》篇、《史記》列傳，皆稱吳起學於曾子（《檀弓》亦稱曾申為曾子）；《說苑‧建本》篇稱魏武侯問元年於吳子，則起受《左氏春秋》於曾申可信（起死在魯繆公二十七年，去獲麟已百歲）。《十二諸侯年表》云：「鐸椒為楚威王傅（威王元年去獲麟一百四十二年），為王不能盡觀《春秋》，採取成敗，卒四十章，為《鐸氏微》。」微者，具體而微之謂，即抄撮是也。《左傳》全文十七萬字，合經文則十九萬字，簡編之繁重如此，觀覽不易，傳布亦難矣。《漢志》云：「《春秋》所貶損大人、當世君臣，有威權勢力，其事實皆形於傳，是以隱其書而不宣，所以免時難也。」抑亦未盡之論，恐《左氏》之不顯，正為簡編繁重之故，此鐸椒所以作抄撮也。

《呂氏春秋》、《韓非子》諸書多引《左氏》之文，其所見是否《左氏》全文抑僅見鐸氏抄撮，今無可徵。至《公》、《穀》所舉事實，與《左氏》有同有異。大概《公》、《穀》本諸《鐸氏》，其不同者，鐸本所無耳。《別錄》云：鐸椒授虞卿，以其時考之，虞卿欲以信陵君之存邯鄲為平原君請封（本傳），而鐸椒為楚威王傅，自楚威王元年至信陵君救邯鄲之歲，歷八十三年，則卿不得親受《春秋》於椒。《別錄》所述，當有闕奪。又云：虞卿授荀卿，荀卿授張蒼。虞卿相趙，荀卿趙人，自得見之。荀卿適楚而春申君以為蘭陵令，春申君死而荀卿廢（本傳）。荀卿廢后十八年秦並天下，時張蒼為秦御史，主柱下方書。蒼以漢景帝五年卒，年百有餘歲（本傳），則為御史時已三四十矣，其得事荀卿自可信。荀卿之卒，史無明文。《鹽鐵論》稱李斯為相，荀卿為之不食，是荀卿亦壽考人也。蒼獻《左傳》而傳之賈誼。今觀賈誼《新書》徵引《左氏》甚多，其傳授分明如此。

　　桓譚《新論》云：《左氏》傳世後百餘年，魯穀梁赤為《春秋》，殘略多所遺失；又有齊人公羊高緣經文作傳，彌離其本事。觀《公羊》隱十一年傳稱「子沈子曰」，何休云：沈子稱子，冠氏上者，著其為師也。《穀梁》定元年傳直稱沈子，則沈子當與穀梁為同輩，此公、穀後先之證也。柏舉之役，穀梁稱蔡昭公歸乃用事乎漢，公羊則改用事乎河。蓋公羊齊人，知有河而不知有漢，不知自楚歸蔡，無事渡河，此公羊不明地理之過也（《史通》譏《公羊》記晉靈公使勇士賊趙盾，勇士見盾食魚飧，嘆以為儉，以為公羊生自齊邦，不詳晉物，以東土所賤，謂西州亦然，遂目彼嘉饌呼為菲食，於物理全

爽）。改一字而成巨謬，斯又《公羊》後出之證也。穀梁常引《尸子》之言，《漢志》云：「尸子名佼，魯人，秦相商君師之。鞅死，佼逃入蜀。」穀梁有聞於尸佼，疑其亦得見《秦記》。《六國表》稱《秦記》不載月日，穀梁聞尸佼之說，見《秦記》之文，故以魯史之書月日為義例所在矣。殽之役，《穀梁》言「秦越千里之險，入虛國，進不能守，退敗其師，徒亂人子女之教，無男女之別，秦之為狄，自殽之戰始也。」范寧不能解，楊士勳疏云：「『亂人子女』，謂入滑之時縱暴亂也。」按，《史記·扁鵲傳》云：秦繆公夢之帝所，帝告以「晉國且大亂，其後將霸，霸者之子且令而國男女無別」。夫獻公之亂、文公之霸，而襄公敗秦師於殽，而歸縱淫，與《穀梁》之言合符。蓋穀梁得之《秦記》爾。《史記·商君傳》：「商君告趙良曰，始秦戎狄之教，父子無別，同室而居。今我更制其教，而為其男女之別。」此亦秦師敗於殽而歸縱淫之證也。至《穀梁》所記，亦有可笑者，如季孫行父禿、晉郤克眇、衛孫良夫跛、曹公子手僂，同時而聘於齊，齊使禿者御禿者，使眇者御眇者，使跛者御跛者，使僂者御僂者。此真齊東野人之語，而穀梁信之。又如宋、衛、陳、鄭災，《穀梁》述子產之言曰：「是人也，同日為四國災也。」豈以裨灶一人能同日為四國災耶？

穀梁下筆矜慎，於事實不甚明了者，常出以懷疑之詞，不敢武斷。荀卿與申公皆傳《穀梁》，大抵《穀梁》魯學，有儒者之風，不甚重視王霸；公羊齊人，以《孟子》有「其事則齊桓、晉文」之言，故盛稱齊桓，亦或過為偏護。何休更推演之，以為黜周、王魯、為漢製法諸說，彌離《公羊》之本義矣。

《公羊》後師有「新周故宋」之說。《公羊》成十六年傳：成周宣榭災，「外災不書，此何以書？新周也」。夫豐鎬為舊都，成周為新都。《康誥》曰：「周公初基作新大邑於東國洛。」《召誥》曰：「乃社於新邑。」《洛誥》曰：「王在新邑烝。」新周猶言新邑，周不可外，故書。義本坦易，無須曲解。故宋本非公羊家言，《穀梁》桓公二年傳：「孔子，故宋也。」孟僖子稱孔子聖人之後，而滅於宋。《穀梁》亦謂孔子舊是宋人。新周、故宋，截然二事，董、何輩合而一之，以為上黜杞，下新周而故宋，此義實公、穀所無，由董、何讀傳文而立。至文家五等、質家三等之說，尤為傅會。《左氏》言：在禮，卿不會公、侯，會伯、子、男可也。《公羊》亦云：《春秋》，伯、子、男，一也。申之會，子產獻伯、子、男會公之禮六。《魯語》，叔孫穆子言諸侯有卿無軍，伯、子、男有大夫無卿。據《周官》：上公九命、侯伯七命、子男五命，即謂公一等，侯伯一等，子男一等；至春秋時，則伯、子、男同等。此時王新制爾。若去素王改制，則子產、叔孫穆子皆在孔子修《春秋》以前，何以已有伯、子、男同班之說？仲舒未見《左氏》，不知《公羊》之語所由來，乃謂孔子改五等以為三等，為漢製法。其實，漢代止有王、侯二等，非三等也。

　　公羊即不見《左氏傳》，或曾見鐸氏抄撮，故其說亦有通於《左氏》者。如「元年春，王正月」，《左氏》云：「王周正月。」王周猶後世之稱皇唐、皇宋。謂此乃王周之正月，所以別於夏、殷也。《公羊》云：「王者孰謂？謂文王也。曷為先言王而後言正月？王正月也。何言乎王正月？大一統也。」蓋文王始稱王、改正朔，故公羊以

周正屬之，其義與左氏不異。乃董仲舒演為通三統之說。如董說則夏建寅、商建丑，必將以二月為商正月，三月為夏正月，不得言王二月、王三月矣。

《公羊》本無神話，凡諸近神話者，皆《公羊》後師傅會而成。近人或謂始於董仲舒。按，《公羊》本以口授，至胡毋生乃著竹帛，當漢景帝時，則與仲舒同時也。何休解詁，一依胡毋生條例。蓋妖妄之說，胡毋生已有之，不專出董氏也。《公羊》嫡傳，漢初未有其人（戴宏之說，全無徵驗）。《論衡・案書》篇云：「公羊高、穀梁寘、胡毋氏皆傳《春秋》，各門異戶。」夫三人並列，可知胡毋生雖說《公羊》而亦自為一家之學。漢人傳《尚書》者，小夏侯本受之大夏侯，後別立小夏侯一家。胡毋生之傳《公羊》，亦其比矣。《別錄》及《藝文志》但列公、穀、鄒、夾四家，今謂應加胡毋氏為五家，庶幾淄澠有辨。惜清儒未見及此，故其解釋《公羊》總不能如晦之見明，如符之復合也。唯《公羊》得胡毋生而始著竹帛，使無胡毋生則《公羊》或竟中絕，然則胡毋生亦可謂《公羊》之功臣矣。

漢末鍾繇不好《公羊》而好《左氏》，謂左氏為太官廚，《公羊》為賣餅家。自《公羊》本義為董、胡妄說所掩，而聖經等於神話，微言竟似預言，固與《推背圖》、《燒餅歌》無別矣。今治三傳自應以《左氏》為主；《穀梁》可取者多；《公羊》頗有刻薄之語，可取者亦尚不少，如內諸夏、外夷狄之義，三傳所同，而《公羊》獨著明文。又譏世卿之意，《左》、《穀》皆有之；而《公羊》於尹氏卒、崔氏出奔，特言世卿非禮。故讀《公羊傳》者，宜捨短取長，知其為萬世製法，非為漢一代製法也。

史學略說

今講史學，先論部類。

昔人以紀事、編年分類，此言其大要也。《隋書・經籍志》分史部為十三類：一、正史，《史記》、《漢書》屬之。二、古史，編年者屬之，如荀悅《漢紀》、袁宏《後漢紀》是。所以稱古史者，既以本紀、列傳為正史，則依《春秋》之體純為編年者，不得不稱古史也。三、雜史，既非本紀，又異編年，《逸周書》、《吳越春秋》、《戰國策》之類屬之，此皆率爾而作，非史策之正也。四、霸史，記載割據、僭竊，不成正統者屬之，《華陽國志》、《十六國春秋》之類是也。以上四種，史之經，亦史之本也。五、起居注，帝王每日一言一動，均詳記之，《隋志》以《穆天子傳》開端。六、舊事，雜記典章制度、帝王、臣下之事，如《漢武故事》是。七、職官，昉於《周禮》，《隋書》以《漢官解詁》、《漢官儀》開端。《漢官解詁》模擬《周禮》，當時此種著作甚少，後則有《唐六典》以及近世會典（較《唐六典》為擴大）。《六典》整齊，《解詁》不整齊，斯其異也。八、儀注，以《漢舊儀》為首。《漢舊儀》衛宏所作，記當時禮制，今已殘缺，本亦不甚詳也。六朝時禮書甚多，今皆散佚；唐《開元禮》亦不存，唯會典中略引數條；宋《太常因革禮》猶存；明有《集禮》；清有《大清通禮》，皆儀注類也。《漢舊儀》但記朝廷之禮，《開元禮》則稍及民間雜禮。其專講民間冠婚喪祭者，有《書儀》一類（《書儀》亦入儀注，始作者劉宋王弘，晉王導之孫也）。《文公家禮》亦其屬也。家禮六朝時已有之，或曰書儀，或曰家禮，名目異耳。九、律令，記歷朝法律之作，不甚完備，《隋志》以《晉律》開端。十、雜傳，包舉今之志書、碑傳集等，漢《三輔決錄》專記三輔人物，《陳留耆舊

傳》、《襄陽耆舊傳》體例亦同，《隋志》皆入雜傳類，而今則入方志人物門。其中有與地理相混者，如《海岱志》、《豫章志》，觀其標題，宛然地志。所以不入地志者，記地理者少，記人物者多故也。外此，《列女傳》、《列仙傳》亦入此類。要之，如方志之人物門矣。《隋書》有可議者，《搜神記》、《冤魂記》列入雜傳，二門固傳體，然鬼神之事，焉得入史部乎？十一、地理，地理書著錄無幾，單記一方者曰圖經，如《幽州圖經》、《齊州圖經》是。其統記全國者，則有煬帝時所定之《區宇圖經》一百二十九卷，體例彷彿後之一統志，今已不傳。其後，唐有《元和郡縣志》，宋有《太平寰宇記》、《元豐九域志》。此三書皆統記全國地理者也。而《寰宇記》一百九十三卷為最詳；《元和志》僅四十餘卷為最簡。《明一統志》九十卷，《清一統志》五百卷，已覺繁而不殺，而《元一統志》有一千卷之多，雖領域寥闊，亦何至繁冗至此，今亦無傳。《元和郡縣志》於郡縣之建立，山川之位置，財賦之豐嗇，均極詳明，而不載人物。隋《區宇志》今不可見，不知體例何如，恐亦不載人物也。故雜傳、地理分而為二，凡以雜傳載人物、地理不載人物故。十二、譜系，《世本》、《漢氏帝王譜》、《百家集譜》之類皆是。此種譜牒，專錄貴族，不及齊民。至於六朝，人尚門第，所作纂繁，劉孝標《世說新語注》所引，多至數十家，當時重視譜牒可知。唐有《元和姓纂》（今缺數卷），此後作者漸近漸稀。宋鄭樵《通志・氏族略》，大體尚佳，而多附會，不及南宋鄧名世《姓氏書辨正》之精確。此皆國家官修之譜，非私家著作可比。官修之譜者，唐以前各種皆設譜局，有司與聞其事。所以設譜局者，以六朝人尚門第，士大夫不得與輿、台、皂、隸通婚。設有干犯，有司得糾劾治罪，《文選》沈休文《奏彈王源》是也。門第之風

替，而譜牒之學衰，歐陽脩、蘇洵輩之私譜代之而興。此譜牒興衰之大凡也。唐人封爵，以郡望為準（唐人封爵，或依郡望，或依祖宗籍貫，李白之所以不能確知為何處人者，以其所稱隴西，本李廣產地，乃郡望非地名，故或曰蜀，或曰山東，至今不可確知也。又唐人封爵，如依其所產生之縣名而有錯誤，可請更正。林寶《元和姓纂》之作，即為此故。宋以後封爵隨便，然蘇軾封武功伯亦因蘇之遠祖為蘇味道，武功人，故軾雖生長四川，仍以武功封之也）。宋以後此風漸廢，婚姻封爵不以譜系為準，則譜系乃一家私事，故不設局耳。十三、簿錄，以劉向《七略》、《別錄》，荀勖《中經簿》為首，今所謂目錄者是。此十三類，大體已具，猶有不足者，今姑不論。歷代之所損益，但依清人《四庫》分類論之。《四庫》分類與《隋志》略近而稍變，名古史曰編年，別立紀事本末一門（紀事本末始於宋之袁樞）。又詔令奏別為一類，有時令而無譜系。此其大較也。詔令奏議，於古收入文集。帝王親制，入帝王一己之集；詞臣代擬，亦入詞臣一己之集。陸宣公奏議入《翰苑集》。宋人文集有內制、外制，是其證也（中書舍人知制誥所擬者曰外制，翰林學士所擬者曰內制）。宋人然，明人亦然，至清則文與詔令奏議有分。蓋古人奏議美富，後世漸不成文。能文之士，不願以奏議入集，故分編也（歐陽脩論呂夷簡云：「夷簡為陛下宰相十有九年，誤了天下。」此與今白話文相似，甚且謂「盜賊一日多似一日，人民一日窮似一日」，則竟不成文理矣。然猶以之入集）。又古人奏議，多出己手，近世唯京官無幕友為之捉刀。地方督撫所上摺，出幕友手者十七八。目不識丁之武夫，一為督撫，奏議亦有佳作。即如劉銘傳輩亦何嘗親自操觚哉！以故，《四庫》分之，亦不足怪。至於時令別為一類，最為可笑。時令者，

於古有《夏小正》、《月令》之屬，唐改《禮記・月令》作《唐月令》，且以冠《禮記》之首。當時重視《月令》，本不足怪。宋以後即不然，至近代則「是月也，東風解凍」等語，唯時憲書記之耳。此其語涉氣候，本不成令，而《四庫》別立一門者，清帝欽定之書，無可歸類，又不可不錄，故別立此門也。此門所錄，只宋陳玄靚《歲時廣記》及康熙欽定之《月令輯要》二書，存目雖立十餘部，故為襯托而已，豈為正式收錄哉？唐有官譜，譜系可信。宋以後不可信，以其不可信，故《四庫》去譜系一門。然家譜自不甚可信，若《世本》以至《姓氏書辨正》，人皆稱善，豈不可信？《元和姓纂》雖佚，依《永樂大典》輯成者亦略備。又《千家譜》乃官定之書；凌迪之《萬姓統譜》，雖不足道，今其書猶在（北京圖書館有之），亦無甚荒謬處。其書體例如《尚友錄》而較詳，每一姓下，列入歷代有名之人，梁賈執《英賢傳》即如此作，見《廣韻》所引，亦《萬姓統譜》類也。迪之尚有《姓氏博考》，與譜系有關。以余觀之，《世本》、《元和姓纂》、《千家譜》、《英賢傳》、《姓氏博考》五書，應立一譜系門，如云書少，不足別為門類，則時令何以可別立一門耶？求其所以不立之故，殆以講求譜系，即犯清室之忌。《廣韻》每姓之下，註明漢姓、虜姓，如立譜系一門，必有漢姓、虜姓之辨，故不如徑刪去耳。清修《四庫》，於史部特注意；經部不甚犯忌，然皇侃《論語疏》猶須竄改；子部宋、元、明作者，亦有犯忌處；集部則更多，然皆不如史部之分明，故史部焚燬尤多。不立譜系，即其隱衷可見者也。《清史稿》史部有方略一門（清特開方略館），《平定三藩方略》、《平定羅剎方略》、《平定粵寇方略》等屬之。今按，方略列入史部，未為允當。《漢書・藝文志》有兵書略一門，《四庫》入兵書於子部（諸子中有

兵家一門）。然子部之兵書，本與其他有異。《孫子兵法》，《藝文志》有圖九卷，魏武、諸葛之書，全屬行軍號令之作，戚繼光《紀效新書》、《練兵實紀》亦然（《紀效新書》記御倭寇時行軍法令，《練兵實紀》記守邊時之軍中法令，與《孫子兵法》略不同），皆兵家之方略也。由此觀之，方略應入兵家。人謂著書無可歸類，則入子部，余謂史部亦然。行軍方略，略似紀事，故入史部，不知子部亦有紀事之作也。要而論之，清《四庫》添詔令奏議一門，無可非議；時令一門，全屬無謂；方略雖《四庫》所無，而《清史稿》有之，然當入兵家，不當列入史部，而譜系一門，仍當補入者也。故以《隋志》較之，只應加詔令奏議一門而已。《隋志》所可議者，前所舉《搜神記》、《冤魂記》不當入史部是也。又《竹譜》、《錢譜》之屬，列入譜系，亦為不當。譜者，人之譜也，非物之譜也。《四庫》於子部立譜錄一門，則《竹譜》與《群芳譜》相等者當入此門。至於《錢譜》，有金石一門在，可列入也。要之，《隋志》大旨不謬，小有出入，今為糾正如此。然此就已分之四部言耳。如依《漢志》，則正史以下，皆當歸入春秋家。不但《漢志》為然，齊王儉仿《七略》而作《七志》，亦入史部於經（《漢志・六藝略》入史部於春秋家，王儉《經典志》亦有史部之書）。詳論源流，分部本宜如此，今以《隋志》為準，乃一時之權宜耳。

正史之名，昉於《隋志》，今以二十四史當之，《隋志》所錄正史三千八十三卷，今二十四史三千二百四十卷。歷年千餘而所增益者無多，此何以故？今之所謂正史，以官定者為準。不頒學官，則不得謂之正史（自明以來以十三經、二十一史頒發學官）。而《隋志》所

錄，則只論其合於正史體裁與否，不問其官定私修也。故《後漢書》錄八種，《晉書》亦錄八種，皆不嫌重複（今二十四史唯唐、五代重複，李延壽南、北《史》略與魏、晉、齊、梁重複，但此係通史，與斷代為書者不同）。蓋史具五志三長者，皆得稱為正史，如必立學官而後謂之正史，則當問去取之間，究以何者為準？假以官修為限，則范書是私修之書，《新五代史》亦然，即《史記》亦未純為官修之書。司馬遷為太史令，修史固其職責，唯其成書，乃在為中書令時（後代中書令士人為之，漢則奄人為之，掌出入奏事，與明司禮監之掌印秉筆隨堂太監所掌略同）。遷續父業，未成而下蠶室，故其《報任少卿書》曰：「草創未就，惜其不成，是以就極刑而無慍色。」《自序》又云：「藏之名山，副在京師。」是其書生時未宣布也。歿後，書稍出。宣帝時，外孫楊惲，祖述其書，遂宣布焉。後代官修之史，須進呈於朝，《史記》則不然，知其本為官史，後則私家著述矣。《三國志》，陳壽除著作郎時所撰（晉以後太史令為著作郎，不掌修史事）。壽歿，梁州大中正范頵等表請就家寫其書，則壽書生時亦未進呈，不得謂為官書也。壽又撰《古國志》五十篇，壽師譙周著《古史考》乃考證之作，非記事之書。壽本之而作《古國志》。《古國志》今佚不見，以意求之，殆與《三國志》同類。《三國志》直稱晉武為司馬炎，如為官書，焉得不避諱乎？然則，《三國志》亦私史也。今二十四史並取《史記》、《三國志》、《後漢書》、《新五代史》，則所謂正史者，豈得以官修為準哉！古代史自《史記》外，別無他作可代。三國史當時雖有多種，後皆散佚無存，僅存壽書。《後漢書》謝承、華嶠各有著述，然自宋以後，獨范書具存。《五代史》自金章宗新定學令削薛存歐，而舊史遂微。然其書明代尚存，雖體例未善，而

本末賅具。故司馬溫公作《通鑑》，於唐事則多採舊書，於五代則專據薛史。歐陽脩作《五代史記》，自負上法《春秋》，於唐本紀大書「契丹立晉」，為通人所笑。此學《春秋》而誤也。《春秋》書法，本不可學，「衛人立晉」云者，晉為衛宣之名，今契丹所立之晉，國名而非人名。東家之顰，不亦醜乎？歐書私家之作，如求官書，當以薛史為正，否則亦當二書並列。明代屏棄舊史，過矣（薛史至清而亡，《四庫》諸臣依《永樂大典》排纂而成今書。昔皖人汪允中自言家有《舊五代史》原本，汪歿，不知其書所在。商務印書館影印百衲本二十四史，欲得薛史原本，久徵未得，人疑已入異域，後乃知在丁乃揚家。丁珍惜孤本，託言移家失去，世遂無有見者。修《四庫》時，清政府若以帝王之力，多方訪求，何至不獲真本哉！惜其不求也）。

清儒以不立學官者為別史，王偁之《東都事略》是也（書述北宋九朝之事，王為南宋時人）。元修《宋史》，繁簡失當；卷數之多，幾及五百；一人二傳，往往而有。自明以來，屢議改修。嘉靖中擬以嚴嵩為總裁，設局重修，其事未行。時有柯維騏者，作《宋史新編》二百卷。至清陳黃中作《宋史稿》一百七十卷。雖去取未能盡善，然糾謬補遺，足備一格。《元史》倉卒成書，紕漏最多。清末柯劭忞作《新元史》，屠寄作《蒙兀兒史記》。柯書徵引繁博，體例似不及屠。屠書不載太祖、太宗等廟號，直稱成吉思皇帝、完者篤皇帝、薛禪皇帝，謂元代詔令碑版，多如此稱。稱之曰太祖、太宗者，華人以尊號加之耳，未必合彼意也。應准名從主人之例，改為是稱。余謂元人以鼠兒、牛兒紀年，則紀年似亦更改，而屠書未能從也。柯書繁富，屠有筆削，皆視舊史為優。列入正史，可無愧色。至《宋史》之柯、陳

二家，可否列入正史，一時尚難論定。要之，正史範圍，當從寬大，如《隋志》之盡量收入，亦無妨耳。

　　正史云云，又有當論述者，正統之說是也。《隋志》於正史之外，別有霸史，以霸匹正，則正言正統，霸言僭偽割據也。正統之說，論者紛然。北人以北朝為正統，唐初尚爾。而《隋志》則南北朝史併入正史。蓋南北朝究竟以何方為正統，未易定也。若依夷夏之辨立論，自當以南朝為正，北朝非華人也；如以正統予元魏，則前之劉淵、石勒、苻堅，皆將以正統歸之矣。斥劉、石而予魏、齊，豈持論之平哉！苻堅奄有中原，強逾東晉。而王猛臨終語之曰：「晉正朔相承，願不以晉為圖。」是猛固視晉為正統也。北魏初亦不敢自大，及魏收作《魏書》，始稱東晉為僭晉，諡南朝曰島夷（此亦報復之道。沈約作《宋書》，號北朝曰索虜。拓跋編髮為辮，故曰索頭虜），助桀為虐，信為穢史，唐人承隋，不得不以北朝為正。開元時蕭穎士以為南朝正統，至蕭梁而絕，作《梁不禪陳論》。實則梁敬帝禪位於陳，不能言陳無所受，而溫公有陳氏何所受之說，殆為蕭氏所誤也。按，蕭穎士為梁鄱陽王恢七世孫，梁氏宗室，自相構難，蕭詧至以妻子質魏，導魏兵伐江陵，殺梁元帝。元帝之子敬帝，稱帝建業，後禪位於陳，詧亦在襄陽即位，號後梁，至隋開皇七年，國廢。黨伐之見，蕭家子弟，錮蔽最深。穎士偏私之言，豈可盡信？皇甫湜作《東晉元魏正閏論》，亦謂江陵之滅，則為周矣。陳氏自樹而奪，無容於言。此蓋唐人立言，不得不爾。《資治通鑑》則取宋、齊、梁、陳年號，以記諸國之事。自宋至陳，主國者皆漢人，自宜以正統予之，而朱晦庵作《綱目》，不分主從，並列南北朝年號。晦庵生於南宋，不

知何以昧於夷夏之義如此。溫公《通鑑》於三國則正魏閏蜀,《綱目》反之,以蜀為正統,此晦庵長於溫公處。溫公謂昭烈之於漢,雖云中山靖王之後,而族屬疏遠,不能記其世數名位,亦猶南唐烈祖之稱吳王恪後,不當以光武為比(自長沙靖王至光武,世系甚明)。此溫公之偏見。徐知誥幼時為徐溫所虜,其世系人無知者。若昭烈之稱漢後,為當時敵國所共認,為漢中王時,群臣表於獻帝,稱肺腑枝葉、宗子藩翰,若果世系無考,曹操焉有不揭破其詐者?又吳蜀交惡,諸葛瑾與備箋云:「關羽之親,何如先帝?」設非漢裔,瑾何為此言哉?故以昭烈比徐知誥,亦溫公之一失也。溫公自言正閏之際,非所敢知,不過假其年號以識事之先後,故五代、梁、唐,亦取其年號紀事。而王船山則以為稱五代者,宋人之辭,黥卒劇盜,犬羊之長,不能私之以稱代。必不得已,於斯時也,而欲推一人以為之主,其楊行密、徐溫、王建、李昇、錢鏐、王潮之猶愈乎?尚有長人之心,而人或依之以偷安也。周自威烈王以後,七國交爭,十二侯畫地以待盡,赧王納士朝秦,天下後世,固不以秦代周,而名之曰戰國。然則天祐以後、建隆以前,謂之戰國焉,允矣,何取於偏據速亡之盜夷而推崇為共主乎?嚴衍《通鑑補》亦言周社雖亡,秦命未集;昭襄雖強,猶齊、楚耳。朱溫篡唐,毒浮於地;敬瑭巨虜,貽殃萬民。梁、晉之罪,甚於黃巢。世有魯連,必當蹈海。其書以周赧入秦,七雄分據,改稱前列國;唐昭隕洛,五代迭興,改稱後列國。論甚公允。唯書之於冊,甚不易於紀年。當時十國中稱帝者四(吳、南唐、前蜀、後蜀,又南漢劉龑亦稱帝),究以何人之年號為綱而附之以事乎?嚴書分注列國年號。按:分注之列,始於《綱目》,前之前、後《漢紀》,皆不分注。《綱目》與《通鑑》體例不同,畢沅《續通鑑》,於宋代

紀年而下，旁注遼、金年號，顯然違亂《通鑑》體例。嚴之《通鑑補》亦然。故空言甚易，成書則難。史家於此，所當鄭重考慮也。霸史中如馬令、陸游《南唐書》，吳任臣《十國春秋》，謝啟昆《西魏書》（魏收在北齊作《魏書》，不載西魏，謝纂錄故籍成此），皆足以資考訂。至何者方可謂之正史，則清代以頒立學官者為限。民國以來，無此限制，亦不能再立範圍矣。

《史記》於紀、傳、表、志之外，別立世家，以紀列國諸侯。一統之朝，不宜有此。記僭偽之國曰載記，《晉書》有之，其體昉於《東觀漢記》（東漢初年之群雄，如劉玄、公賓就等悉入載記）。《新五代史》立十國世家。十國中，如吳、越、荊南奉中原正朔者列入世家，固無不可，若南唐、孟蜀則帝制自為，不受冊命，豈應列入世家？《宋史》亦以世家載開國時未滅諸國，實則皆當以載記稱之，不當列入世家也。今《清史稿》沿前史之例，立《叛臣》、《逆臣》二傳。其中如鄭成功為殘明孤忠，洪秀全亦未嘗事清，志在光復，安得以叛逆目之？此皆當入載記者也。

《史記》十表最佳，《漢書》因之，范曄、陳壽已不能為，而宋熊方作《後漢書年表》十卷，補所未備，厥意可師。蓋傳所不能容者，見之於表，亦嚴密得中之道。故親若宗房，貴如宰執，傳有所不登，名未可竟滅者，皆可約之以表。《漢書‧百官公卿表》所載，多功業低微之輩。後漢政歸臺閣，三公無權，選舉誅賞，一由尚書（臺閣者，尚書省也。尚書官小而勢尊，出納王命，敷奏萬機，一如帝王之秘書廳矣），三公唯伴食耳。故范書立傳不多，熊方補之，讀者得一覽了然，誠快事也。《新唐書》之《宰相世系表》，《漢書》之《古

今人表》，皆屬無謂（《宰相世系表》，推其始祖，記其後裔，宰相之家譜耳）。其《新唐書》之《方鎮表》，《明史》之《七卿表》（六部尚書及都察院），《清史稿》之《疆臣表》（各省督撫），則增設而得當者也。

《史記》八書，未曾完具。《禮書》錄自《荀子》，《樂書》全襲《樂記》，蓋十篇有錄無書，後人雜取他篇以補之也。其實，太史公時，禮樂已有製作。叔孫通所定之朝儀，可入《禮書》；鐃歌、楚調，可入《樂書》。不知何以剿襲充數也。《天官書》專載天文，夫星座方位，古今如一，似不必代有其書。然測天歷代不同，則又不可省也。律、歷二書，亦寡精要，史公所注意者，蓋在《河渠》、《平準》、《封禪》三書耳。《前漢書》之《禮樂》、《律歷》二志，較《史記》為詳，其《天文志》則略同《史記》，加《五行志》以記災異，則漢人最信五行也（《五行志》，後來史書無不有之，均法《漢書》之說怪異。《明史》則但載事物之變異，一無影射之言，斯為優矣）。後沈約《宋書》增《符瑞志》，斯無謂矣。《溝洫》、《食貨》二志，亦較《史記》為詳，《郊祀》意續《封禪》，《刑法》增而未盡。《地理》、《藝文》、《史記》不志，而《漢書》增之，沾溉後人不少。此班志之特長也。范蔚宗不能為志，後世以司馬彪《續漢書》志補之。《百官》、《輿服》二志，彪所新設。《百官》述官制而不詳，《輿服》可與禮樂同入一類。自此以後，書、志分門，無大變動。兵制為國家要政，而各史闕如。《新唐書》補之，可稱特識。又有《選舉志》，亦補前史所未備。天文一志，似無所用，唯《晉書》、《隋書》之天文志，詳備可觀，蓋李淳風等所定也。又《隋書·律歷志》，比較古

今度量權衡而詳列之，此亦《隋書》之特長，亦李淳風等所定也。《明史》天文、曆法，參用西術，詳列圖表。此皆後人特優之處。唯典章制度，史志所記不詳。專門之書，則有《通典》、《通考》諸書在。

　　《史記》《刺客》、《遊俠》諸傳，極形容之所事，史公意有不平，故為此激宕之文，非後人所當彷彿者也。《漢書》有《佞幸傳》，載外嬖鄧通、董賢之流，善柔便佞，雖無奸臣之氣魄，而為禍則烈。若清代之和珅，亦可入《佞幸傳》也（初修《清史》時，人謂《清史》不當列《奸臣傳》，以無人可當奸臣也。余謂和珅一流，入《佞幸傳》可矣）。《史》、《漢》有《儒林傳》，《後漢書》更益之以《文苑傳》，《史記》之《司馬相如傳》、《漢書》之《揚雄傳》，皆無大事可記，僅取其賦篇入傳。晉以後之文人，史傳亦往往錄其賦篇。是皆可入《文苑傳》，舉其篇名，不必全載其文。《後漢書》有《列女傳》，搜次才行，不專節操（劉向《列女傳》善惡兼收，不專崇節操），宋以後則為《烈女傳》，專以激揚風教為事，與前史之旨趣違異。《後漢書》有《黨錮傳》，《宋史》析《儒林》而別傳《道學》，清人頗致譏議。其實《道學》一傳，可改稱《黨錮》，蔡京立元祐黨人碑，韓侂胄禁偽學（當時士子應試，須先聲明與偽學無關），程、朱皆在黨禁之內，可不必分《儒林》、《道學》也，《明史》有《閹黨傳》，載劉瑾之黨焦芳、魏忠賢之黨魏廣微等，皆閹官爪牙，交煽毒焰者。若入《宦者傳》，則實非宦者；若入《奸臣傳》，則不足名之曰奸臣；號曰閹黨，亦無可奈何者也。王敦、桓溫諸人，逆跡昭著，《晉書》置諸最後，示外之於晉。《新唐書》分《叛臣》、《逆臣》為二，自稱王號

不奉朝命者曰叛臣，稱兵犯闕者曰逆臣。《明史》記民間揭竿而起如張獻忠、李自成之輩，為《流寇列傳》，此亦無可奈何者也（漢之黃巾無列傳，唐之黃巢入《逆臣傳》，張、李等未受朝官，不當入《逆臣傳》而又不能無傳，故曰無可奈何也）。前史於域外諸國，皆為列傳，如《匈奴傳》、《西域傳》是。明之土司，在中國境內，不能與外國等視，《明史》因增《土司傳》。凡此皆增補得當者也。

　　史傳諸體，應增即增，不必限於前例。今若重修清史，應增《幕友》、《貨殖》二傳。前代雖有參軍一職，實係軍府僚屬，與清代布衣參地方官之幕者不同（明代只有軍幕，職掌奏啟文移，無所謂刑名錢谷；至清則地方官多有之）。其始，滿人出任地方官者，於例案一無所知，不得不延幕友以為輔佐；其後，雖非滿人，亦延聘幕友。浙江巡撫李衛幕中有鄔先生者，雍正曾予密諭，其勢焰可以想見。此文幕也。至於軍幕，如明季徐文長之參胡宗憲幕，不過管書記而已。清之軍幕則不然。左宗棠初亦為幕友，靳輔幕中有陳潢，皆參與帷幄，自露頭角者也。至《貨殖列傳》，則清末富商大賈，每足以左右國家財政。列之於策，亦足以使後來者覘國政焉。

　　乙部之書，編年與正史並重。《史記》以前，《春秋》為編年之史。《竹書紀年》雖六國人作，亦編年類也。蓋史體至漢而備。《史記》、《漢書》、《東觀漢記》三史之外（晉時以《史》、《漢》、《漢記》為三史，人多習之），又有荀悅《漢紀》（悅與或、攸同宗，不附曹操，以建安十四年卒）。悅書奉詔而作。獻帝以班書文繁難省，令悅依左氏傳體為《漢紀》三十篇，則編年體也。其後有袁宏《後漢記》，孫盛《魏氏春秋》、《晉陽秋》（不稱「春秋」者，避簡文宣太

后諱也），習鑿齒《漢晉春秋》。六朝人衍其緒餘者，不可悉舉。至司馬溫公之《資治通鑑》而集其大成。踵其後者，有李燾之《通鑑長編》，李心傳之《建炎以來繫年要錄》，陳桱之《通鑑續編》。《長編》紀北宋一代之事，上接《通鑑》；《要錄》述高宗一朝之事，與《長編》相接。至陳桱《通鑑續編》，體例不純，有自為筆削處，當廁諸《通鑑綱目》之間。明薛應旂作《宋元通鑑》，清徐乾學作《通鑑後編》，畢沅作《續通鑑》，夏燮作《明通鑑》，其體例皆法《左氏傳》，而不法《春秋經》，其兼法《春秋》而意存筆削者，則文中子《元經》、朱晦庵《綱目》是已。自明以來，作史者喜學《綱目》，清有《通鑑輯覽》亦屬《綱目》一類，而與《通鑑》體例不同。徐鼒《小腆紀年》，亦效法《綱目》，蓋《通鑑》準則《漢紀》，雖有褒貶，無自存筆削之意，與沾沾以袞鉞自喜者異也。

荀悅序《漢紀》，言立典有五志：一曰達道義，二曰章法式，三曰通古今，四曰著功勳，五曰表賢能。今按：班固之作《漢書》，其義亦不外此。志即所以章法式而通古今，傳即所以著功勳而表賢能。至達道義一義，則為華夏史書所同具。袁宏生東晉之季，好發議論（荀《紀》議論甚劣），謂荀書足為佳作，然名教之本，帝王高義，則無有也。以余論之，袁書亦未為詳盡，特議論甚長耳。蓋彥伯所據，有謝承、華嶠、司馬彪。謝、沈諸家之書，點竄抉擇，極費苦心，故其自序，言經營八年疲而不能定也（荀書只就班書舊文剪裁聯絡成書，較袁書為易）。彥伯之議論，有自相違異處，如《三國名臣贊》稱荀彧云：「英英文若，靈鑑洞照，始救生人，終明風概。」而《後漢紀》則言「魏氏得以代漢者，文若之力也」。蓋贊主褒美，史

須直筆，體例各有所當耳。《後漢紀》有可與范書比勘者，如一人之言語應對，兩書不同；章奏文字，互有增省（章奏有案可稽，不應彼此不同；蓋史官潤色，故生歧異也）是也。孫、習二家之書，今不可見。《三國志》裴松之注略有稱引。孫於魏氏，無甚卓見，其餘晉事，則不可知。習書以蜀漢為正統，所以然者，習氏與桓溫同時，見溫覬覦非分，故著《漢晉春秋》以正之。然晉受魏禪，外魏則晉無所受。而習氏則以為魏文雖受漢禪，不得免於篡逆；平蜀以後，漢真亡耳，於是晉室始興。故以晉承漢，不認曹魏。故名其書曰《漢晉春秋》。於司馬昭弒高貴鄉公，亦用直筆書之。晦庵《綱目》之正蜀閏魏，即導源於此也。南北朝之史籍，如《三十國春秋》等，至今一字無存，溫公之作《通鑑》也，採摭甚廣，異同互出，不敢自擅筆削之權，因有《考異》之作。蓋傳聞每多異辭，正史或有訛謬。溫公既取可信者錄之，復考校同異，辨證謬誤，作《考異》以示來世，真所謂良工心苦也。至褒貶筆削之說，溫公所不為。例之《太史公書》，亦無自存筆削之意也。觀史公自序答壺遂之言曰：「余所謂述故事，整齊其世傳，非所謂作也。而君比之《春秋》，謬矣！」蓋《春秋》有一定之凡例，而褒貶之釋，三傳不同，故《春秋》不可妄擬。《通鑑》之志，亦猶史公之志耳。

《通鑑》成書，較袁《紀》更難。荀《紀》所載，不過二百年事；袁《紀》不及二百年；《通鑑》則綜貫一千三百六十餘年之事，採摭之書，正史而外，雜史多至三百三十二種（華嶠《後漢書》，溫公恐不及見）。此一千三百六十餘年中，事蹟紛亂，整齊不易。荀《紀》點竄班《書》，無大改異，事固易為。袁《紀》略有異同，而當時史

籍尚寡，不難考校。自三國至隋，史家著述，為數綦眾，觀《三國志》裴注徵引者已有十餘家。裴尚僅以陳壽為主，其餘諸家，不甚依據。溫公則兼收並蓄，不遺鉅細。兩晉南北朝之事，自《晉書》外，有王隱等十餘家書，溫公多採之。又如五胡十六國事蹟，最為紛亂，而《通鑑》所敘，條理秩然。皆可以見其書功力之深也。

南北朝史，均病誇大，而《魏書》尤甚。《史通》反對南北朝史最烈。其實南朝之史尚優於北朝。南朝之史有可笑者，如沈約《晉書》闌入以牛易馬之語於禪讓之間，常以忠於前朝者為不知天命，其失僅在文章褒貶之間，不如魏收《魏書》之誣誕。《魏書》志官氏則曰「以鳥名官，遠師少皞」，無怪《史通》之斥之也（《史通》之語曰：「魏氏始興邊朔，少識典墳，鳥官創置，豈關郯子！」）。又北人不讀《詩》、《書》，而詔令口語，多引經典，亦無怪《史通》之贊王劭《齊志》也（王劭《齊志》多錄當時鄙語，《史通》曰：「渠儂、底個，江左彼此之辭；乃若君、卿，中朝汝我之義。氓俗有殊，土風有類，劭之所錄，弘益多矣」）。《通鑑》於此，不甚別白，殆以為無關宏旨乎？《魏書》之外，周、齊二書，亦為誇大，至李延壽作南、北《史》，稍微減殺。是故整理南、北朝史，殊非易事。又《新唐書》採摭小說甚多，溫公則依《舊唐書》，刪存去取，其難百倍於他書也。通觀《通鑑》改採，西漢全採《史》、《漢》；東漢採范《書》十之七八；魏晉至隋，採正史者，十之六七；唐則採正史者，十不及五（溫公於《舊唐書》亦不甚滿意）；至五代則全據薛《史》。編輯之時，漢魏屬之劉攽；晉至六朝屬之劉恕；唐及五代屬之范祖禹。三人分修，而筆墨相近，蓋溫公頗加斟酌於其間也。大事之後，又繫以

「臣光曰」之論斷，較之袁書，此為簡易；較之荀書，此為透徹。書成上表，謂精力盡於此書，信不誣矣。書以「資治」為名，則無關政治之處，自非所重。是以不甚信四皓之事，於嚴子陵亦僅略著筆數筆。至於文人，尤為疏略，如欲考究文化，僅讀《通鑑》，仍有所不足也。

　　史家載筆，直書其事，其義自見，本不必以一二字為褒貶。書法固當規定，正統殊可不問，所謂不過假年號以記事耳。《通鑑》視未成一統之局，與列國相等。如以魏為正統，而記載仍與吳、蜀相同，南北朝亦然。凡一統之君，死稱崩，否則稱殂。《通鑑》於三國魏主死稱殂，蜀、吳二主亦稱殂；南北朝南主稱殂，北朝亦稱殂。一統之國，大臣死稱薨，否則稱卒，與春秋列國大夫相同。此溫公之書法，所以表示一統與否者也。其在一年中改元者，溫公以後者為準，若受禪之際，上半年屬勝代，下半年為新朝，亦以後者為準。如漢獻帝二十五年之冬，禪於曹魏，紀漢則獻帝止於二十四年，二十五年即為黃初元年；南北朝以南朝紀年，至隋開皇九年滅陳，始立隋紀。其在漢獻未禪位之前，魏稱王，漢稱帝；開皇九年前，以陳稱帝，隋稱主，滅陳之歲，陳稱主而隋稱帝。溫公書法如此，其實一年兩紀，亦無不可。溫公不欲兩紀，故以後者為準。後人言溫公奪漢太速，實亦逼於書法，無可如何也。《綱目》以蜀為正統，分注魏、吳二國年號於下，《通鑑》則止有大書，無分注之一法，後陳桱作《通鑑續編》二十四卷（桱生元末，入明為翰林編修），大書分注，全仿《綱目》，雖曰《通鑑續編》，實《綱目》之流亞也。沈周《客座新聞》載，桱著此書時，書宋太祖云「匡胤自立而還」，未輟筆，迅雷擊案，桱端

坐不懾，曰：「雖擊吾手，終不易也。」桱書頗有存亡繼絕之意，如後漢劉知遠族裔據太原稱北漢，《續編》仍存北漢年號；金哀宗之後，末帝承麟立僅一日，亦為之紀年；西遼傳國數十年，《續編》詳為分注；宋益王昰、衛王昺在瀛國公降元之後，播遷海島，《續編》亦皆記之，以存宋統（元修《宋史》附《恭宗本紀》後）。清代君主對於此事，深惡痛疾，其不願福、桂、唐三王得稱正統，觀御批《通鑑輯覽》可知。甚至李光地《榕村語錄》云：「凡歷代帝王，均有天質，不得隨人私意，尊為正統。蜀漢之尊為正統者，重視諸葛武侯故耳。」乾隆時更發特論，謂元人北去，在漠北稱汗，其裔至清初始盡，設國滅統存，則元祚不當盡於至正；武王滅紂，武庚亦將仍為正統。此不知史為中國之史，胡元非我族類，驅出境外，寧有再繫其年號之理？武庚已受周封，備位三恪，豈可與益、衛二王即位嶺海者同年而語哉！然戴名世即以《南山集》論二王應稱正統而得禍。由今觀之，愛新覺羅氏既作此國亡統絕之論，則遼東之溥儀，自不得再有統緒之說可以藉口也。

薛應旂《宋元通鑑》無所取裁，重沓疏漏，不勝枚舉。徐、畢二家之《續通鑑》，亦有誤學《綱目》處，如年號之大書分注是也。宋、元二史，本文不佳，故採摭所得，不足動人。《通鑑》於可以發議論者，著以「臣光曰」之論斷，此蓋仿《左傳》「君子曰」之例，荀、袁兩紀亦然。畢沅《續通鑑》，不著議論。不知既無一字之褒貶，自不得不有論斷，而畢書無之，難乎其為續矣。至夏燮之《明通鑑》，未免有頭巾氣。畢資畢、夏二家之書可以上繼《通鑑》者，謬也。

《綱目》本之《資治通鑑》，非晦庵親著，乃其弟子趙師淵所作。「孔子作《春秋》，筆則筆、削則削，游、夏之徒不能贊一詞。」晦庵則付之弟子，而自居其名。唐喬補闕知之有婢曰碧玉，善歌，知之為之不婚。不婚者，不娶婦也。《綱目》去一「不」字，曰：「知之為之婚。」紕繆之處，可見一斑。其所褒貶，頗欲與溫公立異。三國以正統予蜀，持義固勝；而以南北朝年號並列，則昧夷夏之辨矣。溫公推崇揚雄，既為《法言》作注，又言孟、荀不及揚雄。雄阿附巨君，《顏氏家訓》已致誹議，蘇子瞻鄙其為人。然《綱目》於天鳳五年下大書「莽大夫揚雄死」六字，則有意與溫公立異。官職卑微者，史不必書其死。史書凡例，蠻夷君長、盜賊酋帥曰死，大夫則稱卒、稱薨。故曹操、司馬懿之奸惡，其死也，亦不能不曰卒。乃於揚雄特書曰死，此晦庵不能自圓其說者也。唯此書出趙師淵手，故有此體例不純之事。其後，尹起莘為之作發明，劉益友為之作書法，恐亦彼輩逞臆之說，不免村學究之陋習耳。

作史而存《春秋》筆削之意，本非所宜。其謬與《太玄》擬《易》相同。王通作《元經》，大書「帝正月」，傳為笑柄。明人作編年史，多法《綱目》。乾隆御批《通鑑輯覽》，亦依仿《綱目》，更不足道。蓋以一人之私意予奪也。其有自以為無誤而適得其反者。如唐狄仁傑，人皆曰為良臣（中宗復位，得力於張柬之。柬之，狄所舉也），而《輯覽》則以為狄仕於周，於同平章事上應書周字。是非背於大公，即此可見。其奪益王、衛王之紀年，更無論矣。徐鼒作《小腆紀年》，專紀南明三王之事，自宜以三王紀年，而仍大書分注，以清帝紀年。然則稱大清紀年可矣，何謂「小腆」哉？徐鼒生道光時，鴉片

戰爭之後，已無文字之獄，尚有此紕繆，難乎免於劉知幾之所謂「黨護君親」矣。筆削之書，孔子而後，世無第二人。太史公、司馬溫公所不敢為，而後人紛紛為之，不得不嘆《綱目》為始作之俑也。《明史》文章，視《宋史》為勝，唯其書法有不如《宋史》者。《宋史》於益、衛二王附本紀之末，一如《後漢書》之於未踰年之君著之先帝本紀之後者。王鴻緒《明史稿》以福、唐、桂三王列入宗室諸王傳，尚可謂之特筆。於乾隆時重修《明史》，則以之附於先王傳後。須知本紀如經，列傳如傳，有君而不立本紀，其臣將何所附麗哉？如福王時史可法，唐王時何騰蛟，桂王時瞿式耜、李定國等，讀其傳者，將不知所事何人，此《明史》荒謬之處也。徐書更不足道矣。

要之，褒貶筆削，《春秋》而後，不可繼作。《元經》一書，真偽不可知。《綱目》則晦庵自視亦不甚重。尊《綱目》為聖書者，村學究之見耳。編年之史，較正史為扼要，後有作者，只可效法《通鑑》，不可效法《綱目》，此不易之理也。

正史編年而外，學者欲多識前言往行，則三通尚已。《四庫提要》以《通典》、《通考》入政書類，《通志》入別史類。不知《通志》二十略，鄭漁仲之創作；本紀、列傳，則史抄也。《四庫》不加辨別，概歸之於別史，失其實矣。作《通典》者杜君卿，唐德宗時人。先是，劉知幾之子秩作《政典》三十五卷，分門詮次，大體略具。杜氏以為未備，復博采史志，綜貫歷代典章制度，而為是書（典章制度之散在列傳者，《通典》不備取）。杜氏之意，重在政治，故天文、五行，擯而不錄。全書二百卷，分八門，禮占卷帙之半。《開元禮》原書已佚，杜氏擷其精要，存三十六卷，其隆禮如此。書成，德宗時上

之（此書上溯黃、虞，下訖天寶，可謂體大思精之作）。至宋，有宋白作《續通典》，今無可見。馬貴與作《文獻通考》，蓋有因於宋書者。馬氏以杜書為未備，故離析增益，而列二十四門。實則《經籍》、《象緯》、《物異》諸考，無關政治，不過充數而已（《經籍考》尚與文化有關）。然其書出後，繼起而無愧色者，亦不可得矣。

《通典》事實多而議論少，《通考》錄議論至多。宋人素好議論，固其所也。明王圻作《續通考》二百五十四卷，蓋不足上規馬氏。清高宗時，輯宋、遼、金、元、明五朝事蹟，作《續文獻通考》二百五十二卷。高宗好勝好名，以《通典》終天寶之末，復敕修《續通典》一百四十四卷（自唐肅宗至德元年，迄明崇禎末年）。實則既續《通典》，何必又續《通考》？同時，更撰《皇朝通典》一百卷，此其命名已不通。所謂通者，貫數代而為言也。事止一代，安得謂之通乎？《通志》二十略，大半本於《通典》。《六書》、《七音》二略，是其得意之作。帝紀列傳，迻錄原史，不合《通典》、《通考》之例。《四庫提要》不以與杜、馬之書並列，殆為此也。然《通志》疏漏殊甚，不僅言天文可笑，言地理亦可笑。《地理略》全抄《通典》之文。所以然者，南宋時兩河淪陷，鄭氏無從考徵，只得抄撮成書耳。故朱晦庵已云《通志》所載，與北方人所言不合。夫記載地理，本須親自涉覽，鄭氏不知而作，紕繆固宜。至於《六書略》與《說文》全不相涉，《七音略》則以三十六字母為主。謂三十六字母可以貫一切之音，且矜貴其說，云得之梵書。今按：《華嚴》字母，與梵語無關。《涅槃》文字品四十七字，尚與梵語相近。三十六字母者，唐宋間人摹擬《華嚴》之作也。然反切之學，中土所固有。世但知起於三國孫

炎，實則《經典釋文》即有漢儒反語數條。《史記·索隱》、《集解》，《漢書》顏注及《文選》李注皆載反切不少。《玉篇》亦有反切，此皆在創制字母之前，其為先有反切後有字母無疑。反切行世既久，歸納而生字母，此殆必然之理。鄭氏考古太疏，妄謂江左之儒知有四聲，而不知七音，尊其學出於天竺，謬矣。其《校讎》一略，為章實齋所推崇。實則鄭氏校讎之學，不甚精密，其類例一依《七略》、《七志》，不欲以四部分類，亦但襲古人成注耳。揆鄭氏初志，蓋欲作一通史。而載筆之時，不能熔鑄剪裁，以致直抄紀傳，成為今書耳。

《續通志》無本紀、列傳，《續通典》、《續通考》大體尚佳，唯嫌重複，二者有一已足，不必重規疊矩也。又其所載官制，名實殊不相應。清制在未設軍機處以前，內閣沿襲明代故事，有票擬批答之權（即中外章奏，閣臣擬批簽進也）。既設軍機處，則此權歸軍機處，而《續通典》、《續通考》仍言內閣掌票擬進呈。又給事中自唐至明，職權甚大（宋無此官），制敕詔令，皆須經給事中之手，苟有不合，可以封還。此前代政治之善，可以減殺皇帝之專制。至清，嫌惡此職，以之歸入都察院。從前台諫分列，至清而並之。密諭由軍機處傳發，給事中不得寓目。明代大赦歸內閣，由給事中頒發，清亦不然。而《續通典》、《續通考》仍載給事中掌封駁之說，此皆名實不相應者也（是否賦之以封駁之權，而給事中者有所不敢封駁，或抑奪其權而但存其名，均不可知。觀密諭給事中不得寓目，可知《續通典》、《續通考》所載，實自欺欺人語矣）。

《皇朝通志》亦有「六書略」一門。夫六書之法，限於中國文字，而此則以滿文、蒙文、回回文充之。見篆書有倒薤、懸針、垂露

諸體，亦被滿文、蒙文、回回文以倒薤、懸針、垂露之名。又以大寫者為大篆，小寫者為小篆，稱大篆為史籀作，小篆為李斯作，豈非可笑之甚耶？當時若僅續一部，或《通典》或《通考》，自唐至明，附以清制，固未嘗不可。無如高宗之好誇大，欲多成巨帙，以掩前代所作，不知適以招疊床架屋之譏也（清帝康熙最為聰明，天算詩文，確有長處；雍正專意政治，不甚留意文學，其硃批上諭，宛然訟棍口吻；乾隆天資極鈍，而好大喜功，頗思囊括中國全部學問。當時考據之風盛，故《樂善堂集》中亦有考據文。又好作詩，其在蘇杭一帶石刻者，皆可笑）。要之，清代政書，終以《大清會典》為少疵。《通典》、《通考》皆不足觀。是故，九通之中獨杜氏《通典》最當詳究，不僅考史有關，以言經學，亦重要之書也。

　　章實齋因當時戴東原輩痛詆《通志》，故作斥馬申鄭之論，謂《通志》示人以體例，本非以考證見長。不知鄭氏所志，若果在標舉綱領，則作論文可矣，何必抄襲史傳，曾不憚煩如此。以此知鄭氏之作，正欲以考證見長耳。章氏所言，適得其反。然章氏譏彈《通考》之言，固自不謬。謂天下有比次之書，有獨斷之學，有考索之功。獨斷、考索欲其智，比次之書欲其愚。馬貴與無獨斷之學，《通考》不足以成比次之切，其智既無所取，而愚之為道，又有未盡。此論也，切中《通考》之失。然不知官修之書，分門纂集，比次自不至疏陋；馬氏以一人之力，成此巨著，一人之力有限，宜其不能盡比次之愚，又何其論考索之智耶？

　　《通典》、《通考》而外，會要亦掌故要籍。《唐會要》，元和時蘇冕所作，後楊紹復等奉詔續之，宋王溥復續成今書。溥又撰《五代

會要》三十卷，南宋徐天麟更撰東、西漢《會要》，取兩漢之事，分為若干門，不專記典章制度。《四庫》無可歸類，入之政書，實非純粹政書也。東、西漢《會要》，用以搜檢兩《漢書》甚便。《五代會要》，學者不之重，然所記政典，頗足補《五代史》之闕。五代舊史不全，新史亦有所未詳也。如經籍鏤版昉之長興（唐明宗長興三年校正九經，刻板印賣，學者從此不必手抄），《五代會要》詳載其事。然明宗不甚識字，《通鑑》載李紹真、孔循請自建國號，明宗問左右何謂國號。愚陋如此，安能闡揚經術？於時馮道當國，可見九經鏤版，馮道之力為多。宋初儒者，鄙夷馮道，新史削而不書（馮之雕印九經，與張宗昌之翻刻唐石經，後先輝映）。不有《五代會要》，後代何從知馮道之功耶？大抵會要一類，只唐、五代二書較為重要，餘皆無用。其附於《通典》、《通考》之次者，以體例相近故爾。

清秦蕙田作《五禮通考》，依《周禮》吉、凶、賓、軍、嘉立為五綱，凡歷代典章制度，一一收入。此書由戴東原、錢竹汀、方觀承等參酌而成，觀象授時一門，戴氏之力居多。全書記載詳盡，勝於《通志》。曾滌笙嘗言：三通之外，可益此而為四通。然其分門之法實不合。先是，徐乾學作《讀禮通考》一百二十卷，特詳凶禮。於是秦書於凶獨略，名為五禮，實止四禮，此一失也；又古今典章制度，本非五禮所能包舉，秦書二百六十二卷，吉禮占其大半，且多祭祀一類，考古有餘，通今不足，此又一失也（《通典》、《通考》之禮，今尚有用）。《通考》綜朝覲巡狩諸事，稱曰王禮；選舉、學校，分門別立，而秦書一皆入之嘉禮。其中又設觀象授時、體國經野諸題，以統天文、輿地，此又極可笑者也。彼以為《周禮》朝覲屬於賓禮，後

世帝王一統，賓禮止行於外藩，臣工入見，無所謂賓禮，故以朝禮入嘉禮，巡狩之禮，亦併入焉，不知其為大謬也。夫體國經野、設官分職，《周禮》六官皆然，然吉、凶、軍、賓、嘉五禮，為春官大宗伯所掌（此封建時代之禮制，後世有不能沿襲者）。《周禮》大宗伯掌邦禮以佐王和邦國，以吉禮事邦國之鬼神示，以凶禮哀邦國之憂，以賓禮親邦國（朝覲會同），以軍禮同邦國，以嘉禮親萬民（冠、昏、賓、射、饗、燕皆在嘉禮）。以五禮為綱，其目三十有六。周代眾建諸侯，禮則宜然。後世易封建為郡縣，五禮之名，已不甚合。且嘉禮以親萬民，焉得以政治制度當之？故《五禮通考》之名與其分類皆未當也。《禮記》云：「經禮三百，曲禮三千。」鄭康成謂：「經禮者，《周禮》也；曲禮者，《儀禮》也。」余以為觀象授時、體國經野、設官分職、學校制度、巡狩朝覲，皆可謂之經禮。《左傳》所謂禮「經國家、定社稷、序人民、利後嗣」，《孝經》所謂「安上治民，莫善於禮」是也。經禮之外，別立曲禮一項，然後依五禮分之。如是，始秩然不紊。今但以五禮分配，於是輿地歸體國經野，職官歸設官分職，一切驅蛇龍而放之菹。不識當時戴東原、錢竹汀輩何以不為糾正也。

就政治而言，《通典》一書為最重要，其言五禮亦備。外此則《通考》亦有用。曾氏家書命其子熟讀《通考》序，可見注重《通考》矣。凡人於所得力，往往不肯明言，曾氏實得力於《通考》，四通之說，欺人語也。

民國以還，在官多寡學之徒。葉德輝嘗告余：康氏自以為是，不足與言學問；梁氏之徒，尚知謙抑，嘗問欲明典章制度，宜讀何書，

則告以可讀《通考》。余問何以不舉《通典》？葉笑曰：尚不配讀《通典》也。余謂應用於政治，讀《通考》已足。《五禮通考》之類，政治中人，未有好讀之者，讀之亦無所用。徒以曾氏一言，遂增其聲價。實則此書非但不及《通典》，亦不如《通考》甚遠。至於皇朝三通，通非所通。《五禮通考》以行政制度歸入五禮，亦不通也。今人欲讀政書，自以《通典》、《通考》為最要，《通志》已無所用。至讀皇朝三通，則不如讀《大清會典》。要之，九通之中，有用而須熟讀者，只《通典》、《通考》二書已耳。

余於星期講習會中，曾言經史實錄不應無故懷疑。所謂無故懷疑者，矜奇炫異，拾人餘唾，以譁眾取寵也。若核其同異，審其是非，憭然有得於心，此正學者所見有事也。《太史公》記六國事，兩《漢書》記王莽事，史有闕文，語鮮確證。《唐書》記太宗闈牆之變及開國功業，雖據實錄，不無自定之嫌。明初靖難之禍，建文帝無實錄可據。舉此四者，可見治史者宜冥心獨往，比勘群書而明辨之也。

《史記・六國表序》言：「秦既得意，燒天下《詩》、《書》，諸侯史記尤甚，為其有譏刺也。《詩》、《書》所以復見者，多藏人家；而史記獨藏周室，以故滅。」夫諸侯史記既滅，則太史公所恃以秉筆者，唯《秦記》耳。《六國表》，凡秦與六國戰爭之事悉載之，六國自相攻伐，如樂毅破齊等亦載之。此事之可信者也。至列傳中瑣屑之事，則不可盡信，如蘇秦合縱，秦兵不敢窺函谷者十五年；魯仲連義不帝秦，秦軍為卻五十里是也。又記載人物，往往奇傳非常，信陵君、藺相如輩，其行誼皆後人所難能。六國既無史記，史公何從知之？曾滌笙謂《莊子》多寓言，《史記》所載，恐亦太史公之寓言。

不知莊子自稱「卮言日出，和以天倪」，其書固多寓言。至於國史，事須徵實，焉得以《莊子》為比？按：蘇秦、魯連輩各有著述，《漢志》載《蘇子》三十一篇、《魯連子》十四篇、《魏公子兵法》二十一篇。蓋太史公據彼輩自著之書，採摭成文耳。余觀常人立言，每好申己絀人，孟、荀大儒，有所不免，與人辯難，恆自誇飾，見絀於人，則略而弗書。《蘇子》語本縱橫，於事實或有增飾。魯連圍城辯難，何由入秦將之耳？卻秦軍五十里，是李同戰死之功。歸之魯連者，必其自誇之辭。公子無忌敬禮侯生，事或有之；朱亥椎殺晉鄙，亦不足怪；獨如姬竊符，頗為詭異；一戰而勝，戰法亦不詳言，止於戰前略為鋪敘，恐亦襲魏公子書之誇辭也。又敘藺相如奉璧秦廷，怒髮衝冠，秦王即為折服，事亦難信。相如有無著述，今不可知，觀其為人，蓋任俠一流（史言司馬相如好讀書、學擊劍，慕藺相如之為人。司馬相如之所慕者，當是任俠使氣也）。或當時刺客、遊俠盛道其事。史公好奇，引以入列傳耳。《左傳》人物皆平實不奇，漢人亦然，獨六國時人行誼往往出恆情之外。然揚子雲評《左氏》曰品藻、《史記》曰實錄。實錄者，實錄當時傳記也。蘇秦有《蘇子》，魯連有《魯連子》，魏公子有《兵法》，史公皆取以作傳，故曰實錄，事之確否，史公固不負責，須讀者自為分辨耳。

《漢書・王莽傳贊》言：「莽折節力行，以要名譽，豈所謂色取仁而行違者耶？」又曰：「莽既不仁，而有佞邪之材，肆其奸慝，以成篡盜之禍。」今觀莽傳，莽未篡位前，釣名沽譽，譎詐甚著；既移漢祚，則如頑鈍無知之輩，如天下盜賊蜂起，莽仍令太史推三萬六千歲歷紀，以六歲一改元，布告天下。夫秦皇一世萬世之說，至今人笑

其愚。莽之此言，不尤可笑乎？又因叛者日眾，率群臣至南郊，陳其符命本末，仰天曰：「皇天既命授臣莽，何不殄滅眾賊？即令臣莽非是，願下雷霆誅臣莽。」因搏心大哭，氣盡，伏而叩頭。此與村嫗之詛咒何異？又劉歆、王涉自殺後，殿中鉤盾土山仙人掌旁有白頭公、青衣，郎吏見者，私謂之國師公。衍功侯喜素善卦，莽使筮之，曰：「憂兵火。」莽曰：「小兒安得此左道？是乃予之皇祖叔父子僑欲來迎我也。」既云莽佞邪，則其容止何其愚呆也。假六藝以文奸言，事固有之；假神仙以欺天下，其愚恐不至此。《史通・曲筆》篇言：「《後漢書・更始傳》稱其懦弱也，其初即位，南面立，朝鮮臣，羞愧流汗，刮席不敢視。夫以聖公身在微賤，已能結客報仇，避難綠林，名為豪傑；安有貴為人主，而反至於斯者乎？將作者曲筆阿時，獨在光武之美，諛言媚主，用雪伯升之怨也。且中興之史，出自東觀，或明皇所定，或馬后攷刊，而炎祚靈長，簡書莫改，遂使他姓追撰，空傳偽錄者矣。」余謂草莽之人，初登帝位，羞愧流汗，事所恆有。《史記・高祖本紀》言諸侯將相尊漢王為皇帝，漢王三讓，不得已，曰：「諸君必以為便，便國家。」觀此一語，當時侷促不安之狀，居然如畫。又袁項城洪憲元年元旦，命婦人賀，項城起立，曰：「不敢當，不敢當。」夫以漢高、項城之雄鷙，驟當尊位，猶有此惶愧之狀，則無怪乎更始之羞愧流汗、刮席不敢視矣。《後漢書》又稱：「更始居長樂宮，升前殿，郎吏以次列庭中。更始羞怍，俯首刮席不敢視。諸將後至者，更始問虜掠得幾何，左右侍官皆宮省久吏，各驚相視。」此又一事也。夫羞愧刮席，事或有之；問虜掠幾何，恐不可信。此蓋與王莽之愚呆，同為東漢人所緣飾耳。《通鑑考異》凡事有異同，則於本事之下，明注得失，若無異說，無從考校，則仍而

錄之，王莽、更始之事是也。

唐太宗之事，新、舊《唐書》之外，有溫大雅之《大唐創業起居注》在。溫書稱建成為大郎，太宗為二郎。據所載二人功業相等，不若新、舊《唐書》歸功於太宗一人也。按，唐高祖在太原，裴寂、劉文靜勸高祖起事，太宗贊成之，時建成在河東。擊西河時，建成、太宗同時被命進軍賈胡堡。天雨糧盡，高祖欲還，建成、太宗苦諫，乃止。在長安攻伐，二人之功亦相等。後太宗出關，平王世充、擒竇建德，建成不安於位，王珪、魏徵勸立功以自封，時劉黑闥盡有竇建德之地，建成率眾破滅之。創業之功，彼此既堪為伯仲，自非夷、齊，其誰克讓？若玄宗討平韋氏，宋王憲固辭儲副，此因玄宗有定國之功，宋王毫無建樹，故涕泣固讓，與建成、太宗功業相等者絕異。溫公乃謂隱太子有泰伯之賢，則亂何自而生？不悟建成自視功業不讓太宗，豈肯遽為吳泰伯乎？且唐初本染胡俗，未必信守立嫡以長之說。但鑒於隋文之廢太子勇而立煬帝（煬帝亦有平陳之功），卒召禍亂；而建成、太宗之功，又無高下，所以遲遲不肯廢太子耳。《唐書》言建成私募四方驍勇及長安惡少年二千人為宮甲，屯左右長林門，號長林兵；又募幽州突厥兵三百，納宮中。將攻西宮，或告於帝，帝召建成責之。楊文干素凶 ，建成暱之，使為慶州總管，遣募兵送京師，欲為變爾。朱煥等白反狀，文干遽發兵反，建成入謁，叩頭請死，投手於地，不能起。高祖遣太宗自行討文干，曰：「還，立汝為太子。吾不能效隋文帝自誅其子，當封建成為蜀王。」劉餗《小說》言人妄告東宮，妄告之事，或即太宗為之。蓋高祖以隋廢太子，語多誣罔，職成亂階，殷鑒不遠，故於廢立事極為猶豫。《唐書》又言建成等召

秦王夜宴，毒酒而進之，王心中暴痛，吐血數升。今按，建成之臣有魏徵、王珪，設計當不至下劣如此，心痛又何嘗不可偽作？太宗密奏建成、元吉淫亂後宮，此曖昧之事，難於徵信。高祖許太宗明當鞫問，而太宗先命長孫無忌伏兵門側。建成入參，並未持兵，則建成殺弟之意可知。建成、元吉至臨湖殿，覺變，反走，太宗從而呼之，元吉張弓射太宗，再三不彀。太宗射建成殺之，元吉中矢走，尉遲敬德追殺之。既係彼此爭訟，則靜待鞫治可耳，何必伏兵側門、推刃同氣？可見密告之事，全非事實也。夫新、舊《唐書》悉本實錄。史載太宗命房玄齡監修國史，帝索觀實錄，房玄齡以與許敬宗等同作之高祖今上實錄呈覽，太宗見書六月四日事，語多隱諱，謂玄齡曰：「周公誅管、蔡以安周，季友鴆叔牙以存魯，朕之所為，亦類是耳，史官何諱焉？」即命削去浮詞，直書其事。觀此，則唐初二朝實錄，經太宗索觀之後，不啻太宗自定之史實矣。開國之事，尚有溫大雅《起居注》可以考信，其後則無異可考，溫公亦何能再為考校哉！

明人鄭曉論建成事，謂中國開創之君，其長子多不得安。今按，夏啟嗣禹而太康失國；太甲，湯之長孫而被放；文王舍伯邑考而立武王；秦殺太子扶蘇；漢惠帝立而無後，主漢祀者為文帝子孫；東漢光武長子東海王強被廢；劉禪，昭烈嫡子，而輿櫬降魏；孫亮乃權之少子；晉司馬師無後；惠帝庸劣，懷、愍皆惠帝之子；宋營陽王被弒；齊鬱林王為明帝所殺；梁昭明太子早卒，武帝舍長孫而立簡文，後為侯景所弒；陳武帝殂時，其子昌歿於長安，兄子文帝入嗣大統；隋文帝廢太子勇而立煬帝；唐太子建成為太宗所殺；五代異姓為繼，不足論；宋太祖不得傳位於子；明懿文太子早卒，太祖嫡孫為燕王所篡。

綜觀數千年來，自周而後，開國之君，長子每多不利，形家言震為長子，方位在東，中國西北高而東南下，故長子屯蹇者多。形法雖不足信，亦甚可怪也。

太宗嘗稱「房謀杜斷」。今觀唐人記載，當定天下之初，二人實未嘗有所建樹。歷代開國勳臣，皆有定國大計。蕭何入關，首收圖籍；高祖封於漢中，心懷不平，何謂猶愈於死；進韓信為大將；居關中，轉漕給軍，補所不足。劉基佐明，其謀雖祕密，亦有可知者。明祖初奉韓林兒正朔，歲首設御座行禮，基獨不拜，曰：「牧豎耳，奉之何為！」明祖問征討大計，時陳友諒據上流，張士誠據下流，基謂先滅陳則張氏勢孤，天下可一舉而定也。蕭、劉二人，有定國大計，彼房、杜何有焉？其所謂謀斷者，恐即為太宗謀奪宗嗣而已。今觀房、杜之才，守成有餘，開創不足。然氣度亦自恢廓，魏徵、王珪入參帷幕，房、杜未嘗排擠；馬周上書，數年間階位特進，房、杜亦不嫌忌。玄齡自言最慕袁安，嘗集古今家誡，書於屏風，以教諸子曰：漢袁氏累葉忠節，吾心所尚，爾宜師之。然玄齡子遺直襲爵，幼子遺愛欲奪之，卒以謀反伏誅，此即效乃父之佐人殺兄也。杜如晦子荷，參太子承乾逆謀，欲廢太宗為太上皇，乃敗坐誅，此亦效乃父子與人家事也。以逆為訓，故子姓效尤。王績（無功，王通之弟）嘗上書玄齡，勸其功成身退，否則有滅族之禍。有識之士，見之審矣（績稱玄齡為梁公，則玄齡非文中子弟子可知）。

明成祖興靖難之師，入都後，革除建文年號，以建文四年為洪武三十五年（洪武訖三十一年）。建文無實錄，故事蹟可信者少。其初忌諱至深，至嘉靖、萬曆而稍弛，遜國時事漸見記錄，稗官野史亦有

記載，言人人殊，莫衷一是。史稱建文即位，即興削藩之議。周、代、湘、齊、岷諸王，相繼以罪廢黜，此一事也。燕王，建文所深忌，而《明史》紀事則稱建文元年，燕王入覲，由皇道入，登陛不拜，御史曾鳳韶劾以大不敬。帝詔，至親勿問。三月，燕王還國。修《明史》時，朱竹垞備論此事之非（見《史館上總裁第四書》），此又一事也。建文之謀主為齊泰、黃子澄，而方孝孺亦建文所深信。理學之徒雖竭力為方氏辯護，實則反間燕王父子者，方氏也。時燕兵掠沛，方氏以燕世子仁厚，其弟高煦狡譎有寵，有奪嫡之謀，因白帝遣人齎璽書往北平賜世子，世子得書不啟封，送之燕軍。由此觀之，削藩之事，與謀者不僅齊、黃諸人矣。明人小說載成祖待建文諸臣至為慘酷，云：鐵鉉守濟南，突破燕兵，幾擒成祖，後被執，成祖烹之，今南京鐵湯池即鉉就義地也。又云：戮殺建文臣子之妻，命上元縣扛屍至遠城與狗子吃。又云：發建文成子女入教坊，所生兒長大作小龜子。又云：程濟從建文出為僧（按：程濟事蹟，《明史》亦略有記載，謂濟本岳池教諭，建文即位，濟上書言某月日北方兵起，建文以為非所宜言，逮捕將殺之，濟大呼請囚，云：如言不驗，誅死未晚。乃下獄。及燕兵起，釋之，改官編修，參北征將軍。徐州之捷，諸將樹碑紀功，濟一夜往祭，人莫測。後燕王過徐，見碑大怒，趣左右椎之。再椎，遽曰：「止，為我錄文來！」已，按碑行誅，無得免者。而濟名適在椎脫處。濟嘗與人書曰：「君為忠臣，我為智士」）。凡此所載，其皆可信耶？否耶？吾讀《致身錄》、《從亡錄》諸書，終覺其似黎邱眩人。《致身錄》為吳江史仲彬所作，潘次耕堅持無此等事，至與史氏子孫互毆。故建文一代，無實錄可據，採之野史，失實者多矣。

以上所述，皆非無故懷疑。一則太史公紀六國時事，無所取材，取諸其人自著之書，不免失之浮誇；二則王莽之事，同此一人，而前後愚智懸絕，當出光武諸臣之曲筆；三則建成、元吉之事，有溫大雅《起居注》可供參證，房玄齡主修之國史，太宗不無自定之嫌；四則建文遜國之事，世無實錄，採之野史，未必可信。孔子曰：「多聞闕疑，多見闕殆。」故必博學、審問、慎思、明辨，方足以言懷疑。若矜奇炫異，抹殺事實，則好學之士不當爾也。

諸子略說

講論諸子，當先分疏諸子流別。論諸子流別者，《莊子・天下》篇、《淮南・要略訓》、太史公《論六家要指》及《漢書・藝文志》是已。此四篇中，《藝文志》所述最備，而《莊子》所論多與後三家不同，今且比較而說明之。

　　《天下》篇論儒家，但云「其在於《詩》、《書》、《禮》、《樂》者，鄒魯之士，搢紳先生多能明之」，而不加批判。其論墨家，列宋銒、尹文；而《藝文志》以宋銒入小說家，以尹文入名家。蓋宋銒以禁攻寢兵以外，以情欲寡淺為內，周行天下，上說下教，故近於小說；而尹文之名學，不尚堅白同異之辨，觭偶不仵之辭，故與相裡勤、五侯之徒南方之墨異趣。其次論彭蒙、田駢、慎到，都近法家；《藝文志》則以慎到入法家，以田駢入道家，是道家、法家合流也。田駢當時號為天口駢，今《尹文子》又有彭蒙語，是道家、名家合流也。道家所以流為法家者，即老子、韓非同傳可以知之。《老子》云：「魚不可脫於淵，國之利器不可以示人。」此二語是法家之根本，唯韓非能解老、喻老，故成其為法家矣。其次論老聃、關尹同為道家，而己之道術又與異趣。蓋老子之言，鮮有超過人格者，而莊子則上與造物者遊，下與外死生、無終始者為友，故有別矣。惠施本與莊周相善，而莊子譏之曰：「由天地之道，觀惠施之能，其猶一蚊一虻之勞，與物何庸？」即此可知尹文、惠施同屬名家，而莊子別論之故。蓋尹文之名，不過正名之大體，循名責實，可施於為政，與荀子正名之旨相同；若惠施、公孫龍之詭辯，與別墨一派，都無關於政治也。然則莊子之論名家，視《藝文志》為精審矣。其時荀子未出，故不見著錄。若鄧析者，變亂是非，民獻襦褲而學訟，殆與後世訟師一

流，故莊子不屑論及之歟？

《要略》首論太公之謀為道家，次論周、孔之訓為儒家，又次論墨家，又次論管子之書為道家，晏子之諫為儒家，又次論申子刑名之書、商鞅之法為法家。比於《天下》篇，獨少名家一流。

太史公〈論六家要旨〉，於陰陽、儒、墨、名、法五家，各有短長，而以黃老之術為依歸。此由身為史官，明於成敗利鈍之效，故獨有取於虛無因循之說也。昔老聃著五千言，為道家之大宗，固嘗為柱下史矣。故曰道家者流，出於史官。

《藝文志》列九流，其實十家。其縱橫家在七國力政之際，應運而起，統一之後，其學自廢。農家播百穀、勤耕桑，則《呂覽》亦載其說；至於君臣並耕，如孟子所稱許行之學，殆為後出，然其說亦不能見之實事。雜家集他人之長，以為己有，《呂覽》是已；此在後代，即《群書治要》之比，再擴充之，則《圖書集成》亦是也。小說家街談巷議，道聽塗說，固不可盡信；然宋鈃之流，亦自有其主張；虞初九百，則後來方志之濫觴。是故縱橫、農、雜、小說四家，自史公以前，都不數也。

雖然，縱橫之名，起於七國。外交專對，自春秋已重之。又氾勝之區田之法，本自伊尹，是伊尹即農家之發端。田蚡所學盤盂書，出自孔甲，是孔甲即雜家之發端。方志者，《周官》土訓、誦訓之事。今更就《藝文志》所言九流所從出而推論之。

《藝文志》云：儒家出於司徒之官。此特以周官司徒掌邦教，而

儒者主於明教化，故知其源流如此。又云：道家出於史官者，老子固嘗為柱下史，伊尹、太公、管子，則皆非史也；唯管子下令如流水之原，令順民心，論卑而易行，此誠合於道家南面之術耳。又云：墨家出於清廟之守者，墨家祖尹佚，《洛誥》言：「烝祭文王、武王，逸祝冊。」逸固清廟之守也。又《呂覽》云：「魯惠公使宰讓請郊廟之禮於天子，桓王使史角往，惠公止之。其後在於魯，墨子學焉。」是尤為墨學出於清廟之確證。又云：名家出於禮官。此特就名位禮數推論而知之。又云：法家出於理官者，理官莫尚於皋陶。皋陶曰：「余未有知，思曰贊贊襄哉！」此頗近道家言矣。贊者，老子所稱輔萬物之自然而不敢為也；襄者，因也，即老子所稱聖人無常心，以百姓心為心也。莊子稱慎到無用賢聖、塊不失道，此即理官引律斷案之法矣。然《藝文志》法家首列李悝，以悝作《法經》，為後來法律之根本。自昔夏刑三千，周刑二千五百，皆當有其書，子產亦鑄刑書，今悉不可見，獨《法經》六篇，蕭何廣之為九章，遂為歷代刑法所祖述。後世律書，有名例，本於曹魏之刑名法例，其原即《法經》九章之具律也。持法最重名例，故法家必與名家相依。又云：陰陽家出於羲和之官。今按，管子稱述陰陽之言頗多，《左傳》載萇弘之語，亦陰陽家言也。又云：農家出於農稷之官。此自不足深論。又云：縱橫家出於行人之官者，此非必行人著書傳之後代，特外交成案，有可稽考者爾。《張儀傳》稱儀與蘇秦俱事鬼谷先生學術。《風俗通》云：「鬼谷先生，六國時縱橫家。」更不知鬼谷之學何從授之。又云：雜家出於議官者，漢官有議郎，即所謂議官也，於古無徵。又云：小說家出於稗官者，如淳曰：「王者欲知閭巷風俗，故立稗官，使稱說之。」是稗官為小官近民者。

諸子之起，孰先孰後，史公、劉、班都未論及，《淮南》所敘，先後倒置，亦不足以考時代。今但以戰國諸家為次，則儒家宗師仲尼，道家傳於老子，此為最先。墨子或曰並孔子時，或曰在其後。按墨子亟說魯陽文子，當楚惠王時。惠王之卒，在魯悼公時。蓋墨子去孔子亦四五十年矣。觀墨子之論辯，大抵質樸遲鈍，獨經說為異。意者，經說別墨所傳，又出墨子之後。法家李悝，當魏文侯時；名家尹文，當齊宣王時；陰陽家鄒衍，當齊湣王、燕昭王時，皆稍稍晚出。縱橫家蘇秦，當周顯王時；小說家淳于髡，當梁惠王時，此皆與孟子並世者。雜家當以《呂覽》為大宗，《呂覽》集諸書而成，備論天地萬物古今之事。蓋前此無呂氏之權勢者，亦無由辦此。

　　然更上徵之春秋之世，則儒家有晏子，道家有管子，墨家則魯之臧氏近之。觀於哀伯之諫，首稱清廟，已似墨道；及文仲縱逆祀、祀爰居，則明鬼之效也；妾織蒲，則節用之法也。武仲見稱聖人，蓋以鉅子自任矣。至如師服之論名，即名家之發端。子產之鑄刑書，得法家之大本；其存鄭於晉楚之間，則亦盡縱橫之能事。若燭之武之退秦師，是純為縱橫家。梓慎、裨灶，皆知天道，是純為陰陽家。蔡墨之述畜龍，蓋近於小說矣。唯農家、雜家，不見於春秋。

　　以上論九流大旨。今復分別論之，先論儒家：

　　《漢書‧藝文志》謂儒家出於司徒之官，大旨是也。《周禮‧大司徒》以鄉三物教萬民六德、六行、六藝。六德者，智、仁、聖、義、中、和，此為普遍之德，無對象。六行者，孝、友、睦、姻、任、恤，此為個別之行，有對象（如孝對父母、友對兄弟、睦姻對戚

黨、任恤對他人）。六藝者，禮、樂、射、御、書、數，禮樂不可斯須去身，射御為體育之事，書數則尋常日用之要，於是智育、德育、體育俱備。又師氏以三德教國子，曰，至德以為道本，敏德以為行本，孝德以知逆惡。蓋以六德、六行概括言之也。又，大司徒以五禮防萬民之偽而教之中，以六樂防萬民之情而教之和；大司樂以樂德教國子中、和、祗、庸、孝、友。大宗伯亦稱中禮和樂。可知古人教士，以禮樂為重。後人推而廣之，或云中和，或云中庸。孔子曰：「中庸之為德，其至矣乎，民鮮能久矣。」中庸聯稱，不始於子思，至子思乃謂：「喜怒哀樂之未發謂之中，發而皆中節謂之和。」其始殆由「中、和、祗、庸、孝、友」一語出也。

儒者之書，《大學》是至德以為道本（明明德止於至善，至德也），《儒行》是敏德以為行本，《孝經》是孝德以知逆惡，此三書實儒家之總持。劉、班言儒家出於司徒之官，固然；然亦有出於大司樂者，「中庸」二字是也。以儒家主教化，故謂其源出於教官。

《荀子・儒效》稱周公為大儒，然則儒以周公為首，《周禮》云：「師以賢得民，儒以道得民。」師之與儒殆如後世所稱經師、人師。師以賢得民者，鄭注謂以道行教民；儒以道得民者，鄭注謂以六藝教民。此蓋互言之也。

儒之含義綦廣。《說文》：「儒，柔也。術士之稱。」術士之義亦廣矣，草昧初開，人性強暴，施以教育，漸漸摧剛為柔。柔者，受教育而馴擾之謂，非謂儒以柔為美也。受教育而馴擾，不唯儒家為然；道家、墨家未嘗不然；等而下之，凡宗教家莫不皆然，非可以專稱儒

也。又《莊子·說劍》:「先生必儒服而見王,事必大逆。」莊子道家,亦服儒服。司馬相如《大人賦》:「列仙之儒,居山澤間,形容甚臞。」仙亦可稱為儒。而《宏明集》復有九流皆儒之說,則宗教家亦可稱儒矣。今所論者,出於司徒之儒家,非廣義之術士也。

周公、孔子之間,有儒家乎?曰:有。晏子是也。柳子厚稱晏子為墨家,余謂晏子一狐裘三十年,尚儉與墨子同,此外皆不同墨道。春秋之末,尚儉之心,人人共有,孔子云:「禮,與其奢也,寧儉。」老子有三寶,二曰儉。蓋春秋時繁文縟禮,流於奢華,故老、墨、儒三家,皆以儉為美,不得謂尚儉即為墨家也。且晏子祀其先人,豚肩不掩豆。墨家明鬼,而晏子輕視祭祀如此,使墨子見之,必蹙蹙而去。墨子節葬,改三年服為三月服,而晏子喪親盡禮,亦與墨子相反。可見晏子非墨家也。又儒家慎獨之言,晏子先發之,所謂「獨立不慚於影,獨寢不慚於魂」是也。當時晏子與管子並稱,晏子功不如管,而人顧並稱之,非晏以重儒學而何?故孔子以前,周公之後,唯晏子為儒家。蘧伯玉雖似儒家,而不見有書,無可稱也。

孔子之道,所包者廣,非晏子之比矣。夫儒者之業,本不過大司徒之言,專以修己、治人為務。《大學》、《儒行》、《孝經》三書,可見其大概。然《論語》之言,與此三書有異。孔子平居教人,多修己、治人之言;及自道所得,則不限於此。修己、治人,不求超出人格;孔子自得之言,蓋有超出人格之外者矣。「子絕四:毋意、毋必、毋固、毋我。」毋意者,意非意識之意,乃佛法之意根也。有生之本,佛說謂之阿賴耶識。阿賴耶無分彼我,意根執之以為我,而其作用在恆審思量。有意根即有我,有我即墮入生死。顛狂之人,事事

不記，唯不忘我。常人作止語默，絕不自問誰行誰說，此即意根之力。欲除我見，必先斷意根。毋必者，必即恆審思量之審。毋固者，固即意根之念念執著。無恆審思量，無念念執著，斯無我見矣。然則絕四即是超出三界之說。六朝僧人好以佛、老、孔比量，謂老、孔遠不如佛；玄奘亦云。皆非知言之論也（然此意以之講說則可，以之解經則不可。何者？講說可以通論，解經務守家法耳）。

　　儒者之業，在修己、治人。以此教人，而不以此為至。孔門弟子獨顏子聞克己之說。克己者，破我執之謂。孔子以四科設教，德行：顏淵、閔子騫、冉伯牛、仲弓。然孔子語仲弓，僅言「出門如見大賓，使民如承大祭」而已。可知超出人格之語，不輕告人也。顏子之事不甚著，獨莊子所稱心齋、坐忘，能傳其意。然《論語》記顏子之語曰：「仰之彌高，鑽之彌深。瞻之在前，忽焉在後。」蓋顏子始猶以為如有物焉，卓然而立。經孔子之教，乃謂「如有所立卓爾。雖欲從之，末由也已。」（如當作假設之辭，不訓似。）此即本來無物，無修無得之意。然老子亦見到此，故云「上德不德，是以有德；下德不失德，是以無德」。德者得也。有所得非也，有所見亦非也。揚子雲則見不到此，故云顏苦孔子卓。實則孔、顏自道之語，皆超出人格語。孟子亦能見到，故有「望道而未之見」語。既不見則不必望，而猶曰望者，行文不得不爾也。孔子曰：「吾有知乎哉？無知也。」此亦非謙詞。張橫渠謂「洪鐘無聲，待叩乃有聲；聖人無知，待問乃有知」。其實答問者有依他心，無自依心。待問而知之知，非真知也，依他而為知耳。佛法謂一念不起，此即等於無知。人來問我，我以彼心照我之心，據彼心而為答，烏得謂之有知哉？橫渠待問有知之語猶

未諦也。佛法立人我、法我二執：覺自己有主宰，即為人我執；信佛而執著佛，信聖人而執著聖人，即為法我執，推而至於信道而執著道，亦法我執也。絕四之說，人我、法我俱盡。「如有所立卓爾，雖欲從之，末由也已」者，亦除法我執矣。此等自得之語，孔、顏之後，無第三人能道（佛、莊不論）。

子思之學，於佛注入天趣一流。超出人格而不能斷滅，此之謂天趣。其書發端即曰「天命之謂性」，結尾亦曰「與天地參，上天之載，無聲無臭」。佛法未入中土時，人皆以天為絕頂。佛法既入，乃知天尚非其至者。謝靈運言：成佛生天，居然有高下。如以佛法衡量，子思乃中國之婆羅門。婆羅門者，崇拜梵天王者也。然猶視基督教為進。觀基督教述馬利亞生耶穌事，可知基督教之上帝，乃欲界天，與漢儒所稱感生帝無別。（佛法所謂三界者：天色界天、色界天、欲界天。欲界天在人之上而在色界天之下。）而子思所稱之「無聲無臭」，相當於佛法之色界天，適與印度婆羅門相等。子思之後有孟子。孟子之學，高於子思。孟子不言天，以我為最高，故曰「萬物皆備於我」。孟子覺一切萬物皆由我出。如一轉而入佛法，即三界皆由心造之說，而孟子只是數論。數論立神我為最高，一切萬物，皆由神我流出。孟子之語，與之相契，又曰「反身而誠，樂莫大焉」者，反觀身心，覺萬物確然皆備於我，故為可樂。孟子雖不言天，然仍入天界。蓋由色界天而入無色界天，較之子思，高出一層耳。夫有神我之見者，以我為最尊，易起我慢。孟子生平誇大，說大人則藐之。又云：「我善養吾浩然之氣，至大至剛，以直養而無害，塞乎天地之間。」其我慢如此。何者？有神我之見在，不自覺其誇大耳。以故孟

子之學，較孔、顏為不逮。要之，子思、孟子均超出人格，而不能超出天界，其所得與婆羅門、數論相等。然二家於修己治人之道，並不拋棄，則異於婆羅門、數論諸家。子思作《中庸》，孟子作七篇，皆論學而及政治者也。子思、孟子既入天趣，若不轉身，必不能到孔、顏之地，唯莊子為得顏子之意耳。

荀子語語平實，但務修己治人，不求高遠。論至極之道，固非荀子所及。荀子最反對言天者，《天論》云：「聖人不求知天。」又云：「星墜木鳴，日月有蝕，怪星黨見，牛馬相生，六畜為妖：怪之，可也；畏之，非也。」揆荀子之意，蓋反對當時陰陽家一流（鄒衍之說及後之《洪範五行傳》一流），其意以為天與人實不相關。

《非十二子》云：「案往舊造說，謂之五行。子思唱之，孟軻和之。」今按：孟子書不見五行語，《中庸》亦無之。唯《表記》（《表記》、《坊記》、《中庸》、《緇衣》皆子思作）有「水尊而不親，土親而不尊，天尊而不親，命尊而不親，命親而不尊，鬼尊而不親」諸語。子思五行之說，殆即指此。（《漢書・藝文志》：《子思》二十三篇。今存四篇，見戴記。餘十九篇不可見，其中或有論五行語。）孟子有外書，今不可見，或亦有五行語。荀子反對思、孟，即以五行之說為的。蓋荀子專以人事為重，怪誕之語（五行之說，後鄒衍輩所專務者），非駁盡不可也。漢儒孟、荀並尊，餘謂如但尊荀子，則《五行傳》、緯書一流不致囂張。今人但知陰陽家以鄒衍為首，察荀子所云，則陰陽家乃儒家之別流也（《洪範》陳說五行而不及相生相剋，《周本紀》武王問箕子殷所以亡，箕子不忍言殷惡，武王亦醜，故問以天道。據此知《洪範》乃箕子之閒話耳。漢文帝見賈生於宣室，不

問蒼生問鬼神。今賈生之言不傳，或者史家以為無關宏旨，故闕而不書。當時武王見箕子心情慚疚，無話可說，乃問天道。箕子本陽狂，亦妄稱以應之。可見《洪範》在當時並不著重，亦猶賈生宣室之對也。漢儒附會，遂生許多怪誕之說。如荀子之說早行，則《五行傳》不致流衍）。墨子時子思已生、鄒衍未出。《墨・經》有「五行無常勝，說在宜」一語。而鄒衍之言，以五勝為主。五勝者，五行相勝：水勝火、火勝金、金勝木、木勝土、土勝水也。然水火間承之以釜，火何嘗不能勝水？水大則懷山襄陵，土又何嘗能勝水！墨子已言「無行無常勝」，而孟子、鄒衍仍有五行之說，後乃流為讖緯，如荀子不斥五行，墨家必起而斥之。要之，荀子反對思、孟，非反對思、孟根本之學，特專務人事，不及天命，即不主超出人格也。

　　荀子復言隆禮樂（或作儀），殺《詩》、《書》，此其故由於孟子長於《詩》、《書》，而不長於禮。（孟子曰：「諸侯之禮，吾未之學也。」）墨子時引《詩》、《書》（引《書》多於孟子）而反對禮樂。荀子偏矯，純與墨家相反。此其所以隆禮樂，殺《詩》、《書》也（《非十二子》反對墨家最甚，寧可少讀《詩》、《書》，不可不尊禮樂，其故可知）。其所以反對子思、孟子者，子思、孟子皆有超出人格處，荀子所不道也。

　　若以政治規模立論，荀子較孟子為高。荀子明施政之術，孟子僅言五畝之宅樹之以桑，使民養生送死無憾而已。由孟子此說，乃與龔遂之法相似，為郡太守固有餘，治國家則不足，以其不知大體，僅有農家之術爾。又孟子云：「堯舜性之也，湯武反之也，五霸假之也。」又謂：「仲尼之門，無道桓文之事者。」於五霸甚為輕蔑。荀子則不

然，謂義立而王、信立而霸、權謀立而亡，於五霸能知其長處。又《議兵》云：「齊之技擊，不可以遇魏氏之武卒；魏氏之武卒，不可以遇秦之銳士；秦之銳士，不可以當桓文之節制；桓文之節制，不可以敵湯武之仁義。」看來層次分明，不如孟子一筆抹殺。余謂《議兵》一篇，非孟子所能及。

至於性善、性惡之辯，以二人為學入門不同，故立論各異。荀子隆禮樂而殺《詩》、《書》，孟子則長於《詩》、《書》。孟子由詩入，荀子由禮入。詩以道性情，故云人性本善；禮以立節制，故云人性本惡。又，孟子鄒人，鄒魯之間，儒者所居，人習禮讓，所見無非善人，故云性善；荀子趙人，燕趙之俗，杯酒失意，白刃相仇，人習凶暴，所見無非惡人，故云性惡。且孟母知胎教，教子三遷，孟子習於善，遂推之人性以為皆善；荀子幼時教育殆不如孟子，自見性惡，故推之人性以為盡惡。

孟子論性有四端：惻隱為仁之端，羞惡為義之端，辭讓為禮之端，是非為智之端。然四端中獨辭讓之心為孩提之童所不具，野蠻人亦無之。荀子隆禮，有見於辭讓之心性所不具，故云性惡，以此攻擊孟子，孟子當無以自解。然荀子謂禮義辭讓，聖人所為。聖人亦人耳，聖人之性亦本惡，試問何以能化性起偽？此荀子不能自圓其說者也。反觀孟子既云性善，亦何必重視教育，即政治亦何所用之？是故二家之說俱偏，唯孔子「性相近、習相遠」之語為中道也。

揚子雲迂腐，不如孟、荀甚遠，然論性謂善惡混，則有獨到處。於此亦須採佛法解之，若純依儒家，不能判也。佛法阿賴耶識，本無

善惡。意根執著阿賴耶為我，乃生根本四煩惱：我見、我痴、我愛、我慢是也。我見與我痴相長，我愛與我慢相制。由我愛而生惻隱之心，由我慢而生好勝之心。孟子有見於我愛，故云性善；荀子有見於我慢，故云性惡；揚子有見於我愛、我慢交至為用，故云善惡混也。

孟、荀、揚三家，由情見性，此乃佛法之四煩惱。佛家之所謂性，渾沌無形，則告子所見無善無不善者是矣。揚子生孟、荀之後，其前尚有董仲舒。仲舒謂人性猶穀，穀中有米，米外有糠。是善惡之說，仲舒已見到，子雲始明言之耳。子雲之學，不如孟、荀，唯此一點，可稱後來居上。

然則論自得之處，孟子最優，子思次之，而皆在天趣。荀子專主人事，不務超出人格，則但有人趣。若論政治，則荀子高於思、孟。子雲投閣，其自得者可知。韓昌黎謂孟子醇乎醇，荀與揚大醇而小疵。其實，揚不如荀遠甚。孟疏於禮，我慢最重，亦未見其醇乎醇也，司馬溫公注《太玄》、《法言》，欲躋揚子於孟、荀之上。夫孟、荀著書，不事摹擬，揚則摹擬太甚，絕無卓然自立之處，若無善惡混一言，烏可與孟、荀同年而語哉！溫公所云，未免阿其所好。至於孔、顏一路，非唯漢儒不能及，即子思、孟子亦未能步趨，蓋逖乎遠矣。以上略論漢以前之儒者。

論漢以後之儒家，不應從宋儒講起，六朝隋唐亦有儒家也。概而言之，須分兩派：一則專務修己治人，不求高遠；一則顧亭林所譏明心見性之儒是矣（明心見性，亭林所以譏陽明學派者，唯言之太過，不如謂盡心知性為妥）。修己治人之儒，不求超出人格；明心見性，

則超出人格矣。

　　漢以後專論修己治人者，隋唐間有文中子王通（其人有無不可知，假定為有），宋有范文正（仲淹）、胡安定（瑗）、徐仲車（積），南宋有永嘉派之薛士龍（季宣）、陳止齋（傅良）、葉水心（適），金華派之呂東萊（祖謙），明有吳康齋（與弼、白沙、陽明，均由吳出）、羅一峰（倫），清有顧亭林（炎武）、陸桴亭（世儀，稍有談天說性語）、顏習齋（元）、戴東原（震）。此數子者，學問途徑雖不同（安定修己之語多，治人之語少；仲車則專務修己，不及治人；永嘉諸子偏重治人，東萊亦然；習齋兼務二者，東原初意亦如此，唯好駁斥宋人，致入棘叢），要皆以修己治人為歸，不喜高談心性。此派蓋出自荀子，推而上之，則曾子是其先師。

　　明心見性之儒，首推子思、孟子。唐有李習之（翱），作《復性書》，大旨一依《中庸》。習之曾研習禪宗。一日，問僧某「『黑風吹墮鬼國』，此語何謂？」僧呵曰：「李翱小子，問此何為！」習之不覺怒形於色。僧曰：「此即是『黑風吹墮鬼國』。」今觀《復性書》雖依《中庸》立論，其實陰襲釋家之旨。宋則周濂溪（敦頤）開其端。濂溪之學本於壽涯。濂溪以為儒者之教，不應屬雜釋理。壽涯教以改頭換面，又授以一偈，云：「有物先天地，無形本寂寥。能為萬象主，不逐四時凋」（此詩語本《老子》「有物混成，先天地生。寂兮寥兮，獨立而不改，周行而不殆，可以為天下母。吾不知其名，強字之曰道」一章。「有物先天地」，即「有物混成，先天地生」也；「無形本寂寥」，即「寂兮寥兮」也；「能為萬象主，不逐四時凋」，即「獨立不改，周行不殆，可以為天下母」也。壽涯不以佛法授濂

溪，而採《老子》，不識何故）。後濂溪為《太極圖說》、《通書》，更玄之又玄矣。張橫渠（載）《正蒙》之意，近於回教。橫渠陝西人，唐時景教已入中士。陝西有大秦寺，唐時立，至宋嘉祐時尚在，故橫渠之言，或有取於彼。其云「清虛一大之謂天」，似回教語；其云「民吾同胞，物吾與也」，則似景教。人謂《正蒙》之旨，與墨子兼愛相同。墨子本與基督教相近也。然橫渠頗重禮教，在鄉擬興井田，雖雜景教、回教意味，仍不失修己治人一派之旨。此後有明道（程顥）、伊川（程頤）、世所稱二程子者。伊川天資不如明道，明道平居燕坐，如泥塑木雕（此非習佛家之止觀，或如佛法所稱有宿根耳）；受濂溪之教，專尋孔、顏樂處，一生得力，從無憂慮，實已超出人格，著《定性書》，謂不須防檢力索，自能從容中道。以佛法衡之，明道殆入四禪八定地矣。楊龜山（時）、李延平（侗）傳之。數傳而為朱晦庵（熹）。龜山取佛法處多，天資高於伊川，然猶不逮謝上蔡（良佐）。上蔡為二程弟子天資最高者。後晦庵一派，不敢採取其說，以其近乎禪也。龜山較上蔡為有範圍，延平範圍漸小。迨晦庵出，爭論乃起，時延平以默坐、澄心、體認、天理教晦庵（此亦改頭換面語，實即佛法之止觀）。晦庵讀書既多，言論自富，故陸象山（九淵）、王陽明（守仁）譏為支離。陽明有朱子晚年定論之說，據與何叔京一書（書大意謂，但因良心發現之微，猛省提撕，使心不昧，即為學者下工夫處），由今考之，此書乃庵晦三十四歲時作，非真晚年。晚年定論，乃陽明不得已之語，而東原非之，以為墮入釋氏。陽明以為高者，東原反以為歧。實則晦庵恪守師訓，唯好勝之心不自克，不得不多讀書，以資雄辯。雖心知其故，而情不自禁也。至無極、太極之爭，非二家學問之本，存而不論可矣（象山主太極之上

無無極，晦庵反之，二人由是哄爭。晦庵謂如曰未然，則各尊所聞，各行所知。象山答云，通人之過，雖微鍼藥，久當自悟。蓋象山稍微和平矣）。

宋儒出身仕宦者多，微賤起家者少。唯象山非簪纓之家（象山家開藥肆），其學亦無師承。常以為二程之學，明道疏通，伊川多障。晦庵行輩，高出象山，論學則不逮。象山主先立乎其大者（宋人為學，入手之功，各有話頭。濂溪主靜，伊川以後主敬，象山則謂先立乎其大者），不以解經為重，謂「六經注我，我不注六經」。顧經籍爛熟，行文如漢人奏議，多引經籍，雖不如晦庵之盡力注經，亦非棄經籍而不讀也。其徒楊慈湖（簡。慈湖成進士為富陽主簿時，象山猶未第。至富陽，慈湖問「何謂本心」？象山曰：「君今日所斷扇訟，彼訟扇者必有一是、有一非，若見得孰是孰非，即決定為某甲是某乙非，非本心而何？」慈湖亟問曰：「止如斯耶？」象山厲聲答曰：「更何有也！」慈湖退，拱坐達旦，質明納拜，遂稱弟子），作《絕四記》，多參釋氏之言，然以意為意識，不悟其為意根，則於佛法猶去一間。又作《己易》，以為易之消息，不在物而在己，己即是易。又謂衣冠禮樂、娶妻生子。學周公孔子，知其餘不學周孔矣。既沒，弟子稱之曰「圓明祖師」（不知慈湖自稱抑弟子尊之云爾）。宋儒至慈湖，不諱佛如此，然猶重視禮教，無明人猖狂之行。蓋儒之有禮教，亦猶釋之有戒律。禪家呵佛罵祖，猖狂之極，終不失僧人戒律。象山重視禮教，弟子飯次交足，諷以有過。慈湖雖語言開展，亦守禮唯謹，故其流派所衍，不至如李卓吾輩之披猖也。

明儒多無師承，吳康齋與薛敬軒（瑄）同時，敬軒達官，言語謹

守矩矱，然猶不足謂為修己治人一流。英宗復辟，于謙凌遲處死，敬軒被召入議，但謂三陽發生，不可用重刑，詔減一等。凌遲與斬，相去幾何？敬軒於此固當力爭，不可則去，烏得依違其間如此哉（此事後為劉蕺山所斥）？康齋父溥與解縉、王艮、胡廣比舍居，燕兵薄京城，城陷前一夕皆集溥舍，縉陳說大義，廣亦奮激慷慨，艮獨流涕不言。三人去，康齋尚幼，嘆曰：「胡叔能死，是大佳事。」溥曰：「不然，獨王叔死耳。」語未畢，隔牆聞廣呼：「外喧甚，謹視豚！」溥顧曰：「一豚尚不能捨，肯捨生乎？」然己亦未嘗死節。康齋之躬耕不仕，殆以此故。敬軒之學不甚傳，而康齋之傳甚廣（陳白沙獻章即其弟子；又有妻一齋諒，以其學傳陽明。白沙之學傳湛甘泉若水。其後，王、湛兩家之傳最廣，皆自康齋出也）。康齋安貧樂道，無超過人格語。白沙講學，不作語錄，不講經，亦無論道之文。唯偶與人書，或托之於詩，常稱曾點浴沂風雩之美，而自道功夫，則謂「靜中養出端倪」（端倪一語，劉蕺山謂為含胡。其實孟子有四端之說，四端本不甚著，故須靜中養之）。亦復時時靜坐，然猶不足以擬佛法，蓋與四禪八定近耳。弟子湛甘泉（若水），與陽明同時。陽明成進士，與甘泉講學，甚相得，時陽明學未成也。陽明幼時，嘗與鐵柱宮道士交契，三十服官之後，入九華山，又從道士蔡蓬頭問道。乃為龍陽驛丞，憂患困苦之餘，忽悟知行合一之理。謂宋儒先知後行，於事未當。所謂「如惡惡臭」、「如好好色」，即知即行，非知為好色而後好之，知為惡臭而後惡之也。其致良知之說，在返自龍場之後。以為昔人之解致知格物，非唯朱子無當，司馬溫公輩亦未當（溫公以格為格殺勿論之格。然物來即格之，唯深山中頭陀不涉人事者為可，非所語於常人也）。朱子以窮知事物之理為格物（宋人解格物者均有此

意，非朱子所創也），陽明初信之，格竹三日而病，於是斥朱子為非是。朱子之語，包含一切事物之理，一切事物之理，原非一人之知所能盡，即格竹不病，亦與誠意何關？以此知陽明之斥朱子為不誤。然陽明以為格當作正字解。格物者，致良知以正物。物即心中之念，致良知，則一轉念間，知其孰善孰惡，去其惡，存其善，斯意無不誠。余謂陽明之語雖踔，顧與《大學》原文相反。《大學》謂物格而後致知，非謂致知而後物格。朱子改竄《大學》，陽明以為應從古本。至解格物致知，乃顛倒原文，又豈足以服朱之心哉（後朱派如呂涇野枏輩謂作止語默皆是物，實襲陽明之意而引申之。顧亭林謂「為人君止於仁，為人臣止於敬，為人子止於孝，為人父止於慈，與國人交止於信」，斯即格物。皆與陽明宗旨不同，而亦不採朱子窮至事物之理之說。然打破朱子之說，不可謂非陽明之力也）？

　　格物致知之說，王心齋（艮）最優。心齋為陽明弟子（心齋初為鹽場灶丁，略語《四書》，制古衣冠、大帶、笏板服之，曰：「言堯之言，行堯之行，而不服堯之服，可乎哉？」聞其論曰：「此絕類王巡撫之談學也。」時陽明巡撫江西，心齋即往謁，古服舉笏立於中門，陽明出迎於門外。始入，據上坐；辯難久之，心折，移坐於側；論畢，下拜稱弟子。明日復見，告之悔，復上坐，辯難久之，乃大服，卒為弟子。本名銀，陽明為改曰艮），讀書不多，反能以經解經，義較明白。謂《大學》有「物有本末，事有始終，知所先後，則近道矣」語。致知者，知事有終始也；格物者，知物有本末也。格物致知，原係空文，不必強為穿鑿。是故誠意是始，平天下是終；誠意是本，平天下是末。知此即致知矣。劉蕺山（宗周）等崇其說，稱之

曰：「淮南格物論，謂是致知格物之定論。」蓋陽明讀書多，不免拖杳；心齋讀書少（心齋入國子監，司業問：「治何經？」曰：「我治總經。」又作《大成歌》，亦有尋孔、顏樂處之意，有句云：「學是學此樂，樂是樂此學」），故能直截了當，斬除葛藤也。心齋解「在止於至善」，謂身名俱泰，乃為至善；殺身成仁，便非至善。其語有似老子。而弟子顏山農（鈞）、何心隱輩，猖狂無度，自取戮辱之禍，乃與師說相反。清人反對王學，即以此故。顏山農頗似遊俠，後生來見，必先享以三拳，能受，乃可為弟子。心隱本名梁汝元，從山農時，亦曾受三拳，而終不服，知山農狎妓，乃伺門外。山農出，以三拳報之。此誠非名教所能羈絡矣。山農篤老而下獄遣戍，心隱卒為張江陵所殺（江陵為司業，心隱問曰：「公居太學，知《大學》道乎？」江陵目攝之，曰：「爾意時時欲飛，卻飛不起。」江陵去，心隱曰：「是夫異日必當國，必殺我。」時政由嚴氏，而世宗幸方士藍道行，心隱偵知嵩有揭帖，囑道行假乩神降語：「今日當有一奸臣言事。」帝遲之，而嵩揭帖至，由此疑嵩。御史鄒應龍避雨內侍家，偵知其事，因抗疏極論嵩父子不法，嚴氏遂敗，江陵當國，以心隱術足以去宰相，為之心動，卒捕心隱下獄死），蓋王學末流於顏、何輩而使人怖畏矣。

陽明破宸濠，弟子鄒東廓（守益）助之，而歐陽南野（德）、聶雙江（豹）輩，則無事功可見。雙江主兵部，《明史》贊之曰：「豹也碌碌，彌不足觀。」蓋皆明心見性，持位保寵，不以政事為意。湛甘泉為南京吏部尚書亦然。羅念庵（洪先）辭官後，入山習靜，日以晏坐為事，謂「理學家闢佛乃門面語。周濂溪何嘗闢佛哉？」陽明再

傳弟子萬思默（廷言）、王塘南（時槐）、胡正甫（直）、鄧定宇（以贊）官位非卑，亦無事功可見。思默語不甚奇，日以晏坐為樂。塘南初曾學佛，亦事晏坐，然所見皆高於陽明。塘南以為一念不動，而念念相續，此即生生之機不可斷之意（一念不動，念念相續，即釋家所謂阿賴耶識，釋家欲傳阿賴耶以成涅槃，而王學不然，故僅至四禪四空地）。思默自云靜坐之功，若思若無思，則與佛法中非想非非想契合，即四空天中之非想非非想天耳。定宇語王龍溪（畿）曰：「天也不做他，地也不做他，聖人也不做他。」張陽和（元忭）謂此言駭聽。定宇曰：「畢竟天地也多動了一下，此是不向如來行處行手段。」正甫謂天地萬物，皆由心造，獨契釋氏旨趣。前此，理學家謂天地萬物與我同體，語涉含混，不知天地萬物與我，孰為賓主，孟子「萬物皆備於我」亦然，皆不及正甫之明白了當。梨洲駁之，反為支離矣。甘泉與陽明並稱。甘泉好談體認天理。人有不成寐者，問於甘泉。甘泉曰：「君恐未能體認天理耳。」陽明譏甘泉務外，甘泉不服，謂心體萬物而無遺，何外之有？後兩派並傳至許敬庵（孚遠），再傳而為劉蕺山（宗周）。蕺山紹甘泉之緒，而不甚心服。三傳而為黃梨洲（宗羲）。梨洲餘姚人，蕺山山陰人。梨洲服膺陽明而不甚以蕺山為然，蓋猶存鄉土之見。蕺山以常惺惺為教。「常惺惺」者，無昏瞶時之謂也，語本禪宗，非儒家所有。又蕺山所以不同於陽明者，自陽明之徒王心齋以致知為空文，與心、意二者無關，而心、意之別未明也。心齋之徒王一庵（棟）以為意乃心之主宰（即佛法意根），於是意與心始別。蕺山取之，謂誠意者，誠其意根，此為陽明不同者也。然蕺山此語，與《大學》不合。《大學》語語平實，不外修己治人。明儒強以明心見性之語附會，失之遠矣。誠其意根者，即墮入數論之

神我，意根愈誠，則我見愈深也。余謂《中庸》「誠者物之終始，不誠無物」二語甚確。蓋誠即迷信之謂。迷信自己為有，迷信世界萬物為有，均迷信也。誠之為言，無異佛法所稱無明。信我至於極端，則執一切為實有。無無明則無物，故曰不誠無物。《中庸》此言，實與釋氏之旨符合。唯下文足一句曰「是故，君子誠之為貴」，即與釋氏大相逕庭。蓋《中庸》之言，比於婆羅門教，所謂「參天地、贊化育」者，是其極致，乃入摩醯首羅天王一流也。儒、釋不同之處在此，儒家雖採佛法，而不肯放棄政治社會者亦在此。若全依釋氏，必至超出時間，與中土素重世間法者違反，是故明心見性之儒，謂之為禪，未嘗不可。唯此所謂禪，乃曰禪八定，佛家與外道共有之禪，不肯打破意根者也。昔歐陽永叔謂「孔子罕言性，性非聖人所重」，此言甚是。儒者若但求修己治人，不務談天說性，則譬之食肉不食馬肝，亦未為不知味也。

儒者修己之道，《儒行》言之甚詳，《論語》亦有之，曰「行己有恥」，曰「見利思義，見危授命」。修己之大端，不過爾爾。范文正開宋學之端，不務明心見性而專尚氣節，首斥馮道之貪戀。《新五代史》之語，永叔襲文正耳。其後學者漸失其宗旨，以氣節為傲慢而不足尚也，故群以極深研幾為務。於是風氣一變，國勢之弱，職此之由。宋之亡，降臣甚多，其明證也。明人之視氣節，較宋人為重。亭林雖誚明心見性之儒，然入清不仕，布衣終身，信可為百世師表。夫不貴氣節，漸至一國人民都無豪邁之氣，奄奄苟活，其亡豈可救哉？清代理學家甚多，然在官者不可以理學論。湯斌、楊名時、陸隴其輩，江鄭堂《宋學淵源記》所不收，其意良是。何者？炎黃之冑，服

官異族，大節已虧，尚得以理稱哉？若在野而走入王派者，則有李二曲（顒）、黃梨洲（宗羲）。其反對王派者，今舉顧亭林、王船山（夫之）、陸桴亭、顏習齋、戴東原五家論之。此五家皆與王派無關，而又非拘牽朱派者也。梨洲、二曲雖同祖陽明，而學不甚同。梨洲議論精緻，修養不足；二曲教以悔過為始基，以靜坐為入手，李天生（因篤，陸派也）之友欲從二曲學，中途折回，天生問故，曰：「人謂二曲王學之徒也。」二曲聞之嘆曰：「某豈王學乎哉！」蓋二曲雖靜坐觀心，然其經濟之志，未曾放棄。其徒王心敬（爾緝），即以講求區田著稱。此其所以自異於王學也。梨洲弟子萬季野（斯同）治史學，查初白（慎行）為詩人，並不傳其理學。後來全謝山（祖望）亦治史學，而於理學獨推重慈湖，蓋有鄉土之見焉。

陽明末流，一味猖狂，故清初儒者皆不願以王派自居。顧亭林首以明心見性為詬病。亭林之學，與宋儒永嘉派不甚同，論其大旨，亦以修己治人為歸。亭林研治經史最深，又講音韻、地理之學，清人推為漢學之祖。其實，後之為漢學者僅推廣其《音學五書》以講小學耳。其學之大體，則未有步趨者也。唯汪容甫（中）頗有紹述之意，而日力未及。觀容甫《述學》，但考大體，不及瑣碎，此即亭林矩矱。然亭林之學，枝葉蔚為大國而根本不傳者，亦因種族之間，言議違禁，故為人所忌耳（《四庫提要》稱其音韻之學，而斥經世之學為迂闊，其意可知）。種族之見，亭林勝於梨洲。梨洲曾奉魯王命乞師日本，後遂無聞焉，亭林則始終不渝。今通行之《日知錄》，本潘次耕（耒）所刻，其中「胡」字、「虜」字，或改作「外國」，或改作「異域」，「我朝」二字，亦被竄易。「素夷狄行乎夷狄」一條，僅存其

目。近人發現雍正時抄本，始見其文，約二千餘言。大旨謂，孔子云：「居處恭、執事敬、與人忠，雖之夷狄不可棄也。」此之謂「素夷狄行乎夷狄」，非謂臣事之也。又言，管仲大節有虧而孔子許之者，以管仲攘夷，過小而功大耳。以君臣之義，較夷夏之防，則君臣之義輕，夷夏之防重，孔子所以亟稱之也。又「胡服」一條，刻本並去其目。忌諱之深如此，所以其學不傳。亭林於夷夏之防，不僅騰為口說，且欲實行其志，一生奔馳南北，不遑寧居，到處開墾，隱結賢豪，凡為此故也。山東、陝西、山西等處，皆有其屯墾之跡。觀其意，殆欲於此作發展計。漢末田子泰（或作田子春，名疇），躬耕徐無山（今河北玉田縣），百姓歸之者五千餘家。子泰為定法律、制禮儀、興學校，眾皆便之。烏丸、鮮卑並遣譯致貢。常忿烏丸賊殺冠蓋，有欲討之意，而曹操北征，則子泰為嚮導，遂大斬獲，追奔逐本。使當時無曹操，則子泰必親自攘夷矣。亭林之意，殆亦猶是。船山反對王學，宗旨與橫渠相近，曾為《正蒙》作注。蓋當時王學猖狂，若以程朱之學矯之，反滋糾紛，唯橫渠之重禮教乃足以懲之。船山之書，自說經外，只有抄本，得之者，什襲珍藏。故《黃書》流傳甚廣，而免於禁網也。船山論夷夏之防，較亭林更為透徹，以為六朝國勢不如北魏遠甚。中間又屢革命，而能支持三百年之久者，以南朝有其自立精神故也。南宋不及百六十年，未經革命，而亡於異族，即由無自立精神故也。此說最中肯綮，然有鑒於南宋之亡，而謂封建藩鎮，可以抵抗外侮，此則稍微迂闊。特與六朝人主封建者異趣：六朝人偏重王室，其意不過封建親戚以為藩屏而已；船山之主封建，乃從諸夏夷狄著想，不論同姓異姓，但以抵抗外侮為主，此其目光遠大處也。要之，船山之學，以政治為主，其理學亦不過修己治人之術，謂

之駢枝可也。

陸桴亭《思辨錄》，亦無過修己治人之語，而氣魄較小。其論農田水利，亦尚有用。顧足跡未出江蘇一省，故其說但就江蘇立論，恐不足以致遠。

北方之學者，顏（習齋）、李（剛主）、王（崑繩）、劉（繼莊）並稱，而李行輩略後，習齋之意，以為程、朱、陸、王都無甚用處，於是首舉《周禮》鄉三物以為教，謂《大學》格物之物，即鄉三物之物，其學頗見切實。蓋亭林、船山但論社會政治，卻未及個人體育。不講體育，不能自理其身，雖有經世之學，亦無可施。習齋有見於此，於禮、樂、射、御、書、數中，特重射、御，身能盤馬彎弓，抽矢命中，雖無反抗清室之語，而微意則可見也。崑繩、剛主，亦是習齋一流，唯主張井田，未免迂腐。繼莊精輿地之學。《讀史方輿紀要》之作，繼莊周遊四方，觀察形勢；顧景范考索典籍，援古證今，二人聯作，乃能成此巨著。此後徐乾學修《一統志》，開館洞庭山，招繼莊纂修。繼莊首言郡縣宜記經緯度，故《一統志》每府必記北極測地若干度。此事今雖習見，在當時實為創獲。

大概亭林、船山，才兼文武。桴亭近文；習齋近武，桴亭可使為地方官，如省長之屬；習齋可使為衛戍司令，二人之才不同，各有偏至。要皆專務修己治人，無明心見性之談也。

東原不甘以上列諸儒為限，作《原善》、《孟子字義疏證》。其大旨有二：一者，以為程、朱、陸、王均近禪，與儒異趣；一者，以為宋儒以理殺人，甚於以法殺我。蓋雍乾間，文字之獄，牽累無辜，於

法無可殺之道，則假借理學以殺之。東原有感於此，而不敢正言，故發憤為此說耳。至其目程、朱、陸、王均近禪，未免太過。象山謂「六經注我，我注六經」，乃掃除文字障之謂，不可謂之近禪。至其駁斥以意見為理，及以理為如有物焉得於天而具於心之說，只可以攻宋儒，不足以攻明儒。陽明謂理不在心外，則非如有物焉，湊拍附著於氣之謂也。羅整庵（欽順）作《困知記》，與陽明力爭理氣之說，謂宋人以為理之外有氣，理善，氣有善有不善。夫天地生物，唯氣而已，人心亦氣耳。所謂理者，氣之流行而有秩序者也，非氣之外更有理也。理與氣不能對立。東原之說，蓋有取於整庵。然天理、人欲，語見《樂記》。《樂記》本謂窮人欲則天理滅，不言人欲背於天理也；而宋儒則謂理與欲不能並立。於是東原謂天理即人欲之有節文者，無欲則亦無理，此言良是，亦與整庵相近。唯謂理在事物而不在心，則矯枉太過，易生流弊。夫能分析事物之理者，非心而何？安得謂理在事物哉？依東原之說，則人心當受物之支配，喪其所以為我，此大謬矣。至孟子性善之說，宋儒實未全用其旨。程伊川、張橫渠皆謂人有義理之性，有氣質之性。義理之性善，氣質之性不善。東原不取此論，謂孟子亦以氣質之性為善，以人與禽獸相較而知人之性善，禽獸之性不善（孟子有「人之異於禽獸者幾希」語）。余謂此實東原之誤。古人論性，未必以人與禽獸比較。詳玩《孟子》之文，但以五官與心對待立論。孟子云：「從其大體為大人，從其小體為小人。」「耳目之官不思而蔽於物。物交物，則引人而已矣。心之官則思，思則得之，不思則不得也。」其意殆謂耳目之官不純善，心則純善。心縱耳目之欲，是養其小體也；耳目之欲受制於心，是養其大體也。今依生理學言之，有中樞神經，有五官神經。五官不能謂之無知，然僅有欲

而不知義理，唯中樞神經能制五官之欲，斯所以為善耳。孟子又云：
「口之於味，目之於色，耳之於聲，鼻之於臭，四肢之於安佚，性
也。有命焉，君子不謂性也。」是五官之欲固可謂之性。以五官為之
主宰，故不以五官之欲為性，而以心為性耳。由此可知，孟子亦不謂
性為純善，唯心乃純善。東原於此不甚明白，故不取伊川、橫渠之
言，而亦無以解孟子之義。由今觀之，孟、荀、揚三家論性雖各不
同，其實可通。孟子不以五官之欲為性，此乃不得已之論。如合五官
之欲與心而為真，亦猶揚子所云善惡混矣。孟子謂惻隱、羞惡、辭
讓、是非四端，性所具有。荀子則謂「人生而有好利焉，順是則爭奪
生而辭讓亡矣」。是荀子以辭讓之心非性所本有，故人性雖具惻隱、
羞惡、是非三端，不失其為惡。然即此可知荀子但云性不具辭讓之
心，而不能謂性不具惻隱、羞惡、是非之心。是其論亦同於善惡混
也。且荀子云：「途之人皆可以為禹。」孟子云：「人皆可以為堯舜。」
是性惡、性善之說，殊途同歸也。荀子云：「人皆有可以知仁義法正
之質，皆有可以能仁義法正之具。」孟子云：「乃若其情則可以為善
矣，乃所謂善也。」此其語趣尤相合（孟子性善之說，似亦略有變
遷。可以為善曰性善，則與本來性善不同矣）。雖然，孟子曰：「仁、
義、禮、知，非由外鑠我也，我固有之也。」荀子則謂禮義法度，聖
人所生，必待聖人之教，而後能化性起偽。此即外鑠之義，所不同者
在此。

韓退之《原性》有上、中、下三品說。前此，王仲任《論衡》記
周人世碩之言，謂人性有善有惡。舉人之善性，養而致之則擅長；舉
人之惡性，養而致之則惡長，故作《養書》一篇。又言宓子賤、漆雕

開、公孫尼子之徒，亦論情性，與世子相出入。又孔子已有「生而知之者上，學而知之者次，困而學之又其次，困而不學民斯為下」語。如以性三品說衡荀子之說，則謂人性皆惡可也。不然，荀子既稱人性皆惡，則所稱聖人者，必如宗教家所稱之聖人，然後能化性起偽爾。是故，荀子雖云性惡，當兼有三品之義也。

告子謂性無善、無不善，語本不謬，陽明亦以為然。又謂生之謂性，亦合古訓。此所謂性，即阿賴耶識。佛法釋阿賴耶為無記性（無善無惡），而阿賴耶之義即生理也。古人常借生為性字。《孝經》「毀不滅性」，《左傳》「民力凋盡，莫保其性」皆是。《莊子》云：「性者生之質也。」則明言生即性矣。故「生之謂性」一語，實無可駁。而孟子強詞相奪，駁之曰：「犬之性猶牛之性，牛之性猶人之性歟？」若循其本，性即生理。則犬之生與牛之生，有何異哉？至杞柳杯棬之辨，孟子之意謂戕賊杞以為梧棬可，戕賊人以為仁義不可。此因告子不善措辭，致受此難。如易其語云性猶金鐵也，義猶刀劍也；以人性為仁義，猶以金鐵為刀劍，則孟子不能謂之戕賊矣。

東原以孟子舉犬性、牛性、人性駁告子，故謂孟子性善之說，據人與禽獸比較而為言。余謂此非孟子本旨，但一時口給耳。後人視告子如外道，或曰異端，或曰異學。其實儒家論性，各有不同。趙邠卿注《孟子》，言告子兼治儒墨之學。邠卿見《墨子》書亦載告子（《墨子》書中之告子，與孟子所見未必為一人，以既與墨子同時，不得復與孟子同時也），故為是言。不知《墨子》書中之告子，本與墨子異趣，不得云兼治儒墨之學也。宋儒以告子為異端，東原亦目之為異端，此其疏也。

《孟子字義疏證》一書，唯說理氣語不謬（大旨取羅整庵），論理與欲亦當。至闡發性善之言，均屬難信。其後承東原之學者，皆善小學、說經、地理諸學，唯焦理堂（循）作《孟子正義》，不得不採《字義疏證》之說（近黃式三亦有發揮東原之言）。要之，東原之說，在清儒中自可卓然成家，若謂可以推倒宋儒（段若膺作輓詞有「孟子之功不在禹下」語，太過），則未敢信也。

道咸間方植之（東樹）作《漢學商兌》，糾彈東原最力。近胡適尊信東原之說，假之以申唯物主義。然「理在事物而不在心」一語，實東原之大謬也。

數道家當以老子為首。《漢書・藝文志》道家首舉《伊尹》、《太公》。然其書真偽不可知，或出後人依託。《管子》之書，可以徵信，唯其詞意繁富，雜糅儒家、道家，難尋其指歸。太史公言其「善因禍而為福、轉敗而為功」，蓋《管子》之大用在此。黃老並稱，始於周末，盛行於漢初。如史稱環淵學黃老道德之術；陳丞相少時，好黃帝、老子之術；膠西有蓋公善治黃老言；竇太后好黃帝、老子言；王生處士善為黃老言。然黃帝論道之書，今不可見。《儒林傳》，黃生與轅固爭論湯武革命，曰：「冠雖敝必加於首，履雖新必貫於足。」其語見《太公六韜》。然今所傳《六韜》不可信，故數道家當以老子為首。

《莊子・天下》篇自言與老聃、關尹不同道。老子多政治語，莊子無之；莊子多超人語，老子則罕言。雖大旨相同，而各有偏重，所以異也。《老子》書八十一章，或論政治，或出政治之外，前後似無

系統。今先論其關於政治之語。老子論政，不出因字，所謂「聖人無常心，以百姓心為心」是也。嚴幾道（復）附會其說，以為老子倡民主政治。以余觀之，老子亦有極端專制語，其云「魚不可脫於淵，國之利器不可以示人」，非極端專制而何？凡尚論古人，必審其時世。老子生春秋之世，其時政權操於貴族，不但民主政治未易言，即專制政治亦未易言。故其書有民主語，亦有專制語。即孔子亦然。在貴族用事之時，唯恐國君之不能專制耳。國君苟能專制，其必有愈於世卿專政之局，故曰「魚不可脫於淵，國之利器不可以示人」。然此二語法家所以為根本。

太史公以老子、韓非同傳，於學術源流最為明了。韓非解老、喻老而成法家，然則法家者，道家之別子耳。余謂老子譬之大醫，醫方眾品並列，指事施用，都可療病。五千言所包亦廣矣，得其一術，即可以君人南面矣。

漢文帝真得老子之術者，故太史公既稱孝文好道家之學，以為繁禮飾貌無益於治；又稱孝文帝本好刑名之言。蓋文帝貌為玄默躬化，其實最擅權制。觀夫平、勃誅諸呂，使使迎文帝。文帝入，即夕拜宋昌為衛將軍，領南北軍；以張武為郎中令、行殿中。其收攬兵權，如此其急也。其後賈誼陳治安策，主以眾建諸侯而少其力，文帝依其議，分封諸王子為列侯。吳太子入見，侍皇太子飲博，皇太子引博局提殺之，吳王怨望不朝，而文帝賜之幾杖，蓋自度能制之也。且崩時，誡景帝，即有緩急，周亞夫真可任將兵。蓋知崩後，吳楚之必反也，蓋文帝以老、莊、申、韓之術合而為一，故能及此。然謂周云成康，漢言文景，則又未然。成康之世，諸侯宗周；文帝之世，諸侯王

已有謀反者。非用權謀，烏足以制之？知人論世，不可同年而語矣。

後人往往以宋仁宗擬文帝，由今觀之，仁宗不如文帝遠甚。雖仁厚相似，而政術則非所及也。仁宗時無吳王叛逆之事；又文帝之於匈奴與仁宗之於遼、西夏不同。仁宗一讓之後，即議和納幣，無法應付；文帝則否，目前雖似讓步，卻能養精蓄銳，以備大舉征討，故後世有武帝之武功。周末什一而稅，以致頌聲。然漢初但十五而取一（高帝、惠帝皆然），文帝出，常免天下田租，或取其半，則三十而稅一矣。又以緹縈上書，而廢肉刑。此二事可謂仁厚。然文帝有得於老子之術。老子之術，平時和易，遇大事則一發而不可當，自來學老子而至者，唯文帝一人耳。

《老子》書中有權謀語，「將欲歙之，必固張之；將欲弱之，必固強之；將欲廢之，必固興之；將欲奪之，必固與之」是也。凡用權謀，必不明白告人。而老子筆之於書者，以此種權謀，人所易知故爾。亦有中人權謀而不悟者，故書之以為戒也。

歷來承平之世，儒家之術，足以守成；戡亂之時，即須道家，以儒家權謀不足也。凡戡亂之傅佐，如越之范蠡（與老子同時，是時《老子》書恐尚未出），漢初之張良、陳平（二人純與老子相似。張良嘗讀《老子》與否不可知，陳平本學黃老），唐肅宗時之李泌，皆有得於老子之道。蓋撥亂反正非用權謀不可，老子之真實本領在此。然即「無為而無不為」一語觀之，恐老子於承平政事亦優為之，不至如陳平之但說大話（文帝問左丞相周勃：「天下一歲決獄幾何？」勃謝不知。問：「天下錢谷一歲出入幾何？」勃又謝不知，惶愧汗出浹

背。帝問左丞相陳平，平曰：「有主者。」帝曰：「君所主者何事？」平曰：「宰相上佐天子理陰陽、順四時，下遂萬物之宜，外鎮撫四夷、諸侯，內親附百姓，使卿大夫各得任其職焉。」蓋周勃武夫，非所能對；陳平粗疏，亦不能對也）。承平而用老子之術者，文帝之前曹參曾用蓋公，日夜飲酒而不治事，以為法令既明，君上垂拱而臣下守職，此所謂「無為而無不為」也。至於晉人清淡，不切實用，蓋但知無為，而不知無不為矣。

　　至於老子之道最高之處，第一看出「常」字，第二看出「無」字，第三發明「無我」之義，第四倡立「無所得」三字，為道德之極則。《老子》首章云：「道可道，非常道。名可名，非常名。」常道、常名，王注不甚明白，韓非《解老》則言之憭然，謂「物之一存一亡、乍死乍生、初盛而後衰者，不可謂常；唯與天地之剖判也俱生，至天地消散也不死不衰者，謂常」。蓋常道者，不變者也。《莊子‧天下》篇稱「老聃建之以常無有，主之以太一」。常無有者，常無、常有之簡語也。老子曰：「常無欲以觀其妙，常有欲以觀其徼。」又云：「無名天地之始，有名萬物之母。」無名故為常，有名故非常。徼者邊際界限之意。夫名必有實，實非名不彰，徼去界限，則名不能立，故云「常有欲以觀其徼也。」聖人內契天則，故常無以觀其妙。外施於事，故常有以觀其徼。建之以常無有者，此之謂也。

　　《老子》云：「天下萬物生於有，有生於無。」後之言佛法者，往往以此斥老子為外道，謂「無何能生有？」然非外道也。《說文》：「無，奇字無也，通於元者。虛無，道也。」《爾雅》：「元，始也。」夫萬物實無所始。《易》曰：「大哉乾元。」首出庶物，是有始也。

又曰：「見群龍無首。」天德不可為首，則無始也。所謂有始者，畢竟無始也。《莊子》論此更為明白，云：「有始也者，有未始有始也者，有未始有夫未始有始也者。」《說文繫傳》云：「無通於元者，即未始有始之謂也。」又佛法有緣起之說，唯識宗以阿賴耶識為緣起，《起信論》以如來藏為緣起。二者均有始。而《華嚴》則稱無盡緣起，是無始也。其實緣起本求之不盡，無可奈何，乃立此名耳。本無始，無可奈何稱之曰始，未必純是；無可奈何又稱之曰無始，故曰無通於元。儒家無極、太極之說，意亦類是。故老子曰：「天下萬物生於有，有生於無。」語本了然，非外道也。

　　無我之言，《老子》書中所無，而《莊子》詳言之。太史公《孔子世家》：「老子送孔子曰：『為人臣者毋以有己，為人子者毋以有己。』」二語看似淺露，實則含義宏深。蓋空談無我，不如指切事狀以為言，其意若曰一切無我，固不僅言為人臣、為人子而已。所以舉臣與子者，就事說理，《華嚴》所謂事理無礙矣。於是孔子退而有猶龍之嘆。夫唯聖人為能知聖，孔子耳順心通，故聞一即能知十，其後發為「毋意、毋必、毋固、毋我」之論，顏回得之而克己。此如禪宗之傳授心法，不待繁詞，但用片言隻語，而明者自喻。然非孔子之聰明睿智，老子亦何從語之哉（老子語孔子之言，《禮記·曾子問》篇載三條，皆禮之粗跡，其最要者在此。至無我、克己之語，則《莊子》多有之）！

　　《德經》以上德、下德開端（是否《老子》原書如此，今不可知），云：「上德不德，是以有德；下德不失德，是以無德。」德者，得也；不德者，無所得也。無所得乃為德，其旨與佛法歸結於無所得

相同，亦與文王視民如傷、望道而未之見符合。蓋道不可見，可見即非道。望道而未之見者，實無有道也。所以望之者，立文不得不如此耳，其實何嘗望也。佛家以有所見為所知障，又稱理障。有一點智識，即有一點所知障。縱令理想極高，望去如有物在，即所知障也。今世講哲學者不知此義，無論剖析若何精微，總是所知障也。老子謂「玄之又玄，眾妙之門」，「玄」之一字，於老子自當重視。然老子又曰「滌除玄覽」，玄且非掃除不可，況其他哉！亦有極高極深之理，自覺絲毫無謬，而念念不捨，心存目想，即有所得，即所謂所知障，即不失德之下德也。孔子云：「吾有知乎哉？無知也。」無知故所知障盡。顏子語孔子曰：「回益矣，忘仁義矣。」孔子曰：「可矣，猶未也。」他日復見曰：「回益矣，忘禮樂矣。」孔子曰：「可矣，猶未也。」他是復見曰：「回益矣，坐忘矣。」孔子乃稱：「而果其賢乎！丘請從而後。」蓋坐忘者，一切皆忘之謂，即無所得之上德也。此種議論，《老子》書所不詳，達者觀之立喻，不達者語之而不能明。非如佛書之反覆申明，強聒而不捨。蓋儒以修己治人為本；道家君人南面之術，亦有用世之心。如專講此等玄談，則超出範圍，有決江救涸之嫌。政略示其微而不肯詳說，否則，其流弊即是清淡。非唯禍及國家，抑且有傷風俗，故孔、老不為也。印度地處熱帶，衣食之憂，非其所急；不重財產，故室廬亦多無用處；自非男女之慾，社會無甚爭端。政治一事，可有可無，故得走入清淡一路而無害。中土不然，衣食居處，必賴勤力以得之，於是有生存競爭之事。團體不得不結，社會不得不立，政治不得不講。目前之急，不在乎有我無我，乃在衣食之足不足耳。故儒家、道家，但務目前之急；超出世間之理，不欲過於講論，非智識已到修養已足者，不輕為之語。此儒、道與釋家根本

雖同，而方法各異之故也。

六朝人多以老、莊附佛法（如僧祐《宏明集》之類），而玄奘以為孔、老兩家，去佛甚遠，至不肯譯《老子》，恐為印度人所笑，蓋玄奘在佛法中為大改革家，崇拜西土，以為語語皆是，而中國人語都非了義。以玄奘之智慧，未必不能解孔子、老子之語，特以前人注解未能了然，雖或瀏覽，不足啟悟也。南齊顧歡謂孔、老與佛法無異，中國人只須依孔、老之法、不必追隨佛法，雖所引不甚切當，而大意則是。（《南齊書》五十四載歡之論曰：「國師、道士，無過老、莊；儒林之宗，孰出周、孔？若孔、老非佛，誰則當之？二經所說，如合符契。道則佛也，佛則道也。其聖則符，其跡則反。」又云：「理之可貴者道也；事之可賤者俗也。捨華效夷，義將安取？」）至老子化胡，乃悠謬之語。人各有所得，奚必定由傳授也。

道士與老子無關，司馬溫公已見及此。道士以登仙為極則，而莊子有齊死生之說，又忘老聃之死，正與道士不死之說相反也。漢武帝信少翁、欒大、李少君之屬以求神仙，當時尚未牽合神仙、老子為一。《漢書‧藝文志》以神仙、醫經、經方同入方技，可證也。漢末張道陵注《老子》（《宏明集》引），其孫魯亦注《老子》（曰：想余注《老子》。「想余」二字不可解），以老子牽入彼教，殆自此始。後世道士，乃張道陵一派也。然少翁輩志在求仙，道陵亦不然，僅事祈禱或用符籙捉鬼，謂之劾禁。蓋道士須分兩派：一為神仙家，以求長生、覬登仙為務；一為劾禁家，則巫之餘裔也。北魏寇謙之出，道士之說大行。近代天師打醮、畫符、降妖而不求仙，即是劾禁一派。前年，余寓滬上，張真人過訪，余問煉丹否？真人曰：「煉丹須清心寡

慾。」蓋自以不能也。

梁陶宏景為《本草》作注，又作《百一方》，而專務神仙。醫家本與神仙家相近，後世稱陶氏一派曰茅山派；張氏一派曰龍虎山派。二派既不同，而煉丹又分內丹、外丹二派。《抱朴子》載煉丹之法，唐人信之，服大還而致命者不少，後變而為內丹之說，《悟真》篇即其代表。然於古有漢人所作《參同契》，亦著此意。元邱處機（即長春真人，作《西遊記》者[1]），亦與內丹相近，白雲觀道士即此派也。此派又稱龍門派。是故，今之道士，有此三派，而皆與老子無關者也。

神仙家、道家，《隋志》猶不相混。清修《四庫》，始混而為一。其實煉丹一派，於古只稱神仙家，與道家毫無關係。宋元間人集《道藏》，凡諸子書，自儒家之外，皆被收錄。余謂求仙一派，本屬神仙家，前已言之。劾禁一派，非但與老子無關，亦與神仙家無關。求之載籍，蓋與《墨子》為近。自漢末至唐，相傳墨子有《枕中五行記》（其語與墨子有無關係，不可知）。《後漢書‧劉根傳》：「根隱居嵩山，諸好事者就根學道。太守史祈，以根為妖妄，收而數之曰：『汝有何術，而惑誣百姓？』根曰：『實無他異，頗能令人見鬼耳。』於是左顧而嘯，祈之亡父、祖及近親數十人皆反縛在前，向根叩頭。祈驚懼，頓首流血。根默然，忽俱去不知所在。」余按：其術與《墨子‧明鬼》相近。劉根得之何人不可知，張道陵之術與劉根近似，必有所受之也。蓋劾禁一派，雖於老子無關，要非純出黃巾米賊，故能使晉世士大夫若王羲之、殷仲堪輩皆信之也。

1　邱處機弟子李志常撰《長春真人西遊記》。——編者注

莊子自言與老聃之道術不同，「死與？生與？天地並與？神明往與？」此老子所不談，而莊子聞其風而悅之。蓋莊子有近乎佛家輪迴之說，而老子無之。莊子云：「若人之形者，萬化而未始有極也，其為樂可勝計邪？」此謂雖有輪迴而不足懼，較之「精氣為物，遊魂為變」二語，益為明白。老子但論攝生，而不及不死不生，莊子則有不死不生之說。《大宗師》篇，南伯子葵問乎女偊，女偊稱卜梁倚守其道三日，而後能外天下；又守之七日，而後能外物；又守之九日，而後能外生。已外生矣，而後能朝徹；朝徹而後能見獨；見獨而後能無古今；無古今而後能入於不死不生。天下者，空間也。外天下則無空間觀念。物者實體也。外物即一切物體不足攖其心。先外天下，然後外物者，天下即佛法所謂地水火風之器世間，物即佛法所謂有情世間也。已破空間觀念，乃可破有情世間，看得一切物體與己無關，然後能外生。外生者，猶未能證到不死不生，必須朝徹而見獨。朝徹猶言頓悟，見獨則人所不見，己獨能見，故先朝徹而後能見獨。人為時間所轉，乃成生死之念。無古今者，無時間觀念，死生之念因之滅絕，故能證知不死不生矣。佛家最重現量，陽明亦稱留得此心常現在。莊子云無古今而後能入於不死不生者，亦此意也。南伯子葵、女偊、卜梁倚，其人有無不可知。然其言如此，前人所未道，而莊子盛稱之，此即與老聃異趣。老子講求衛生，《庚桑楚》篇，老聃為南榮趎論衛生之經可見。用世涉務必先能衛生。近代曾國藩見部屬有病者輒痛呵之，即是此意。《史記·老子列傳》稱老子壽一百六十餘。衛生之效，於此可見。然莊子所以好言不死不生，以彭祖、殤子等量齊觀者，殆亦有故。《莊子》書中，自老子而外，最推重顏子，於孔子尚有微辭，於顏子則從無貶語。顏子之道，去老子不遠，而不幸短命，

是以莊子不信衛生而有一死生、齊彭殤之說也。

內篇以《逍遙》、《齊物》開端，淺言之，逍遙者，自由之義；齊物者，平等之旨。然有所待而逍遙，非真逍遙也。大鵬自北冥徙於南冥，經時六月，方得高飛；又須天空之廣大，扶搖、羊角之勢，方能鼓翼。如無六月之時間，九萬里之空間，斯不能逍遙矣。列子御風，似可以逍遙矣，然非風則不得行，猶有所待，非真逍遙也。禪家載黃龍禪師說法，呂洞賓往聽，師問道服者誰，洞賓稱雲水道人。師曰：「雲干水涸，汝從何處安身？」此襲莊子語也。無待，今所謂絕對。唯絕對乃得其自由。故逍遙云者，非今通稱之自由也。如云法律之內有自由，固不為真自由；即無政府，亦未為真自由。在外有種種動物為人害者；在內有飲食男女之欲、喜怒哀樂之情，時時困其身心，亦不得自由。必也一切都空，才得真自由，故後文有外天下、外物之論，此乃自由之極致也。

「齊物論」三字，或謂齊物之論，或謂齊觀物論，二義俱通。莊子此篇，殆為戰國初期，學派紛歧、是非蜂起而作。「彼亦一是非，此亦一是非」，莊子則以為一切本無是非。不論人物，均各是其所是，非其所非，唯至人乃無是非。必也思想斷滅，然後是非之見泯也。其論與尋常論平等者不同，尋常論平等者僅言人人平等或一切有情平等而已。是非之間，仍不能平等也。莊子以為至乎其極，必也泯絕是非，方可謂之平等耳。

揆莊子之意，以為凡事不能窮究其理由，故云「惡乎然？然於然；惡乎不然？不然於不然」，然之理即在於然，不然之理即在於不

然。若推尋根源，至無窮，而然、不然之理終不可得，故云「然於然」、「不然於不然」，不必窮究是非之來源也。《逍遙》、《齊物》之旨，大略如是。

《養生主》為常人說法，然於學者亦有關係。其云：「生也有涯，知也無涯，以有涯隨無涯，殆已。」斯言良是。夫境無窮，生命有限，以有限求無窮，是夸父逐日也。《養生主》命意淺顯，頗似老子衛生之談。然不以之為七篇之首，而次於第三，可知莊子之意，衛生非所重也。世間唯愚人不求知，稍有智慧，無不竭力求知。然所謂一物不知儒者之恥，天下安有此事？如此求知，所謂殆已。其末云：「指窮於為薪，火傳也，不知其盡也。」以薪喻形骸，以火喻神識。薪盡而火傳至別物。薪有盡而火無窮，喻形體有盡而神識無盡。此佛家輪迴之說也。

《人間世》論處世之道，顏子將之衛、葉公問仲尼二段可見，其中尤以心齋一語為精。宋儒亦多以晏坐為務。余謂心齋猶晏坐也。古者以《詩》、《書》、禮、樂教士，《詩》、《書》屬於智識，禮、樂屬於行為。古人守禮，故能安定。後人無禮可守，心常擾擾。《曲禮》云：「坐如屍，立如齋。」此與晏坐之功初無大異。常人閒居無事，非昏沉即掉舉。欲救此弊，唯有晏坐一法。古人禮樂不可斯須去身，非禮勿動（動者，非必舉手投足之謂，不安定即是動）、非禮勿言（心有思想即言也），自不必別學晏坐。「子之燕居，申申如也，夭夭如也。」申申，挺直之意。夭夭，屈曲之意。申申、夭夭並舉，非崛強，亦非傴僂，蓋在不申不屈之間矣。古有禮以範圍，不必晏坐，自然合度。此須觀其會通，非謂佛法未入中土之時，中土絕無晏坐法

也。心齋之說與「四勿」語（「非禮勿視、非禮勿聽、非禮勿言、非禮勿動」）相近，故其境界，亦與晏坐無異。向來注《莊子》者，於「瞻彼闋者，虛室生白，吉祥止止」十二字多不了然，謂室比喻心，心能空虛則純白獨生，然「闋」字終不可解。按：《說文》，「事已閉門」為闋，此蓋言晏坐閉門，人從門隙望之，不見有人，但見一室白光而已。此種語，佛書所恆道，而中土無之，故非郭子玄所知也。

《德充符》言形骸之不足寶，故以兀者王駘發論，至謂王駘之徒與孔子中分魯國，則其事有無不可知矣。中有二語，含意最深，自來不得其解，曰：「以其知，得其心；以其心，得其常心。」余謂此王駘之絕詣也。知者，佛法所謂意識；心者，佛法所謂阿賴耶。阿賴耶恆轉如瀑流，而真如心則無變動。常心者，真如心之謂。以止觀求阿賴耶，所得猶假；直接以阿賴耶求真如心，所得乃真。此等語與佛法無絲毫之異。世間最高之語，盡於此矣。

《大宗師》篇有不可解處，如「真人之息以踵，眾人之息以喉」。喉、踵對文，自當訓為實字，疑參神仙家言矣。至乎其極，即為卜梁倚之不死不生，如此方得謂之大宗師。

《應帝王》言變化不測之妙。列子遇季咸而心醉，歸告其師壺子。季咸善相人，壺子使之相，示之以地文，示之以天壤，示之以太沖，最後示之以虛而委蛇。季咸無從窺測，自失而走。此如《傳燈錄》所載忠國師事，有西僧能知人心事，師往問之，僧曰：「汝何以在天津橋上看獼猴耶？」師再問之，僧又云云。最後一無所念而問之，僧無從作答，此即壺子對季咸之法矣。

要之，內篇七首，佛家精義俱在。外篇、雜篇與內篇稍異。蓋《莊子》一書，有各種言說，外篇、雜篇，頗有佛法所謂天乘（四禪四空）一派。《讓王》篇主人事，而推重高隱一流。蓋莊子生於亂世，用世之心，不如老子之切，故有此論。郭子玄注，反薄高隱而重仕宦。此子玄之私臆，未可輕信。子玄仕於東海王越，招權納賄，素論去之，故其語如此，亦其所也，唯大致不謬耳。外篇、雜篇，為數二十六；更有佚篇，郭氏刪去不注，以為非莊子本旨。雜篇有孔子見盜跖及漁父事，東坡以為此二篇當刪。其實《漁父》篇未為揶揄之言，《盜跖》篇亦有微意在也。七國儒者，皆托孔子之說以餬口，莊子欲罵倒此輩，不得不毀及孔子，此與禪宗呵佛罵祖相似。禪宗雖呵佛罵祖，於本師則無不敬之言。莊子雖揶揄孔子，然不及顏子，其事正同。禪宗所以呵佛罵祖者，各派持論，均有根據，非根據佛即根據祖，如用尋常駁辯，未必有取勝之道，不得已而呵佛罵祖耳。孔子之徒，顏子最高，一生從未服官，無七國遊說之風。自子貢開遊說之端，子路、冉有皆以從政終其身。於是七國時仕宦遊說之士，多以孔子為依歸，卻不能依傍顏子，故莊子獨稱之也。東坡生於宋代，已見佛家呵佛罵祖之風，不知何以不明此理，而謂此二篇當刪去也。

太史公謂莊子著書十餘萬言，剽剝儒、墨。今觀《天下》篇開端即反對墨子之道，謂墨子雖能任，奈天下何？則史公之言信矣。唯所謂儒者乃當時之儒，非周公、孔子也。其譏彈孔子者，凡以便取持論，非出本意，猶禪宗之呵佛罵祖耳。

老子一派，傳者甚眾，而《莊子》書，西漢人見者寥寥。史公而外，劉向校書，當曾見之。桓譚號為博覽，顧獨未見《莊子》。班嗣

家有賜書，譚乞借《莊子》，而嗣不許。《法言》曾引《莊子》，殆揚子雲校書天祿閣時所曾見者。班孟堅始有解《莊子》語，今見《經典釋文》。外此，則無有稱者。至魏晉間，《莊子》始見重於世，其書亦漸流傳。自《莊子》流傳，而清談之風乃盛。由清談而引進佛法，魏晉間講佛法者，皆先究《莊子》（東晉支遁曾注《莊子》），《宏明集》所錄，皆莊佛並講者也。漢儒與佛法扞格，無溝通之理。明帝時佛經雖入中士，當時視之，不過一種神教而已。自莊子之說流行，不啻為研究佛法作一階梯，此亦猶利瑪竇入中國傳其天算之學，而中國人即能了悟。所以然者，利瑪竇未入之前，天元、四元之術，已研究有素，故易於接引也。

清儒謂漢稱黃老，不及老莊，黃老可以致治，老莊唯以致亂。然史公以老、莊、申、韓同傳，老子有治天下語。漢文兼參申韓，故政治修明。莊子政治語少，似乎遺棄世務。其實，莊在老後，政治之論，老子已足；高深之論，則猶有未逮，故莊子偏重於此也。漆園小吏，不過比今公安局長耳，而莊子任之。官愈小，事愈繁劇，豈莊子純然不涉事條哉！清談之士，皆是貴族，但借莊子以自高，故獨申其無為之旨。然不但清談足以亂天下，講理學太過，亦足以亂天下。亭林謂今之心學，即昔之清談，比喻至切。此非理學之根本足以亂天下，講理學而一切不問，斯足以亂天下耳。以故，黃老治天下、老莊亂天下之語，未為通論也。

墨子，據高誘《呂覽注》謂為魯人。《史記·孟荀列傳》或曰並孔子時，或曰在其後。蓋墨子去孔子不遠，與公輸般同時。據《禮記·檀弓》：季康子之母死，公輸般請以機封，事在哀公之末，或悼

公之初。墨子見楚惠王時，蓋已三四十歲，是時公輸般已老，則墨子行輩，略後於般也。《親士》篇言吳起之裂。考吳起車裂，在周安王二十一年，上去孔子卒已逾百年，墨子雖壽考，當不及見。至《所染》篇言宋康染於唐鞅田不禮。宋康之滅，在周赧王二十九年，去吳起之裂又九十餘年，則決非墨子所及見矣，是知《墨子》書有非墨子自著而後人附益之者。韓非《顯學》篇，稱孔子墨之後，儒分為八，墨離為三，有相里氏之墨、相夫氏之墨、鄧陵氏之墨。《莊子·天下》篇亦云「相里勤之弟子，五侯之徒，南方之墨者若獲、已齒、鄧陵子之屬，俱誦《墨·經》，而倍譎不同，相謂別墨」。今觀墨子《尚賢》、《尚同》、《兼愛》、《非攻》、《節用》、《節葬》、《天志》、《明鬼》、《非樂》、《非命》，皆有上、中、下三篇，文字雖小異，而大體則同。一人所著，絕不如此重沓，此即墨離為三之證。三家所傳不同，而集錄者兼採之耳。《漢書》稱《墨子》七十一篇，今存五十三篇。

墨子之學，以兼愛、尚同為本。兼愛、尚同則不得不尚賢。至於節用，其旨專在儉約，則所以達兼愛之路也。節葬、非樂，皆由節用來。要之，皆尚儉之法耳。明鬼之道，自古有之，墨子傳之，以為神道設教之助，亦有所不得已。依墨子之道，強本節用，亦有用處，而孟子、荀子非之。孟子斥其兼愛（攻其本體），荀子斥其尚儉（攻其辦法）。夫兼愛之道，乃人君所有事，墨子無其位而有其行，故孟子斥為無父。汪容甫謂孟子厚誣墨子，實非知言。近世治墨學者，喜言《經上》、《經下》，不知墨子本旨在兼愛、尚同，而尚賢、節用、節葬、非樂是其辦法，明鬼則其作用也。

明鬼自是迷信。春秋戰國之間，民智漸啟，孔子無迷信之語，老子語更玄妙，何以墨子猶有尊天明鬼之說？近人以此致疑老子不應在墨子之前，謂與思想順序不合。不知老子著書，關尹所請，關尹自當傳習其書。《莊子・達生》篇有列子問關尹事，則老子傳之關尹，關尹傳之列子矣。今《列子》書雖是偽托，《莊子》記列子事則可信。《讓王》篇言鄭子陽遺粟於列子，據《史記・六國表》、《鄭世家》，子陽之死在周安王四年，是時上去孔子之卒八十一年。列子與子陽同時，遺粟之時，蓋已年老，問關尹事，當在其前。關尹受老子之書，又在其前，如此上推，則老、孔本同時，列子與墨子同時。然老子著書傳關尹，關尹傳列子，此外有無弟子不可知。齊稷下先生盛言老子，則在墨子之後五六十年。近人以為思想進步必須有順序，然必須一國之中交通方便，著書易於流布，方足言此。何者？一書之出，人人共見，思想自不致卻退也。若春秋之末，各國嚴分疆界，交通不便，著書則傳諸其人，不若後世之流行，安得以此為論？且墨子足跡，未出魯、宋、齊、楚四國。宋國以北，墨子所未到；老子著書在函谷關，去宋遼遠；列子鄭人，與宋亦尚異處，故謂墨子未見老子之書可也。墨子與孔子同為魯人，見聞所及，故有非儒之說。然《論語》一書，恐墨子亦未之見。《論語》云曾子有疾，孟敬子問之。而《禮記》「悼公之喪，孟敬子食食」，可見《論語》之成，在魯悼之後，當楚簡王之世。是時墨子已老，其說早已流行，故《論語》雖記孔子「天何言哉」之言，而墨諸子猶言天志也。

　　又學派不同，師承個別，墨子即見老孔之書，亦未必遽然隨之而變。今按：儒家著書在後（儒家首《晏子》），道、墨著書在前。《伊

尹》、《太公》之書，《藝文志》所不信，《辛甲》二十九篇則可信也（辛甲，道家，見《左傳》襄四年）。墨家以《尹佚》二篇開端。尹佚即史佚也。《藝文志》所稱某家者流出於某官，多推想之辭。唯道家之出史官，墨家之出清廟之守，確為事實。道家辛甲為周之太史，墨家不但史角為清廟之守，尹佚亦清廟之守。《洛誥》逸祝冊可證也。師承之遠，歷五百餘載，學派自不肯輕易改變。故公孟以無鬼之論駁墨子，墨子無論如何不肯信也。春秋之前，道家有辛甲，墨家有尹佚。《左傳》引尹佚之語五，《國語》引之者一，而辛甲則鮮見稱引，可見尹佚之學流傳甚廣，而辛甲之學則不甚傳。老子本之辛甲，墨子本之尹佚，二家原本不同，以故墨子即親見老子之書，亦不肯隨之而變也。

《禮記》孔子語不盡可信，而《論語》及《三朝記》，漢儒皆以為孔子之語，可信。《三朝記・千乘》篇云：「下無用則國家富，上有義則國家治，長有禮則民不爭，立有神則國家敬，兼而愛之，則民無怨心，以為無命，則民不偷。昔者先王立此六者，而樹之德，此國家所以茂也。」今按：孔子所言，與墨子相同者五：無用即不奢侈之意，墨子所謂節用也；上有義即墨子所謂尚同也；立有神即墨子所謂明鬼也；以為無命即墨子所謂非命也。蓋尹佚有此言，而孔子引之。其中不及節葬、非樂者，據《禮記・曾子問》：「下殤，土周，葬於園，遂輿機而往。」史佚有子而殤，棺斂於宮中，於此可見史佚不主節葬。周用六代之樂，史佚王官，亦斷不能非之。節葬、非樂乃墨子量時度勢之言。尹佚當太平時，本無須乎此。墨子經春秋之亂，目睹厚葬以致發冢（《莊子》有「詩、禮發冢」語可證），故主節葬。春

秋之初，樂有等級，及季氏僭用八佾，三家以雍徹，後又為女樂所亂（齊人饋女樂可見），有不得不非之勢。蓋節葬、非樂二者，本非尹佚所有，乃墨子以意增加者也。其餘兼愛、尚同、明鬼、節用，自尹佚以來已有之。尚賢老子所非，其名固不始於墨子。墨子明鬼，但能稱引典籍而不能明言其理，蓋亦遠承家法，非己意所發明也。

孔老之於鬼神，措辭含蓄，不絕對主張其有，亦不絕對主張其無。老子曰：「以道蒞天下，其鬼不神。」韓非解之曰：「夫內無痤疽癉痔之害而外無刑罰法誅之禍者，其輕恬鬼也甚，故曰『以道蒞天下，其鬼不神』。」蓋天下有道，禍福有常，則鬼神不足畏矣。孔子曰：「敬鬼神而遠之。」然《中庸》曰：「鬼神之為德，視之而弗見，聽之而弗聞，體物而不可遺，洋洋乎如在其上，如在其左右。」如此旁皇周浹，又焉能遠？蓋孔、老之言，皆謂鬼神之有無，全視人之信不信耳。至公孟乃昌言無鬼之論，此殆由孔、老皆有用世之志，不肯完全摧破迷信，正所謂不信者吾亦信之也。公孟在野之儒，無關政治，故公然論無鬼矣。凡人類思想，固由閉塞而漸進於開明，然有時亦未見其然，竟有先進步而後卻退者。如鬼神之說，政治衰則迷信甚，信如老子之言。然魏有王弼、何晏崇尚清談，西晉則樂廣、王衍大扇玄風，於是迷信幾於絕矣。至東晉而葛洪著《抱朴子》內、外篇，外篇語近儒家，內篇則專論煉丹。爾時老莊「一生死、齊彭殤」之論已成常識，而抱朴猶信煉丹，以續神仙家之緒。又如陽明學派，盛行於江西，而袁了凡亦江西人，獨倡為功過格，以承道教之風。夫清談在前，而後有葛洪；陽明在前，而後有袁黃，皆先進步而後卻退也。一人之思想，絕不至進而復退。至於學說興替，師承不同，則進

退無常。以故老子之言玄妙，孔子之言灑落，而墨子終不之信也。且墨子明鬼亦有其不得已者在。墨子之學，主於兼愛、尚同，欲萬民生活皆善，故以節用為第一法。節用則家給人足，然後可成其兼愛之事實，以節用故反對厚葬，排斥音樂。然人由儉入奢易，由奢反儉難。莊子曰：「以裘褐為衣，以跂蹻為服，墨子雖獨能任，奈天下何？」墨子亦知其然，故用宗教迷信之言誘之，使人樂從。凡人能迷信，即處苦而甘。苦行頭陀，不憚赤腳露頂，正以其心中有佛耳。南宋有邪教曰吃菜事魔，其始蓋以民之窮困，故教之吃菜；然恐人之不樂從也，故又教之事魔，事魔則人樂吃菜矣。於是從之者，皆漸饒益。論者或謂家道之豐，乃吃菜之功，非事魔之報；當禁事魔，不禁吃菜，其言似有理，實可笑也。夫不事魔，焉肯吃菜？墨子之明鬼，猶此志矣。人疑墨子能作機械，又《經上》、《經下》辨析精微，明鬼之說，與此不類。不知其有深意存焉。

節用之說，孔、老皆同。老子以儉為寶，孔子曰寧儉。事儉有程度，孔子飯疏飲水，而又割不正不食，固以時為轉移也。墨子無論有無，壹以自苦為極。其徒未必人人窮困，豈肯盡聽其說哉？故以尊天明鬼教之，使之起信。此與吃菜事魔，雅無二致。若然，則公孟之論，宜乎不入耳矣。

《墨·經》上、下所載，即堅白同異之發端。堅白同異，《藝文志》稱為名家。名家之前，孔子有正名之語，《荀子》有《正名》之篇，皆論大體，不及瑣細。其後《尹文子》亦然。獨《墨子》有堅白同異之說，惠施、公孫龍輩承之，流為詭辯，與孔子、荀子不同。魯哀公欲學小辯，孔子云：「奕固十棋之變，由不可既也，而況天下之

言乎？」小辯，蓋即堅白同異之流。小事詭辯，人以為樂。如云「火不熱」、「犬可為羊」，語異恆常，聳人聽聞，無怪哀公樂之也。

《經》上、下又近於後世科學之語，如：「平，同高也；圓，一中同長也。」解釋皆極精到。然物之形體，有勾股者，有三角者，有六觚者，但講平、圓二種，一鱗一爪，偏而不全，總不如幾何學事事俱備。且其書龐雜，無系統可尋，今人徒以其保存古代思想，故樂於研討耳。其實不成片段，去《正名》篇遠矣。

墨子數稱道禹（《莊子・天下》篇），禹似為其教祖。《周髀算經》釋「矩」字云：「禹之所以治天下者，此數之所生也。」趙注云：「禹治洪水，望山川之形，定高下之勢，乃勾股之所由生。」《考工記》：「有虞氏上陶，夏後氏上匠。」禹明於勾股測量之術，匠人世守其法以營造宮室，通利溝洫（《考工記》：「匠人建國，水地以懸，置槷以懸，視以景，為規，識日出之景與日入之景。晝參諸日中之景，夜考之極星，以正朝夕。」又：「匠人為溝洫，凡行奠水磬折以參伍。欲為淵，則勾於矩。」匠人明勾股測量之理，如此能建國行水。而行水、奠水，即禹治水之方也）。墨子既以禹為祖，故亦尚匠，亦擅勾股測量之術。公輸般與之同時，世為巧匠。公輸子削竹木以為鵲，成而飛之，三日不下，而墨子亦能作飛鳶。唯墨子由股術進求其理，故有「平，同高也」、「圓，一中同長也」、「端，體之無序而最前者也」諸語。此皆近於幾何，所與遠西不同者。遠西先有原理，然後以之應用；中國反之，先應用然後求其理耳。

墨子、公輸般皆生於魯，皆能造機械、備攻守。其後，楚欲攻

宋，二人解帶為城，以牒為械，試於惠王之前。般九設攻城之機變，墨子九拒之。般之攻械盡，墨子之守圉有餘。此雖墨子誇飾之辭，亦足徵二人之功力相敵矣。

《藝文志》稱法家者流，蓋出於理官。余謂此語僅及其半。法家有兩派：一派以法為主，商鞅是也；一派以術為主，申不害、慎到是也。唯韓非兼善兩者，而亦偏重於術。出於理官者，任法一派則然，而非所可語於任術一流。《晉書・刑法志》：「魏文侯師李悝，撰次諸國法，著《法經》六篇，商君受之以相秦。」此語必有所本。今按：商鞅本事魏相公叔痤，為中庶子。秦孝公下令求賢，乃去魏之秦。《秦本紀》載其事，在孝公元年，當梁惠王十年，上距文侯之卒，僅二十六年，故商鞅得與李悝相接。商鞅不務術，刻意任法，真所謂出於理官者（《法經》即理官之書也）。其餘，申不害、慎到，本於黃老，而主刑名，不純以法為主。韓非作《解老》、《喻老》，亦法與術兼用者也。太史公以老、莊、申、韓同傳，而商君別為之傳，最為卓識。大概用法而不用術者，能制百姓小吏之奸，而不能制大臣之擅權，商鞅所短即在於是。主術者用意最深，其原出於道家，與出於理官者絕異。春秋時世卿執政，國君往往屈服。反對世卿者，辛伯諫周桓公云：「並後匹嫡，兩政耦國，亂之本也」（《左傳》桓十八年）。辛伯者，辛甲之後，是道家漸變而為法家矣。管子亦由道家而入法家，《法法》篇（雖云法法，其實仍是術也）謂：「人君之勢，能殺人、生人，富人、貧人，貴人、賤人。人主操此六者，以畜其臣；人臣亦望此六者，以事其君。六者在臣期年，臣不忠，君不能奪；在子期年，子不孝，父不能奪。故《春秋》之記，臣有弒其君、子有其弒

父者。」其懼大權之旁落如此。老子則云：「魚不可脫於淵，國之利器不可以示人。」語雖簡單，實最扼要。蓋老子乃道家、法家之樞轉矣。其後慎到論勢（見《韓非子·難勢》），申不害亦言術。勢即權也，重權即不得不重術，術所以保其權者也。至韓非漸以法與術並論，然仍重術。《奸劫弒臣》篇所論，僅防大臣之篡奪，而不憂百姓之不從令，其意與商鞅不同。夫大臣者，法在其手，徒法不足以為防，必輔之以術，此其所以重術也。《春秋》譏世卿（三傳相同，《左傳》曰：「是以為君，慎器與名，不可以假人」），意亦相同。春秋之後，大臣篡弒者多，故其時論政者，多主專制。主專制者，非徒法家為然，管子、老子皆然，即儒家亦未嘗不然。蓋貴族用事，最易篡奪，君不專制，則臣必擅主。是故孔子有不可以政假人之論。而孟子對梁惠王之言，先及弒君。唯孟子不主用術，主用仁義以消弭亂原，此其與術家不同處耳。莊子以法術、仁義都不足為治，故云「竊鉤者誅，竊國者侯」；「絕聖棄智，大盜乃止」。然其時猶無易專制為民主之說，非必古人未見及此，亦知即變民主、無益於治耳。試觀民國以來，選舉大總統，無非借兵力賄賂以得之。古人深知其弊，故或主執術以防奸，或主仁義以弭亂。要使勢位尊於上，覬覦絕於下，天下國家何為而不治哉！

後世學管、老、申、慎而至者，唯漢文帝；學商鞅而至者，唯諸葛武侯。文帝陽為謙讓，而最能執術以制權臣，其視陳平、周勃，蓋如骨在口矣。初即位，即令宋昌、張武收其兵權，然後以微詞免勃，而平亦旋死。《史》、《漢》皆稱文帝明申、韓之學，可知其不甚重法以防百姓。武侯信賞必罰，一意於法，適與文帝相反，雖自比管仲，

實則取法商鞅（《魏氏春秋》記司馬宣王問武侯之使，使對諸葛公夙興夜寐，罰二十以上皆親覽焉，是純用商君之法）。唯《商君書》列六蝨：曰禮樂、曰詩書、曰修善、曰孝弟、曰誠信、曰貞廉、曰仁義、曰非兵、曰羞戰。名為六蝨，實有九事。商鞅以為六蝨成群，則民不用；去其六蝨，則兵民競勸。而武侯《出師表》稱「郭攸之、費禕、董允等，此皆良實，志慮忠純」，可見武侯尚誠信、貞廉為重，非如商鞅之極端用法，不須親賢臣、遠小人也。《商君書》云：「善治者使跖可信，而況伯夷乎？不能治者使伯夷可疑，而況盜跖乎？勢不能為奸，雖跖可信也；勢得為奸，雖伯夷可疑也。」獨不念躬攬大柄、勢得犯上，足以致人主之疑乎？夫教人以可疑之道，而欲人之不疑之也，難矣。作法自斃，正坐此論。及關下求舍，見拒而嘆，不已晚乎？韓非《定法》云：「申不害言術，公孫鞅為法。」二者不可相無。然申不害徒術而無法，「韓者，晉之別國也。晉之故法未息，而韓之新法又生；先君之令未收，而後君之令又下。申不害不擅其法，不一其憲令，則奸多故。利在故法前令則道之，利在新法後令則道之，利在故新相反、前後相悖，則申不害雖十使昭侯用術，而奸臣猶有所譎其辭矣。故托萬乘之勁韓，七十年而不至於霸王者，雖用術於上，法不勤飾於官之患也」。公孫鞅徒法而無術，其「治秦也，設告相坐而責其實，連什伍而同其罪，賞厚而信，刑重而必。是以其民用力勞而不休，逐敵危而不卻，故其國富而兵強。然而無術以知奸，則以其富強資人臣而已矣。及孝公、商君死，惠王即位，秦法未敗也，而張儀以秦殉韓、魏；惠王死，武王即位，甘茂以秦殉周；武王死，昭襄王即位，穰侯越韓、魏而東攻齊，五年而秦不益尺土之地，乃成其陶邑之封；應侯攻韓八年，成其汝南之封」。「故戰勝則大臣尊，

益地則私封立：主無術以知奸也。商君雖十飾其法，人臣反用其知。故乘強秦之資，數十年而不至於帝王者，法不勤飾於官，主無術於上之患也。」其言甚是。以三國之事證之，魏文帝時兵力尚不足，明帝時兵力足矣，末年破公孫淵，後竟滅蜀，而齊王被廢、高貴鄉公被弒。魏室之強，適以成司馬氏奸劫弒臣之禍，其故亦在無術以制大臣也。是故韓非以術與法二者並重。申不害之術，能控制大臣，而無整齊百姓之法，故相韓不能至富強；商鞅之法，能至富強，而不能防大臣之擅權。然商鞅之法，亦唯可施於秦國耳。何者？春秋時，秦久不列諸侯之會盟，故《史記・六國表》云：「秦始小國，僻遠，諸夏賓之，比於戎翟。」商君曰：「始秦戎翟之教，父子無別，同室而居。今我更制其教，而為其男女之別，大築冀闕，營如魯、衛。」可見商鞅未至之時，秦民之無化甚矣。唯其無化，故可不用六蝨，而專任以法。如以商君之法施之關東，正恐未必有效。公叔痤將死，語惠王曰：「公孫鞅年雖少，有奇才。願王舉國而聽之；即不聽用，必殺之，無令出境。」假令惠王用公叔之言，使商鞅行法於魏，魏人被文侯、武侯教化之後，宜非徒法之所能制矣。是故武侯治蜀，雖主於法，猶有親賢臣、遠小人之論。蓋知國情時勢不同，未可純用商君之法也。其後學商鞅者，唐有宋璟，明有張居正。宋璟行法，百官各稱其職，刑賞無私，然不以之整齊百姓。張居正之持法，務課吏職，信賞罰、一號令，然其督責所及，官吏而外則士人也，猶不普及氓庶。於時陽明學派，盛行天下，士大夫競講學議政，居正惡之，盡毀天下書院為公廨。又主沙汰生員，向時童子每年入學者，一縣多則二十，少亦十人，沙汰之後，大縣不過三四人，小縣有僅錄一人者，此與商鞅之法相似（沙汰生員，亭林、船山亦以為當然）。然於小民，猶不

如商君持法之峻也。蓋商君、武侯所治，同是小國。以秦民無化，蜀人柔弱，持法尚不得不異。江陵當天下一統之朝，法令之行，不如秦蜀之易。其治百姓，不敢十分嚴厲，固其所也。

　　商鞅不重孝弟誠信貞廉，老子有「不尚賢，使民不爭」之語，慎到亦謂「塊不失道，無用賢聖」。後人持論與之相近而意不同者，梨洲《明夷待訪錄》所云「有治法無治人」是也（梨洲之言，頗似慎到）。慎到語本老子。老子目睹世卿執政，主權下逮，推原篡奪之禍，始於尚賢。《呂氏春秋・長見》篇云：「太公望封於齊，周公旦封於魯，二君甚相善也。相謂曰：『何以治國？』太公望曰：『尊賢尚功。』周公旦曰：『親親上恩。』太公望曰：『魯自此削矣。』周公旦曰：『魯雖削，有齊者亦必非呂氏也。』其後齊日以大，至於霸，二十四世而田成子有齊國；魯日以削，至於覲存，三十四世而亡。」蓋尊賢上功，國威外達，主權亦必旁落，不能免篡弒之禍；親親尚恩，以相忍為國，雖無篡弒之禍，亦不能致富強也。老子不尚賢，意在防篡弒之禍；而慎到之意又不同。漢之曹參、宋之李沆，皆所謂塊不失道者。曹參日夜飲醇酒，來者欲有言，輒飲以醇酒，莫得開說。李沆接賓客，常寡言，致有「無口匏」之誚；而沆自稱居重位，實無補，唯中外所陳利害，一切報罷之，少以此報國爾。蓋曹、李之時，天下初平，只須與民休息，庸人擾之，則百姓不得休息矣。慎到之言，不但與老子相近，抑亦與曹、李相近。莊子學老子之術，而評田駢、慎到為「不知道」。慎到明明出於老子，而莊子詆之者，莊子卓識，異於術法二家，以為有政府在，雖不尚賢，猶有古來聖知之法，可資假借。王莽一流，假周孔之道，行篡弒之事，固已為莊子所逆

料。班孟堅曰：「秦燔《詩》、《書》，以立私議；莽誦六藝，以文奸言。殊途同歸。」是故《詩》、《禮》可以發冢，仁、義適以資盜。必也絕聖棄知，大盜乃止。

有國者欲永免篡弒之禍，恐事勢有所不能。日本侈言天皇萬世一系，然試問大將軍用事時，天皇之權何在？假令大將軍不自取其咎，即可取天皇而代之，安見所謂萬世一系耶？辛伯憂兩政耦國，《公羊》譏世卿擅主，即如其說，遏絕禍亂之本，亦豈是久安長治之道？老子以為不尚賢則不爭，然曹操、司馬懿、劉裕有大勳勞於王室，終於篡奪，固為尚賢之過；若王莽無功，起自外戚，亦竟篡漢，不尚賢亦何救於爭哉？若民主政體，選賢與能，即尚賢之謂。尚賢而爭宜矣。

是故論政治者，無論法家、術家，要是苟安一時之計，斷無一成不變之法。至於絕聖棄知，又不能見之實事。是故政治比於醫藥，醫家處方，不過使人苟活一時，不能使人永免於死亡也。

《漢書‧藝文志》：「名家者流，出於禮官。古者名位不同，禮亦異數。」余謂此乃局於一部之言，非可以概論名家也。《荀子‧正名》篇舉刑名、爵名、文名、散名四項。刑名、爵名、文名，皆有關於政治，而散名則普及社會一切事務，與政治無大關係。《藝文志》之說，僅及爵名，而名家多以散名為主。荀子因孔子正名之言，作《正名》篇，然言散名者多，言刑名、爵名者少。《墨子‧經》上、下以及惠施、公孫龍輩，皆論散名，故名家不全出於禮官也。

名家最得大體者，荀子；次則尹文。尹文之語雖簡，絕無詭辯之風。惠施、公孫龍以及《墨子‧經》上、下，皆近詭辯一派，而以公

孫龍為最。《法言》稱公孫龍詭辭數萬以為法，而不及尹文、惠施。荀子譏惠施蔽於辭而不知實。其實，惠施尚少詭辯之習也。名家本出孔子正名一語，其後途徑個別，遂至南轅北轍。

孔子正名之言有所本乎？曰：有。《禮記‧祭法》云：「黃帝正名百物，以明民共財。」《國語》作「成命百物」，韋註：「命，名也。」鄭注《論語》：「正名謂正書字也。古者曰名，今世曰字。」《禮記》曰：「百名以上則書之於策。」然則黃帝正名，即倉頡造字矣。《易》曰：「上古結繩而治，後世聖人易之以書契。」項籍云：「書，足以記姓名。」造字之初，本以記姓名、造契約，故曰「明民共財」。《易》曰：「理財正辭。」其意亦同。《管子‧心術》篇曰：「物固有形，形固有名。此言不得過實，實不得延名。姑形以形，以形務名，督言正名。」延即延長之意，過也。形不能定形，故須以名定之，此謂名與實不可相爽。然則正名之說，由來已久，孔子特採古人之說爾。

名家主形名，形名猶言名實。孔子之後，名家首推尹文。尹文謂名有三科：一曰命物之名，方圓白黑是也；二曰毀譽之名，善惡貴賤是也；三曰況謂之名，賢愚愛憎是也（《大道》上）。其語簡單膚廓，不甚切當。又云：「有形者必有名，有名者未必有形（如墨子所稱之鬼何有於實？只存名耳）。形而不名，未必失其方圓白黑之實，名而不可尋名，以檢其差，故亦有名以檢形，形以定名，名以定事，事以檢名。察其所以然，則形名之與事物，無所隱其理矣。」（《大道》上）蓋尹文是循名責實一派，無荒誕瑣屑病，唯失之泰簡，大體不足耳。荀子《正名》，頗得大體。其時惠施、公孫龍輩已出，故取當時

諸家之說而破之。惠施、公孫龍二人之術，自來以為一派，其實亦不同。《莊子・天下》篇載惠施之說十條，與其他辯者之說卵有毛、雞三足者不同。蓋公孫龍輩未服官政，故得以詭辯欺人，而惠施身為卿相（惠施為梁惠王相，並見《莊子》、《呂覽》），且莊子稱其多方。多方者，方法多也，知其不但為名家而已。黃繚問天地所以不墜不陷、風雨雷霆之故，惠施不辭而應，不慮而對，遍為萬物說，說而不休，多而無已；猶以為寡，益之以怪。惠施之博學於此可見。葉水心嘗稱惠施之才高於孟子。今按：梁惠王東敗於齊，長子死焉；西喪地於秦七百里；南辱於楚。意欲報齊，以問孟子。孟子不願魏之攻齊，故但言可使制梃以撻秦楚之堅甲利兵。於是惠王問之惠施，惠施對以王若欲報齊，不如因變服折節而朝齊，楚王必怒；王遊人而合其斗，則楚必伐齊，以休楚而伐疲齊，則必為楚禽，是王以楚毀齊也。惠王從之，楚果伐齊，大敗之於徐州。於此知惠施之有權謀，信如水心之言矣。今就《莊子》所載惠施之說而條辨之，無非形名家言也。一曰至大無外謂之大一，至小無內謂之小一。小一幾何學之點，點無大小長短可言，是其小無內也。大一即幾何學之體，引點而為線，則有長短；引線而為面，則有方圓；引面而為體，是其大可以無外也。點為無內，故曰至小；體可無外，故曰至大。二曰無厚不可積也，其大千里（墨子亦有「無厚」語）。無厚者，空間也，故不可積。空間無窮，千里甚言其大耳。三曰天與地卑、山與澤平。「卑」當作「比」。《周髀算經》云：「天象蓋笠，地法覆盤。」如其說，則天與地必有比連之處矣。《大戴禮記・曾子・天圓》篇云：「如誠天圓而地方，則是四角之不掩也。」曾子之意，殆與惠施同。山高澤下，人所知也。山上有澤，《咸》之象也。黃河大江，皆出崑崙之巔，松花江亦

自長白山下注，故云山與澤平也。四曰日方中方睨、物方生方死。今之常言，時間有過去、現在、未來三者，其實無現在之時間，方見日中，而日已睨矣。生理學者謂人體新陳代謝，七年而血肉骸骨都非故我之物，此與佛法剎那、無常之說符合。故曰物方生方死，生死猶佛言生滅爾。五曰大同而與小同異，此之謂小同異；萬物畢同畢異，此之謂大同異。此義亦見《荀子·正名》篇。同者，荀子謂之共。異者，荀子謂之別。其言曰：「萬物雖眾，有時而欲遍舉之，故謂之物。物也者，大共名也。推而共之，共則有共，至於無共然後止。有時而欲別舉之，故謂之鳥獸。鳥獸也者，大別名也。推而別之，別則有別，至於無別然後止。」鳥獸皆物也，別稱之曰鳥獸，此之謂小同異。動物、植物、礦物同稱之曰物，是畢同也。物與心為對待，由心觀物，是畢異也，此之謂大同異。六曰南方無窮而有窮，此言太虛之無窮，而就地上言之則有窮也。四方皆然，言南方者，舉一隅耳。七曰今日適越而昔來（《齊物論》「來」作「至」）。謂之今日，其為時有斷限；謂之昔，其為時無斷限。就適越一日之程言之，自昧旦至於日入，無非今日也。就既至於越言之，可云昔至也。八曰連環可解也。按《國策》，秦昭皇嘗遣使者遺君王后連環，曰：「齊多智，解此環不？」君王后以示群臣，群臣不知解。君王后引椎椎破之，謝秦使曰：「謹以解矣。」楊升庵《丹鉛錄》嘗論此事，以為連環必有解法，非椎破之也。今湖南、四川頗有習解連環者。然惠施之意，但謂既能貫之，自能解之而已。其時有無解連環之法則不可知。九曰我知天下之中央，燕之北、越之南是也。此依舊注固可通，然依實事亦可通。據《周髀算經》，以北極為中央，則燕之北至北極、越之南亦至南極，非天之中央而何？十曰泛愛萬物。天地一體也，此係實理，不

待繁辭。綜上十條觀之，無一詭辯。其下二十二條，雖有可通者，然用意繚繞，不可謂之詭辯。惠施與莊子相善，而公孫龍聞莊子之言，口呿而不合，舌舉而不下（見《秋水》篇）。蓋公孫龍純為詭辯，故莊子不屑與為伍也。

惠施遺書，《漢志》僅列一篇。今欲考其遺事，《莊子》之外，《呂覽》、《國策》皆可資採摭。莊子盛稱惠施。惠施既歿，莊子過其墓，顧謂從者曰：「自夫子之死，吾無以為質。吾無與言之。」（《徐無鬼》篇）其推重之如此。然又詆之曰：由天地之道，觀惠施之能，猶一蚊一虻之勞（《天下》篇）。則自道術之大處言之爾。至於「惠子相梁，莊子往見之。或謂惠子曰：『莊子來，欲代之相。』於是惠子恐，搜於國中，三日三夜」（《秋水》篇），此事可疑。按：《史記‧魏世家》稱惠王卑禮厚幣以招賢者，其時惠施為相，令自己出，宜無拒絕莊子之事。意者鵷雛、腐鼠之喻，但為寓言，以自明其高尚而已。《呂覽‧不屈》篇云，魏惠王謂惠子曰：「寡人不若先生，願得傳國。」惠子辭。以子之受燕於子噲度之，《呂覽》之言可信。以此可知惠施之為名家，非後世清談廢事者比。要而論之，尹文簡單，而不玄遠；惠施玄遠矣，尚非詭辯；《墨‧經》上、下以及公孫龍輩，斯純為詭辯矣。自此輩出，而荀子有《正名》之作。

《荀子‧正名》本以刑名、爵名、文名、散名並舉，而下文則專論散名。其故由於刑名隨時可變，爵名易代則變；文名從禮，如《儀禮》之名物，後世改變者亦多矣，唯散名不易變。古今語言，雖有不同，然其變以漸，無突造新名以易舊名之事，不似刑名、爵名、文名之隨政治而變也。有昔無而今有、昔微而今著者，自當增作新名。故

荀子云：「若有王者起，必有循於舊名，有作於新名。」散名之在人者，荀子舉性、情、慮、偽、事、行、智、能、病、命十項。名何緣而有同異？荀子曰：「緣天官。」此語甚是。人之五官，感覺相近，故言語可通，喜怒哀樂之情亦相近，故論制名之緣由曰緣天官也。其云「單足以喻則單，單不足以喻則兼」，此可破白馬非馬之論。蓋總而名之曰馬，以色別之曰白馬。白馬非馬之論，本無由成立也。至堅白同異之論，堅中無白，白中無堅；白由眼識，堅由身識；眼識有白而無堅，身識有堅而無白；由眼知白，由身知堅，由心綜合而知其為石。於是名之曰石。故堅白同異之論，無可爭也。如此則詭辯之說可破（公孫龍輩所以詭辯者，以其無「緣天官」一語為之限制，得荀子之說而詭辯自破）。大概草昧之民，思想不能綜合，但知牛之為牛，馬之為馬，不知馬與牛之俱為獸；知雞之為雞，鶩之為鶩，不知雞與鶩之俱為鳥。稍稍進步，而有鳥獸之觀念，再進步而有物之觀念。有物之觀念，斯人類開化矣（其於石也，先覺其堅與白，然後綜合而名之曰石；由石而綜合之曰礦；由草、木、鳥、獸、礦而一切包舉之曰物）。荀子又曰：「名無固宜。約之以命，約定俗成謂之宜；異於約則謂之不宜。」蓋物之命名，可彼可此，犬不必定謂之犬，羊不必定謂之羊；唯既呼之為犬、為羊，則約定俗成，犬即不可以為羊也。制名之理，本無甚高深，然一經制定，則不可以變亂。孔子謂「名不正則言不順；言不順則事不成；事不成則禮樂不興；禮樂不興，則刑罰不中；刑罰不中，則民無所措手足」，此推論至極之說。施於政治、文牘最要。若指鹿為馬，則循名不能責實，其弊至於無所措手足矣。

要之，形與名務須切合，儒家正名之旨在此（《管子》已有此

語）。為名家者，即此已定。惠施雖非詭辯，然其玄遠之語，猶非為政所急，以之講學則可，以之施於政治則無所可用。至其他繳繞之論，適足亂名實耳。

文學略說

文學分三項論之：一論著作之文與獨行之文有別；二論駢體、散體各有所施，不可是丹非素；三論周秦以來文章之盛衰。

▋ 著作之文與獨行之文

著作之文云者，一書首尾各篇互有關係者也；獨行之文云者，一書每篇各自獨立，不生關係者也。準是論文，則《周易》、《春秋》、《周官》、《儀禮》、諸子，著作之文也（《儀禮》雖分十七篇而互有關係）；《詩》、《書》，獨行之文也。孔子刪《詩》，如後世之總集，唯商初、周初諸篇偶有關係，然各篇不相接者多，與《春秋》編年者異撰，或同時並列三篇，或曠數百年而僅存一篇。自堯至秦，一千七百年中，商書殘缺；夏書則於后羿、寒浞之事，一無記載。蓋書本各人各作，不相繫聯。孔子刪而集之，亦猶夫《詩》矣。後人文集，多獨行之文；唯正史為著作之文耳。以故著作之文，以史類為主；而周末諸子，說理者為後起，老、墨、莊、申、韓、孟、荀是也；唯《呂覽》是獨行之文編集而為著作者也。著作之盛，周末為最。顧獨在諸子，史部不能與抗。至漢，太史公繼《春秋》而作，史部始盛。此後子書，西漢有陸賈《新語》（真偽不可知）、賈誼《新書》、董仲舒《春秋繁露》（後人歸入經部）、桓寬《鹽鐵論》（集當時郡國賢良商論鹽鐵榷酤事）、揚雄《法言》；東漢有王充《論衡》、王符《潛夫論》、仲長統《昌言》（全書不可見）、荀悅《申鑑》、徐幹《中論》。持較周秦諸子，說理固不逮，文筆亦漸遜矣。然魏文帝論文，不數宴遊之作，而獨稱徐幹為不朽者，蓋猶視著作之文尊於獨行者也。

著作之文，本有史部、子部二類。王充謂：「司馬子長累積篇

第，文以萬數；然而因成前紀，無胸中之造。揚子雲作《太玄經》，造於助思，極窈冥之深，非庶幾之才，不能成也。」（《論衡・超奇》篇）此為抑揚太過。《史記》雖襲前文，其為去取，亦甚難矣。充又數稱桓君山，謂說論之徒，君山為甲。今桓譚書不可見，唯《群書治要》略載數篇，亦無甚高深處。而充稱為素丞相者，蓋王、桓氣味相投，能破壞不能建立，此即邱光庭《兼明書》之端也（東漢人皆信陰陽五行，王充獨破之，故蔡中郎得其書，祕之帳中。中郎長於碑版，能為獨行之文而不能著作者）。至於三國，《典論》全書不可見。劉劭《人物志》論官人之法，行文精練，漢人所不能為，《隋志》入之名家，以其書品評人物，綜核名實，於名家為近也。其論英雄，謂：「張良英而不雄，韓信雄而不英。體分不同，以多為目，故英雄異名，皆偏至之材，人臣之任也。故英可為相，雄可為將。若一人之身兼有英雄，則能長世，高祖、項羽是也。然英之分以多於雄，而英不可以少也。英分少則智者去之，故項羽氣力蓋世，明能合變，而不能聽采奇異；有一范增不用，是以陳平之徒，皆亡歸高祖。英分多故群雄服之，英材歸之，兩得其用，故能吞秦破楚，宅有天下。然則英雄多少，能自勝之數也。徒英而不雄，則雄才不服也；徒雄而不英，而智者不歸也。故雄能得雄，不能得英；英能得英，不能得雄。故一人之身兼有英雄，乃能役英與雄。能役英與雄，故能成大業也。」語似突梯，而頗合當時情理。晉世重清談，宜多著作之文；然而無有者，蓋清談務簡，異於論哲學也。樂廣擅清言，而不著書。《世說新語》云：「客問樂令旨不至者，樂亦不復剖析文句，直以塵尾柄确几曰：『至不？』客曰：『至。』樂因又舉塵尾曰：『若至者，那得去？』於是客乃悟服。廣辭約而旨達，皆此類。」故無長篇大論。其時子書有

《抱朴子》等（《抱朴子》外篇論儒術，內篇論煉丹），顏之推譏之，以為「魏晉以來，所著諸子，理重事復，遞相模學，猶屋下架屋、床上施床耳」。《顏氏家訓》言處世之方，不及高深之理。精於小學，故有《音辭》篇；信奉釋氏，故有《歸心》篇。其書與今敦煌石室所出《太公家教》類似。之推文學之士，多學問語。太公不知何人，或為隋唐間老農。學問有深淺，故文筆異雅俗耳。李習之謂《太公家教》與《文中子》為一類，不知《文中子》誇飾禮樂，而《家教》則否，余故謂是《家訓》之類也。唐人子部絕少。後理學家用禪宗語錄體著書，亦入子部，其文字鄙俚，故顧亭林譏之曰：「夫子之文章，不可得而聞矣。」

　　史部之書，范曄《後漢書》、陳壽《三國志》，皆一手所作。《宋書》、《齊書》、《梁書》、《陳書》亦然。《隋書》，魏徵等撰。本紀、列傳，出顏師古、孔穎達手（自來經學家作史，唯孔穎達一人）。《天文》、《律歷》、《五行》三志，出李淳風手。《新唐書》，宋祁撰列傳，歐陽脩撰志，雖出兩人，文筆不甚相遠。《晉書》出多人之手。《舊唐書》，號稱劉昫撰，昫實總裁而已。《舊五代史》，薛居正撰，恐亦非一人之作。歐陽脩《新五代史》，固出一手，然見聞不廣，遺漏太多。遼、金、元三史，皆雜湊而成，唯《東都事略》乃王偁一人之作。《明史》本萬斯同所作，但有列傳，無本紀、表、志。餘弟子朱逖先在北京購得稿本，體裁工整，而紙色如新，未敢決然置信。然文筆簡練，殆非季野不能為。王鴻緒《橫云山人明史稿》，紀、表、志、傳具備，而刪去萬曆以後列傳。乾隆時重修《明史》，則又出多人之手矣。編年史如《漢紀》、《後漢紀》、《十六國春秋》，皆一手

所作（《十六國春秋》，真偽不可知）。《通鑑》一書，周、秦、兩漢為劉奉世所纂，六朝為劉恕所纂，隋唐為范祖禹所纂，雖出眾手，而溫公自加刊正。「臣光曰」云云，皆溫公自撰，亦可稱一手所成者也。大抵事出一手者為著作之文（史部、子部應分言之），反之則非著作之文。宋人稱《新五代史》可方駕《史記》，《史記》安可幾及？以後世史部獨修者少，故特重視之耳。

　　《左》、《國》、《史》、《漢》中之奏議書札，皆獨行之文也。西漢以前，文集未著。《楚辭》一類，為辭章之總集。漢人獨行之文，皆有為而作，或為奏議，或為書札，鮮有以論為名者。其析理論事，僅延篤《仁孝先後論》一篇耳，其文能分析而未臻玄妙，徒以《解嘲》、《非有先生論》之屬皆是設論，非論之正，故不得不以延篤之論為論之首也。魏晉六朝，崇尚清談。裴頠《崇有》，范縝《神滅》，斯為傑構。清談者宗師老子，以無為貴，故裴頠作論以破其說。《宏明集》所收，多揚玄虛之旨，范縝遠承公孟（太史公云：學者多言無鬼神），近宗阮瞻，昌論無鬼，謂形之於神，猶刀之於利，未聞刀去而利存，安有人亡而神在？是仍以清談破佛法也。此種析理精微之作，唐以後不可見。近世曾滌笙言古文之法，無施不可，獨短於說理（方望溪有「文以載道」之言，曾氏作此說，是所見過望溪已）。夫著作之文，原可以說理。古人之書，《莊子》奇詭，《孟》、《荀》平易，皆能說理。韓非《解老》、《喻老》，說理亦未嘗不明。降格以求，猶有《崇有》、《神滅》之作，何嘗短於說理哉？後人為文，不由此道，故不能說理耳。然而宗派不同、門戶個別，彼所謂古文，非吾所謂古文也。彼所謂古文者，上攀秦漢，下法唐宋，中間不取魏晉

六朝。秦漢高文，本非說理之作，相如、子雲，一代宗工，皆不能說理。韓、柳為文，雖云根柢經、子，實則但摹相如、子雲耳。持韓較柳，柳猶可以說理，韓尤非其倫矣（柳遭廢黜，不能著成一書，年為之限，深可惜也）。蓋理有事理、名理之別。事理之文，唐宋人尚能命筆；名理之文，唯晚周與六朝人能為之。古文家既不敢上規周秦，又不願下取六朝，宜其不能說理矣。要之，文各有體。法律條文，自古至今，其體不變。漢律、唐律，如出一轍。算術說解，自《九章》而下，亦別自成派。良以非此文體，無以說明其理故也，律算如此，事理、名理亦然。上之周秦諸子，下之魏晉六朝，捨此文體不用，而求析理之精、論事之辨，固已難矣。然則古人之文，各類齊備，後世所學，僅取一端。是故，非古文之法獨短於說理，乃唐宋八家下逮歸、方之作，獨短於說理耳。

史部之文，班、馬最卓。後世學步，無人能及。傳之於碑，文體攸殊。傳鈍敘事，碑兼文質。而宋人造碑，宛然列傳。昌黎以二千餘字作《董晉行狀》，其他碑誌，不及千字。宋人所作神道墓誌，漸有長者。子由作《東坡墓誌》，字近七千，而散漫冗碎，不能收束。晦庵作《韓魏公志》，文成四萬，亦不能收束。持較《史》、《漢》千餘字之《李斯列傳》，七八千字之《項羽本紀》，皆收束得住，不可同年而語矣。後人無作長篇之力量，則不能不學韓、柳之短篇，以求收束得住，所謂起伏照應之法。凡為作長篇，不易收束而設也（此法宋人罕言，明人乃常言爾）。是故即論單篇獨行之作，亦古今人不相及矣。

後世史須官修，不許私撰。學成班、馬，持等屠龍。唯子書無妨

私作，然自宋至今，載筆之士，率留意獨行之文，不尚著作。理學之士，創為語錄，有意子部，而文采不足。餘皆單篇孤行，未有巨製，豈不以屠龍之技為不足學耶？今吳江有寶帶橋，綿亙半里，列洞七十，傳為胡元時造；福建泉州有萬安橋，長及二里，傳為蔡襄所造。此皆絕技，後人更無傳者。何者？師不以傳之弟子，弟子亦不願受之於師，以學而無所可用也。著作之文，每下愈況，亦猶此矣。

■ 駢文散文各有體要

　　駢文、散文，各有短長。言宜單者，不能使之偶；語合偶者，不能使之單。《周禮》、《儀禮》，同出周公，而《周禮》為偶，《儀禮》則單。蓋設官分職，種別類殊，不偶則頭緒不清；入門上階，一人所獨，為偶則語必冗繁。又《文言》、《春秋》，同出孔子，《文言》為偶，《春秋》則單。以陰陽剛柔，非偶不優；年經月緯，非單莫屬也。同是一人之作，而不同若此，則所謂辭尚體要矣。

　　駢散之分，實始於唐，古無是也。晉宋兩代，駢已盛行。然屬對自然，不尚工切。晉人作文，好為迅速。《蘭亭序》醉後之作，文不加點，即其例也。昭明《文選》則以沉思翰藻為主，《蘭亭》速成，乖於沉思，文采不豔，又異翰藻，是故屏而弗錄。然魏晉佳論，譬如淵海，華美精辨，各自擅場。但取華美，而棄精辨，一偏之見，豈為允當！顧《文選》所收對偶之文，猶未極其工切也。

　　降及隋唐，鏤金錯采，清順之氣，於焉衰歇，所以然者，北入南學（如溫子昇輩是），得其皮毛，循流忘返，以至斯極。於是初唐四

傑廓清之功，不可沒也（顏師古作《等慈寺塔記銘》，有意為文，即不能工；楊盈川作《王子安文集序》，以為當時之文，皆糅之金玉龍鳳，亂之青黃朱紫，子安始革此弊）。降及中葉，李義山始專力於對仗，為宋人四六之先導。王子安落霞、孤鶩二語，本寫當時眼前景物，而宋人橫謂落霞，飛蛾之號以對孤鶩，乃為甚工（宋人筆記中多此語），其可笑有如此者。駢文本非宋人所工，徒以當時表奏皆用四六，故上下風行耳。歐陽永叔以四六得第。雖宗韓、柳，不非駢體（永叔舉進士，試《左氏失之誣論》有「石言於晉，神降於莘；內蛇鬥而外蛇傷，新鬼大而故鬼小」語，頗以自矜）。東坡雖亦作四六，而常譏駢體。平心論之，宋人四六實有可議處也。清乾隆時，作駢體者規摹燕許，斐然可觀。李申耆選《駢體文鈔》（申耆，姚姬傳之弟子，肄業鐘山書院，反對師說，乃作是書），取《過秦論》、《報任少卿書》，一切以為駢體，則何以異於桐城耶？阮芸台妄謂古人有文有辭，辭即散體，文即駢體，舉孔子《文言》以證文必駢體，不悟《繫辭》稱辭，亦駢體也。劉申叔文本不工，而雅信阮說。余弟子黃季剛初亦以阮說為是，在北京時，與桐城姚仲實爭，姚自以老耄，不肯置辯。或語季剛：呵斥桐城，非姚所懼；詆以末流，自然心服。其後白話盛行，兩派之爭，泯於無形。由今觀之，駢散二者本難偏廢。頭緒紛繁者，當用駢；敘事者，止宜用散；議論者，駢散各有所宜。不知當時何以各執一偏，如此其固也。

鄒陽，縱橫家也。觀其上書（《鄒陽》七篇，《漢志》入縱橫家。《史記》，鄒陽與魯仲連同傳。周、孔之作不論，論漢人之作，相如、子雲之文非有為而作，故特數鄒陽），行文以駢。而文氣之盛，

異於後之四六。是故謂駢體氣弱，未為篤論。宋子京《筆記》謂作史不應用駢語；劉子玄亦云：史文用駢，似簫笛雜鼙鼓、脂粉飾壯士。此謂敘事不宜用駢也。不僅宋子京、劉子玄如此，六朝人作史，亦無用駢語者。唐詔令皆用駢體，而歐陽永叔撰《新唐書》，一切削去，此則太過。夫詔令以駢而不可錄；罪人供狀，詞旨鄙俚，莫此為甚，何為而可錄耶？後人不願為散體者，謂散體短於說理，不知《崇有》、《神滅》之作，亦非易為。若夫桐城派導源震川（堯峰亦然），陽湖略變其法，而大旨則同。震川之文，好搖曳生姿，一言可了者，故作冗長之語。曾滌笙譏之曰：「神乎？味乎？徒辭費耳。」此謂震川未脫八股氣息也。至於散之譏駢，謂近俳優，此亦未當。玉谿而後，雕繪滿眼，弊固然矣。若《文選》所錄，固無襞積臃腫之病也。今以口說衡之，歷舉數事，不得不駢；單述一理，非散不可。二者並用，乃達神旨。以故，駢散之爭，實屬無謂。若立意為駢，或有心作散，比於削趾適屨，可無須爾。

　　駢散合一之說，汪容甫倡之，李申耆和之。然晉人為文，如天馬行空，絕無依傍，隨筆寫去，使人難分段落。今觀容甫之文，句句鍛鍊，何嘗有天馬行空之致；容甫譏呵望溪，而湘綺並誚汪、方。湘綺之文，才高於汪，取法魏晉，兼宗兩漢。蓋深知明七子之弊，專學西漢，有所不逮；但取晉宋，又不甘心。故其文上取東漢，下取魏晉，而自成湘綺之文也。若論駢散合一，汪、李尚非其至，湘綺乃成就耳。然湘綺列傳碑版，摹擬《史記》，襲其成語，往往有失檢之處。如《鄒漢勳傳》云：「如鄒漢勳者，又何以稱焉？」此襲用《史記·伯夷列傳》語而有誤也。夫許由、卞隨、務光之事，太史疑其非實，

故作此問。若鄒漢勳者，又何疑焉？

■ 周秦以來文章之盛

論歷代文學，當自周始。孔子曰：「郁郁乎文哉，吾從周。」周初之文，厥維經典，不能論其優劣。春秋而後，始有優劣可言。春秋時文體未備，綜其所作，記事、敘言多而單篇論說少。七國時文體完具，但無碑版一體。鐘鼎雖與碑版相近，然其文不可索解。故正式碑版，斷自秦後起也（任昉《文章緣起》，其書真偽不可知，所論亦未可信據）。概而論之，文章大體備於七國；若其細碎，則在六朝。六朝之後，亦有新體，如墓誌，本為不許立碑者設；後世碑與墓誌並用，其在六朝，墓誌不為正式文章也。又如壽序，宋以前猶未著。然論文學之盛衰，固不拘於文體之損益。

自唐以來，論文皆以氣為主。氣之盛衰，不可強為。大抵見理清、感情重，自然氣盛。周秦之作，未有不深於理者，故篇篇有氣。論感情，亦古人重於後人。《顏氏家訓》謂：「別易會難，古人所重；江南餞送，下泣言離。」梁武帝送弟王子侯出為東郡，云：「我年已老，與汝分張，甚以惻愴。」數行淚下。非獨愛別離如此，即杯酒失意，白刃相仇，亦唯深於感情者為然。何者？愛深者恨亦深，二者成正比例也。今以《詩經》觀之，好賢如《緇衣》，惡惡如《巷伯》，皆可謂甚矣。至於《楚辭·離騷》之忠怨，《國殤》之嚴殺，皆各盡其致。漢人敘戰爭者，如《項羽本紀》、《李陵列傳》，有如目睹，非徒其事蹟之奇也，乃其文亦極描寫之能事矣。此在後世文人為之，雖有意描寫，亦不能幾及。何也？其情不至也。大抵抒情之作，往往宜

於小說。然自唐以降，小說家但能敘鬼怪，而不能敘戰爭攻殺。此由實情所無，想像亦有所不逮。唯有男女之情，今古不變，後世小說，類能道之。然人之愛情，豈僅限於男女？君臣、父子、兄弟、朋友，無不有愛情焉。而後世小說之能事，則盡於述男女而已。

漢人之文，後世以為高，然說理之作實寡。魏晉漸有說理之作，但不能上比周秦。今人真欲上擬周秦兩漢，恐貽舉鼎絕臏之誚。明七子李空同輩，高談秦漢，其實邯鄲學步耳。後七子如李滄溟文，非其至者，而詩尚佳；王鳳洲文勝於滄溟，頗能敘戰爭及奇偉之跡，此亦由於情感激發爾。如楊椒山之事，人人憤慨，故鳳洲所作行狀，有聲有色。顧持較《史》、《漢》，猶不能及。以《史》、《漢》文出無心，鳳洲則有意摹擬，著力與不著力，自有間也。

抒情說理之作如此，其非抒情亦非說理如《七發》之類者亦然（《七發》亦賦類）。《七發》氣勢浩瀚，無堆垛之跡，擬作者《七啟》、《七命》即大有逕庭。相如、子雲之賦，往往用同偏旁數字堆垛以成一句，然堆垛而不覺其重。何也？有氣行乎其間，自然骨力開張也。降及東漢，氣骨即有不逮。然《兩都》、《兩京》以及《三都》，猶粗具規模，後此則無能為之者矣。此類文字，不關情之深、理之邃，以余度之，殆與體氣有關。漢人之強健，恐什佰於今人，故其詞氣之盛，亦非後世所及。今人發古墓，往往見古人屍骨大於今人，此一證也。武梁祠畫像，其面貌雖不可細辨，然鼻準隆起，有如猶太、回回人，此又一證也。漢世尚武之風未替，文人為將帥者，往往而有。又漢行徵兵制，而其時歌謠，無道行軍之苦者。唐代即不然，杜詩《兵車行》、《石壕吏》之屬可徵也。由此可見，唐人之體

氣已不逮漢人，此又一證也。以漢人堅強好勇，故發為文章，舉重若輕，任意堆垛而不見堆垛之跡，此真古今人不相及矣。不特文章為然，見於道德者亦然。道德非盡出於禮，亦生於情。情即有關於氣體。體氣強則情重，德行則厚；體氣弱，情亦薄，德行亦衰。孔子曰：「仁者必有勇。」知無勇不能行仁也。《呂氏春秋‧慎大覽》稱孔子之勁，舉國門之關，而不肯以力聞。《史記‧仲尼弟子傳》云：子路性鄙，少孔子九歲，好勇力，志伉直，冠雄雞，佩豭豚，陵暴孔子。孔子設禮誘之，乃儒服委質，因門人請為弟子。今觀孝堂山石刻子路像，奮袖抽劍，雄雞之冠，與《史記》所言符合。知孔子之服子路，非僅用禮，亦能以力勝矣。後世理學家不取粗暴之徒，殆亦為無孔子之力故耳（澹台滅明之斬蛟，亦好勇之徵也）。夫並生一時代者，體格之殊，當不甚遠。孔子、墨子，時代相接。孔子之勇如此，則墨子之以自苦為極，若救宋之役，百舍重繭而不息，亦可信矣。自兩漢以迄六朝，文氣日以衰微者，其故可思也。《世說新語》記王子猷、子敬俱坐一室，上忽發火，子猷遽走避，不惶取屐；子敬神色恬然，徐喚左右，扶憑而出，不異平常。爾時膏粱子弟，染於遊惰如此，體氣之弱可知矣。有唐國勢，雖不逮兩漢，猶勝於六朝。故燕許大手筆，文雖駢體，氣骨特健，自此一變而為韓、柳之散文。宋代尚文，諱言武事，歐、曾、王、蘇之作，氣骨已劣於韓、柳。余常謂文不論駢散，要以氣骨為主。曾滌笙倡陰陽剛柔之說，合於東人所謂壯美、優美者。以歷代之作程之：周、秦、兩漢之文剛，魏、晉南朝之文柔；唐代武功猶著，故其文雖不及兩漢，猶有兩漢遺風；宋代國勢已弱，故歐、蘇、曾、王之文，近於六朝；南宋及元，中國既微，文不成文；洪武肇興，驅逐胡虜，國勢雖不如漢唐，優於趙宋實遠。其

異於漢唐者，漢唐自然強盛，明則有勉強之處耳。明人鑒於宋人外交之卑屈，故特自尊大。凡外夷入貢，表章須一律寫華文，朝鮮、安南文化之國，許其稱臣；南洋小國及滿洲之屬，則降而稱奴。天使冊封，不可逕入其國城，須特建天橋，逾城而入；貢使之入中國者，官秩雖高，見典史不可不用手本，不可不稱大人。外夷稱中國曰天朝者，即始於此。諸如此類，即可見明代國勢之盛，出於勉強。國勢如此，國人體氣恐亦類此。其見於文事者，臺閣體不足為代表；歸震川閒情冷韻之作，亦不足為代表；所可代表者，為前後七子之作。彼等強學秦漢，力不足以赴之，譬如舉鼎絕臏，不自覺其面紅耳赤也。歸震川生長崑山，王鳳洲生長太倉，籍貫同隸蘇州，而氣味差池。震川與鳳洲爭名，二人皆自謂學司馬子長，然鳳洲專取《史記》描摹之筆及濃重之處，震川則以為《史記》佳處在閒情冷韻。蓋蘇州人好作冷語，震川之文，蘇州人之文也。震川殆知秦漢不易學，而又不甘自謂不逮秦漢，故專摹《史記》之冷語歟？由此遂啟桐城派之先河。桐城派不皆效法震川，顧其主平淡、不主濃重則同。姚姬傳學問之博，勝於方望溪，而文之氣魄則更小，謀篇過六七百字者甚罕。梅伯言修飾更精，而氣體尤不逮矣。曾滌笙以為學梅伯言而以為未足，頗有粗枝大葉之作，氣體近於陽剛。此其故關於國勢、體力。清初國勢之盛，乃滿洲之盛，非漢族之盛。漢人懾伏於滿洲淫威之下，綠營兵丁大抵羸劣，營汛武職官俸薄，往往出為賈豎，自謀生活，其權力猶不如今之警察，故漢人皆以當兵為恥。夫不習戎事，則體力弱；及其為文，自然疲苶矣。曾滌笙自辦團練，以平洪楊之亂，國勢既變，湘軍亦儼然一世之雄，故其文風骨遒上，得陽剛之氣為多。雖繼起無人，然並世有王湘綺，亦可云近於陽剛矣。湘綺與滌笙路徑不同，滌笙自桐城

入而不為八家所囿；湘綺雖不明言依附七子，其路徑實與七子相同，其所為詩，宛然七子作也。唯明人見小欲速，文章之士，不講其他學問。昌黎云：作文宜略識字。七子不能，故雖高談秦漢，終不能逮。湘綺可謂識字者矣，故其文優於七子也。由上所論，歷代文章之盛衰，本之國勢及風俗，其彰彰可見者也。

文之變遷，不必依駢散為論，然綜觀尚武之世，作者多散文；尚文之世，作者多駢文。秦漢尚武，故為散文，駢句罕見。東漢崇儒術，漸有駢句。魏晉南朝，純乎尚文，故駢儷盛行。唐代尚武，散體復興（唐人散體，非始於韓、柳。韓、柳之前，有獨孤及、梁肅、蕭穎士、元結輩，其文漸趨於散。唯魄力不厚。至昌黎乃漸厚耳。譬之山嶺脈絡，來至獨孤、蕭、梁，至韓、柳乃結成高峰也）。宋不尚武，故其文通行四六。作散文者，僅歐、曾、王、蘇數人而已（姚姬傳云：論文章，雖朱子亦未為是。大抵南宋之文，為後世場屋之祖。呂東萊、陳止齋、葉水心，學問雖勝，文則不工。《東萊博議》，純乎場屋之文。陳止齋、葉水心之作，當時所謂「對策八面鋒」，亦僅可應試而已）。餘波及於明清，桐城一派，上接秦、漢，下承韓、柳固不足，以繼北宋之軌則有餘，勝於南宋之作遠矣。

唐宋以來之散文，導源於獨孤及、蕭穎士輩，是固然矣。然其前猶可推溯，人皆不措意耳。《文中子》書，雖不可信，要不失為初唐人手筆。其書述其季弟王績（字無功，號東皋子），作《五斗先生傳》（見《事君》篇），其文今不可見。以意度之，殆擬陶淵明之《五柳先生傳》。其可見者，《醉鄉記》、《負苓者傳》，皆散漫而不用力，於陶氏為近，不可不推為唐代散文之發端。又馬周所作章奏，摹擬賈

太傅《治安策》，於散體中為有骨力。唐人視周為策士一流，不與文學之士同科，實亦散文之濫觴也。大凡文品與當時國勢不符者，文雖工而人不之重。燕許廟堂之文，當時重之，而陸宣公論事明白之作，見重於後世者，當時反不推崇。蕭穎士之文，平易自然。元結始為譎怪，獨孤及、梁肅變其本而加之厲。至昌黎始明言詞必己出，凡古人已用之語，必屏棄不取，而別鑄新詞。昌黎然，柳州亦然，皇甫湜、孫樵，無不皆然。風氣既成，宜乎宣公奏議之不見崇矣。然造詞之風，實非始於昌黎。唐《闕史》云：「左將軍吐突承璀（昌黎同時人）方承恩顧，及將敗之歲，有妖生所居。先是，承璀嘗華一室，紅梁粉壁，為謹詔敕藏機務之所。一日，晨啟其戶，有毛生地，高二尺許，承璀大惡之，且恐事洩，乃躬執箕帚，芟除以瘞，雖防口甚固，而娓娓有知者。承璀尤不欲達於班列。一日，命其甥嘗所親附者曰：『姑為我微行省闥之間，伺其叢談，有言者否。』甥稟教斂躬而往。至省寺，即詞詰守衛，輒不許進。方出安上門，逢二秀士，自貢院回，笑相謂曰：『東廣坤毳可以為異矣。』甥馳告曰：『醋大知之久矣（原註：中官謂南班，無貴賤皆呼醋大），且易其名呼矣。』謂左軍為東廣、地毛為坤毳矣。」易「左軍、地毛」曰「東廣、坤毳」，則與稱龍門曰虯戶無異，以言之者無礙，聞之者立悟。知唐人好以僻字易常名，乃其素習。故樊宗師作《絳守居園池記》，而昌黎稱為文從字順也。今觀其文，代東方以「丙」、西方以「庚」，亦「東廣、坤毳」之類。昌黎稱之者，以其語語生造，合於己意也。蓋造詞為當時風尚，而昌黎則其傑出者耳。

歐陽永叔號稱宗師韓、柳，其實與韓、柳異轍。唯以不重四六為

學韓、柳耳。永叔《題絳守居園池記》，詆訶樊氏，不遺餘力，可知其與昌黎異趣矣。宋子京與永叔同時，皆以學昌黎為名，而子京喜造詞，今《新唐書》在，人以澀體稱之，可證也。夫自作單篇，未嘗不可造詞；作史則不當專務生造。夫自作單篇，未嘗不可造詞；作史則不當專務生造。子京之文，有盛名於時，及永叔之文行，趨之者皆崇自然，於是子京之文不復見稱道。故知文品不合於時代，雖工亦不行也。

唐末迄於五代，文之衰敝已極。北宋初年，柳河東（開）、穆伯長（修）稍微傑出。河東文實不工，伯長才力薄弱，而故為詰屈聲牙。於時王禹偁所作，實較柳、穆為勝，唯才力亦薄弱耳。禹偁激賞丁謂、孫何，《宋史·丁謂傳》云：謂與何同袖文謁禹偁，禹偁重之，以為自唐韓愈、柳宗元後，三百年始有此作。二人之文，今不可見。穆伯長弟子尹師魯（洙），文頗可觀。蘇子美（舜欽）亦佳。師魯之文，永叔所自出，唯師魯簡練，永叔搖曳為異。永叔之文，震川一派所自昉也。蘇子美仕不得志，頗效柳州之所為，永叔亟稱之。此二家較柳、穆、王三家為勝。又永叔同時有劉原父（敞），才力宏大，司馬溫公文亦醇美。今人率稱八家，以余論之，唐宋不止八家。唐有蕭穎士、獨孤及、韓愈、柳宗元、李翱六家（皇甫湜、孫樵不足數），宋則尹洙、蘇舜欽、劉敞、宋祁、司馬光、歐陽脩、曾鞏、王安石、蘇洵父子，合十一家（柳、穆、王不必取，蘇門如秦觀之《淮海集》、蘇過之《斜川集》，文非不佳，唯不出東坡之窠臼，故不取。元結瑰怪，杜牧粗豪，亦不取），合之可稱唐宋十七家。茅鹿門之所以定為八家者，蓋韓、柳以前之作，存者無多；宋初人文亦寡。六家

之文，於八股為近；韓、柳名高，不得不取，故遂定為八家耳。

權德與年輩高於昌黎，文亦不惡，唯少林下風度耳。明臺閣體即自此出。杜牧之文為侯朝宗、魏叔子所自出。唯粗豪太過耳。近桐城、陽湖二派，拈「雅健」二字以為論文之準。然則權德與雅而不健，杜牧之健而不雅。雅健並行，二家所短。若依此選文，唐可八家（合權、杜數之），宋可十六家（合柳、穆、王、秦、蘇過數之），允為文章楷則矣（雅健者，文章入門之要訣，不僅散文之須雅健，駢文亦須雅健，派別可以不論）。乾嘉間朱竹君（筠）《笥河文集》行於北方，其文亦雅而不健，似臺閣一路。姚姬傳笑之，以為笥河一生為文學宋景濂，永遠是門外漢。是故雅而不健，不可；健而不雅，亦不可。明於雅健二字，或為獨行之文，或為著作之文，各視其人之力以為趣舍，庶乎可以言文。

繼此復須討論者，文章之分類是也。《文心雕龍》分為十九類，《古文辭類纂》則為十三類。今依陸士衡《文賦》為說，取其簡要也。自古唯能文之士為能論文，否則皮傅之語，必無是處。士衡《文賦》，區分十類，雖有不足，然語語確切，可作準繩，其言曰：「詩緣情而綺靡，賦體物而瀏亮，碑披文以相質，誄纏綿而淒愴，銘博約而溫潤，箴頓挫而清壯，頌優游以彬蔚，論精微而朗暢，奏平徹以閒雅，說煒曄而譎誑。」十類以外，傳狀序記，士衡所未齒列。今按：家傳一項，晉人所作，有《李合傳》、《管輅傳》，全文今不可見。就唐人所引觀之，大抵散漫，無密栗之致。行狀一項，《文選》錄任彥昇《竟陵文宣王行狀》一篇，體裁與後世所作不類。原行狀之體，本與傳同，而當時所作，文多質少，語率含渾（行狀上之尚書，考功司

據以擬諡，李翱以為今之行狀，文過其質，不可為據，始變文為質，不加藻飾）。遊記一項，古人視同小說，不以入文苑。東漢初，馬第伯作《封禪儀記》，偶然乘興之筆。後則遊記漸孳，士衡時尚無是也。序錄一項，古人皆自著書而自為序。劉向為各家之書作序，此乃在官之作；後世為私家著述作序者，古人無是也。此四項，士衡所不論，今就士衡所賦者論之：

詩、賦：士衡緣情、體物二語，實作詩造賦之要。賦本古詩之流，七國時始為別子之祖。至漢，《子虛》、《上林》，篇幅擴大，而《古詩十九首》仍為短章。蓋體物者，鋪陳其事，不厭周詳，故曰瀏亮。緣情者，詠歌依違，不可直言，故曰綺靡。然賦亦有緣情之作，如班孟堅之《幽通》、張平子之《思玄》、王仲宣之《登樓》，皆偶一為之，非賦之正體也。

碑、誄：古人刻石，不以碑名。秦皇刻石，嶧山、泰山、琅邪、芝罘、碣石、會稽諸處，皆直稱刻石，不稱碑。廟之有碑，本以麗牲；墓之有碑，本以下棺。作碑文者，東漢始盛。今漢碑存者百餘通，皆屬文言。往往世系之下，綴以考語；所治何學，又加考語；每歷一官，輒加考語，無直敘其事者。故曰「披文以相質也」。不若是，將與行狀、家傳無別。魏晉不許立碑；北朝碑文，體制近於漢碑；中唐以前之碑，體制亦未變也。獨孤及、梁肅始為散文，然猶不直敘也。韓昌黎作《南海神廟碑》，純依漢碑之體；作《曹成王碑》，用字瑰奇，以此作碑則可，作傳即不可。桐城諸賢不知此，以昌黎之碑為獨創，不知本襲舊例也（昌黎猶知文體，宋以後漸不然）。宋人作碑，一如家傳，唯首尾異耳。此實非碑之正體。觀夫蔡中郎為人作

碑，一人作二三篇，以其本是文言，故屬辭可以變化；若為質言，豈有一人之事蹟，可作二三篇述之耶？至漢碑有稱「誄曰」者，知碑與誄本不必分，然大體亦有區別。碑雖主於文飾，仍以事實為重。誄則但須纏綿淒愴而已。後世作誄者少，潘安仁《馬汧督誄》，乃是披文相質之作。碑與誄故是同類。後世祭文，則與誄同源。

銘、箴：碑亦有銘。此所謂銘，則器物之銘也。崔子玉《座右銘》，多作格言，乃《太公家教》之類，取其義，不取其文耳。張孟陽《劍閣銘》云：「敢告梁益。」是箴體也。所謂博約溫潤者，語不宜太繁，又不宜太露。然則《劍閣銘》是銘之正軌也。箴之由來已久。官箴王闕，本以刺上。後世作箴，皆依《虞箴》為法，揚子雲、崔亭伯官箴、州箴，合四十餘篇。所與銘異者，有頓挫之句，以直言為極，故曰「頓挫而清壯」也。張茂先《女史箴》，筆路漸異，尚能合法；至昌黎《五箴》，則失其步趨者也。

頌、論：三頌而外，秦碑亦頌之類也。刻石頌德，斯之謂頌矣。唯古代之頌，用之祭祀。生人作頌，始於秦碑，及後人作碑亦稱「頌曰」是也。柳子厚作《平淮西雅》，其實頌也。頌與雅，後世不甚分耳。要以優游炳蔚為貴。論者，評議臧否之作。人之思想，愈演愈深，非論不足以發表其思想，故貴乎精微朗暢也。士衡擬《過秦》作《辯亡論》，議封建作《五等論》。二者皆論政之文，故為粗枝大葉，而非論之正體。論之正體，當以諸子為法，論名理不論事理，乃為精微朗暢者矣。莊、荀之論，無一不合精微朗暢之旨。韓非亦有之，但不稱論耳（論事之作，不以為正體，王褒《四子講德論》作於漢代，周秦無有也）。《文選》錄王褒《四子講德論》，論事本非正體，當為

士衡所不數。蓋周秦而後，六朝清談佛法諸論，合乎正軌。《崇有論》反對清談，《神滅論》反對佛法，此亦非朗暢不能取勝。此種論，唐以後不能作。蓋唐以後人只能論事理，不能論名理矣。劉夢得、柳子厚作《天論》，似乎精細，要未臻精微朗暢之地。宋儒有精微之理，而作文不能朗暢，故流為語錄。

奏、說：七國時遊說，多取口說而鮮上書，上書即奏也。縱橫家之作，大抵放恣，蘇秦、范雎是矣，即李斯《諫逐客》亦然。自漢人乃變為平徹閑雅之作，以天下統一，縱橫之風替也。平則易解，雅則可登於廟堂。此種體式，自漢至唐不變。至明人奏議，輒以痛罵為能事，故焦里堂謂溫柔敦厚之教至明人而盡。如楊椒山劾嚴嵩曰賊嵩，雖出忠憤，甚非法式。又如劉良佐、劉澤清稱福王拘囚太子是無父子，不納童氏是無夫婦。又如萬曆時御史獻酒、色、財、氣四箴，此皆乖於進言之道。自唐以來，奏議以陸宣公為最善，既平徹又閑雅，可謂正體；所不足者，微嫌繁冗耳。唐人好文，三四千言之奏，人主猶能遍覽，若在後世，正恐無暇及此。曾滌笙自謂學陸宣公，今觀其文，類於八股，平固有之，雅則未能。甲午戰後，王湘綺嘗代李少荃奏事，多引《詩》、《書》，摹擬漢作，雅則有餘，平則不足。於是知平徹閑雅之難也。說者古人多為口說，原非命筆為文，《文心雕龍》譏評士衡，謂「自非譎敵，則唯忠與信，披肝膽以獻主，飛文敏以濟辭，此說之本也」。不悟七國游士，縱橫捭闔，肆口陳言，取快一時，確有煒曄譎誑之觀，然其說必與事實相符，乃得見聽。蘇秦之合縱，非易事也。而六國之君聽之者，固以其口辯捷給，亦為有其實學耳。《國策》言蘇子去秦而歸，揣摩太公陰謀之符，然後出說人主。

由今觀之，蘇子亦不徒恃陰謀，蓋明於地理耳。七國時地圖難得，唯涉路遠者，知輿地大勢。荀子游於列國，故《議兵》篇所言地理不誤，自余若孟子之賢，猶不知淮泗之不入江（《孟子》：「決汝漢、排淮泗而注之江。」不知淮泗不入江也）。漢興，蕭何入關，收秦圖籍，故能知天下形勢。否則，高祖起自草莽，何由知之？唯蘇秦居洛陽，必嘗見地圖。故每述一國境界，悉中事情，然後言其財賦之多寡、兵力之強弱，元元本本，了然無遺。其說趙肅侯也，謂「臣請以天下之地圖按之」。夫以草澤匹夫，而深知國情如此，宜乎六國之君不敢不服其說矣。後世口說漸少，唯戰爭時或有之，留侯之借箸、武侯之求救於孫權，皆所謂譎�者。後杜牧之作《燕將錄》，載譚忠為燕牧劉濟使，說魏牧田季安；又元和十四年說劉濟子忠，皆慷慨立談，類於蘇秦。頗疑牧之所文飾，非當時實事。昌黎作《董晉行狀》，述晉對李懷光語，亦口若懸河。晉服官無聞，此亦疑昌黎所文飾也。然則蘇秦而後，口說可信者，唯留侯、諸葛二事。要皆煒曄譎010，不盡出於忠信，以此知士衡之說為不可易也。

綜上所論，知士衡所舉十條，語語諦當，可作準繩。至其所未及其，祭文准誄，傳狀准史（今人如欲作傳，不必他求，只依《史》、《漢》可矣。行狀與傳，大體相同，唯首尾為異。且行狀所以議諡，明以來議諡不據行狀，則行狀無所用之，不作可也）。序記之屬，古人所輕。官修書庫，序錄提要，蓋非一人所能為。若私家著述，於古只有自序；他人作之，亦當提挈綱首，不可徒為膚泛。記唯遊記可作，《水經注》、馬第伯《封禪儀記》，皆足取法。宋人遊記敘山水者，多就瑣碎之處著筆，而不言大勢，實無足取。余謂《文賦》十類

之外，補此數條已足。姚氏《古文辭類纂》分十三類，大旨不謬。然所見甚近，以唐宋直接周秦諸子、《史》、《漢》，置東漢、六朝於不論，一若文至西漢即斬焉中絕，昌黎之出真似石破天驚者也。天下安有是事耶（桐城派所說源流不明，不知昌黎亦有師承）？余所論者，似較姚氏明白。

昌明文庫・悅讀國學 A0602011

國學概論・國學略說

作　　　者	章太炎	
版權策畫	李　鋒	
責任編輯	林以邠	

發 行 人	林慶彰
總 經 理	梁錦興
總 編 輯	張晏瑞
編 輯 所	萬卷樓圖書股份有限公司

臺北市羅斯福路二段 41 號 6 樓之 3

電話 (02)23216565

傳真 (02)23218698

出　　　版	昌明文化有限公司

桃園市龜山區中原街 32 號

電話 (02)23216565

發　　　行	萬卷樓圖書股份有限公司

臺北市羅斯福路二段 41 號 6 樓之 3

電話 (02)23216565

傳真 (02)23218698

電郵 SERVICE@WANJUAN.COM.TW

ISBN 978-986-496-206-8

2018 年 1 月初版

定價：新臺幣 460 元

如何購買本書：

1. 劃撥購書，請透過以下郵政劃撥帳號：

　帳號：15624015

　戶名：萬卷樓圖書股份有限公司

2. 轉帳購書，請透過以下帳戶

　合作金庫銀行 古亭分行

　戶名：萬卷樓圖書股份有限公司

　帳號：0877717092596

3. 網路購書，請透過萬卷樓網站

　網址 WWW.WANJUAN.COM.TW

大量購書，請直接聯繫我們，將有專人為您

服務。客服：(02)23216565 分機 610

如有缺頁、破損或裝訂錯誤，請寄回更換

版權所有・翻印必究

Copyright©2016 by WanJuanLou Books CO.,

Ltd.All Rights Reserved　**Printed in**

Taiwan

國家圖書館出版品預行編目資料

國學概論.國學略說 / 章太炎著. -- 初版. --

桃園市 : 昌明文化出版 ; 臺北市 : 萬卷樓

發行, 2018.01

　面 ；　公分. -- (昌明文庫. 悅讀國學)

ISBN 978-986-496-206-8(平裝)

1.漢學

030　　　　　　　　　　　　　　　107001912

本著作物經廈門墨客知識產權代理有限公司代理，由江西教育出版社授權萬卷樓圖書

股份有限公司出版、發行中文繁體字版版權。